使い方

①赤の破線（- - - -）を切り取る
②グレーの線（——）を山折りに
③各分冊の背表紙に貼る

格のトリセツ　基本問題集

❶ 労働科目

東京リーガルマインド

2025
社労士　合格のトリセツ　基本問題集

❷ 社会保険科目・一般常識科目

東京リーガルマインド

基本問題集

はしがき

このたびは『2025年版社労士合格のトリセツ 基本問題集』をご購入いただき、ありがとうございます。

本書は、『2025年版社労士合格のトリセツ 基本テキスト』におおむね準拠していますので、この２冊を効果的に組み合わせてお使いいただけます。テキストに掲載がない問題も出てきますが、ぜひチャレンジしてみてください。

本書は、基本的に「過去に実際に試験で問われた問題」（過去問）をベースにしています。実際の過去問を使うことで、理解力と同時に実践力を養うことをその狙いとしています。ただし、科目やその中のテーマによっては、出題が「あるテーマに偏っている」ということもありますので、過去未出題のテーマについては、「椛島オリジナル」ということで、筆者が作問し、補いました。

筆者からひとつ、声を大にして言いたいことがあります。それは「問題を解き惜しみしないで！」ということです。問題集は、文字通り問題集であると同時に、「テキストでもあり、資料集でもある」ということです。「今やっても解けるわけないからやらない」ではなく、「テキストの部分をより深く理解するために、問題を解いてみよう！」とすべきです。実践あるのみです。

本書が、皆さんの社労士試験合格に大きく貢献できることを願ってやみません。

※本書の内容は、2024年6月1日現在、2025年4月1日時点において施行されると考えられる法令に基づいています。

2024年6月吉日

LEC専任講師　**椛島克彦**

本書の便利な使用方法

持ち運びに便利な「2分冊セパレート方式」

本書は、通勤・通学などの外出時に持ち運びがしやすいように「2分冊セパレート方式」を採用しています。

第1分冊：労働科目
第2分冊：社会保険科目
・一般常識科目

2分冊化の手順

❶各冊子を区切っている白い厚紙を本体に残し、色紙が表紙の冊子をつまんでください。
❷冊子をしっかりとつかんで手前に引っ張り、取り外してください。
※白い厚紙と色紙が表紙の冊子は、のりで接着されていますので、丁寧に分解・取り外してください。なお、分解・取り外しの際の破損等による返品・交換には応じられませんのでご注意ください。

背表紙を保護。本棚に立てても中身がわかる「分冊背表紙シール」

背表紙シールを貼ることで、分冊の背表紙を保護することができ、本棚に立てても中身がわかります。

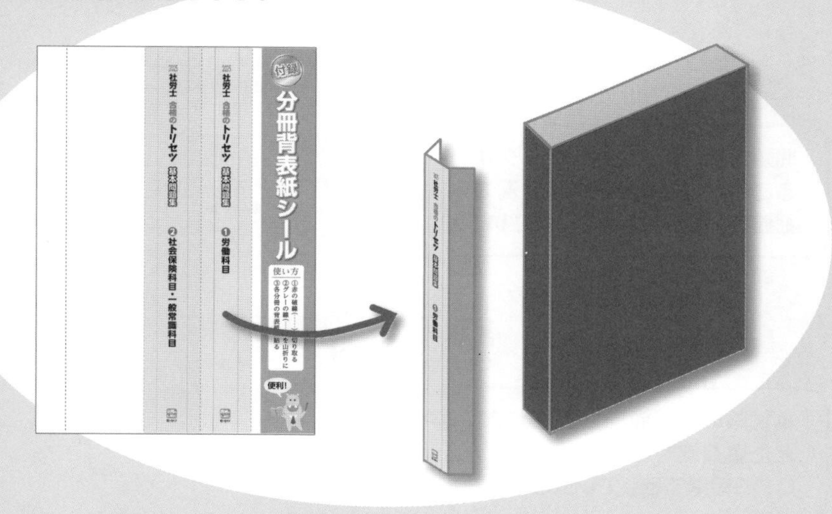

背表紙シールの貼り方

❶付録の背表紙シールをミシン目にそって切り離してください。
❷赤の破線（…）をハサミ等で切り取ってください。
❸切り取ったシールをグレーの線（—）で山折りに折ってください。
❹分冊の背表紙にシールを貼ってください。

本書の特長と効果的活用法

問題

左ページ

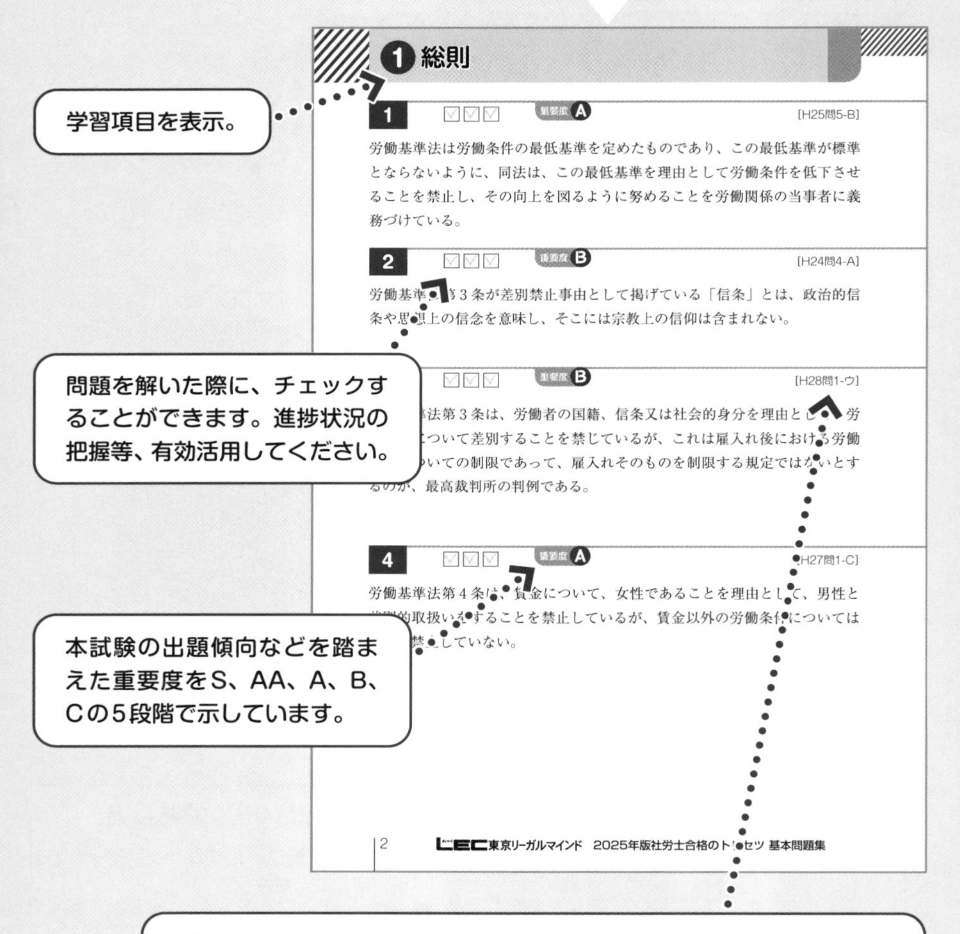

過去の本試験の出題実績は下記のように表記しています。
【例】H28問1-ウ→平成28年本試験において、問1の肢ウとして出題。
法改正等にあわせて問題文を改めたものは「改題」と付記しています。
また、オリジナル問題は「椛島オリジナル」と表記しています。

解答・解説

右ページ

各問題、ていねいに解説しています。問題の正誤に関わるポイントを、色文字で強調しています。

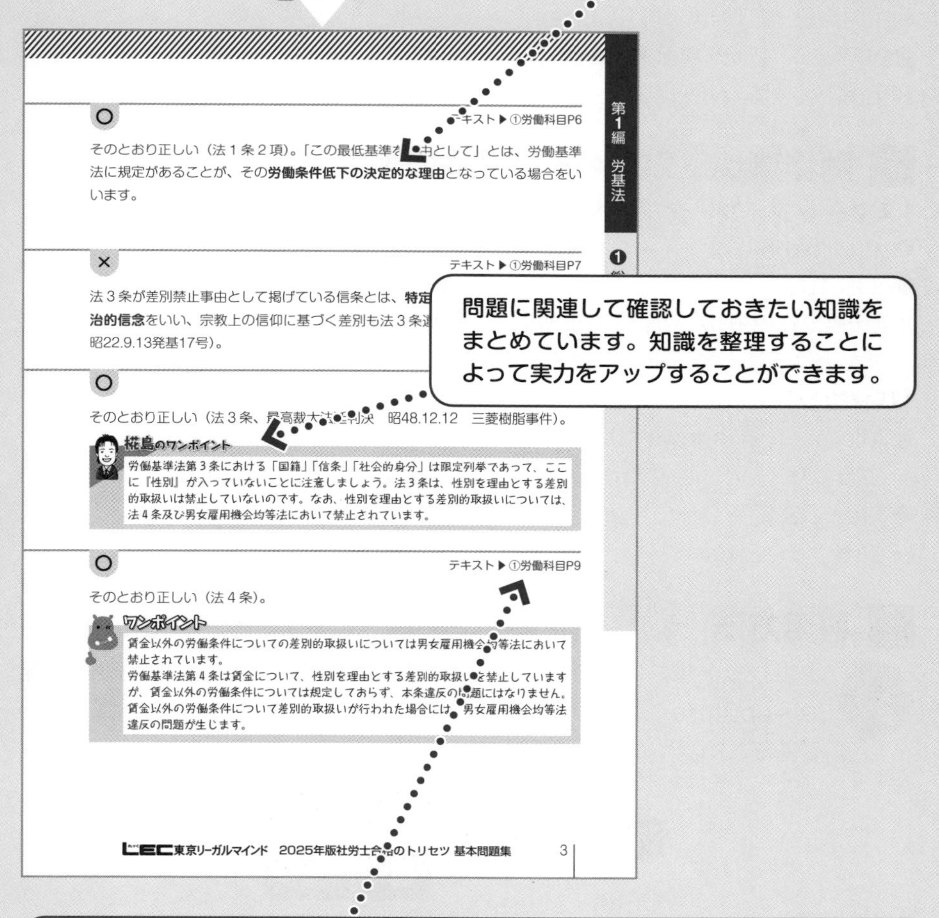

問題に関連して確認しておきたい知識をまとめています。知識を整理することによって実力をアップすることができます。

出題箇所の復習を効率的に行うことができるよう、『社労士合格のトリセツ 基本テキスト』の該当ページを記載しています。
①労働科目……社労士合格のトリセツ 基本テキスト ①労働科目（第1分冊）
②社会保険科目……社労士合格のトリセツ 基本テキスト ②社会保険科目（第2分冊）
③一般常識科目……社労士合格のトリセツ 基本テキスト ③一般常識科目（第3分冊）

アプリの利用方法

本書は、デジタルコンテンツ（アプリ）と併せて学習ができます。
パソコン、スマートフォン、タブレット等でも問題演習が可能です。

利用期間

利用開始日　2024 年 9 月 1 日
登録期限　2025 年 8 月 23 日
利用期限　登録から 12 ヶ月間

動作環境（2024 年 8 月現在）

【スマートフォン・タブレット】

- Android 8 以降
- iOS 10 以降

※ご利用の端末の状況により、動作しない場合があります。OS のバージョンアップをされることで正常にご利用いただけるものもあります。

【パソコン】

- Microsoft Windows 10、11
  ブラウザ：Google Chrome、Mozilla Firefox、Microsoft Edge
- Mac OS X
  ブラウザ：Safari

利用方法

1. タブレットまたはスマートフォンをご利用の場合は、GooglePlay または AppStore で、「ノウン」と検索し、ノウンアプリをダウンロードしてください。

2 パソコン、タブレット、スマートフォンのWebブラウザで下記URLにアクセスして「アクティベーションコード入力」ページを開きます。次ページ⑧に記載のアクティベーションコードを入力して「次へ」ボタンをクリックしてください。

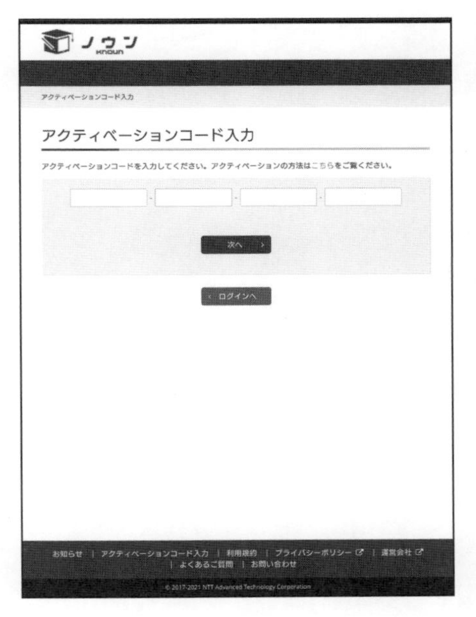

[アクティベーションコード入力ページ]
https://knoun.jp/activate

3 「次へ」ボタンをクリックすると「ログイン」ページが表示されます。ユーザーＩＤとパスワードを入力し、「ログイン」ボタンをクリックしてください。
ユーザー登録が済んでいない場合は、「ユーザー登録」ボタンをクリックします。

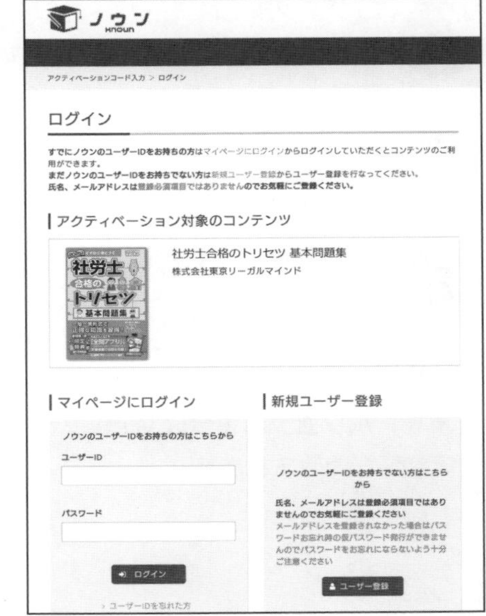

※表紙画像はイメージです

4 「ユーザー登録」ページでユーザー登録を行ってください。

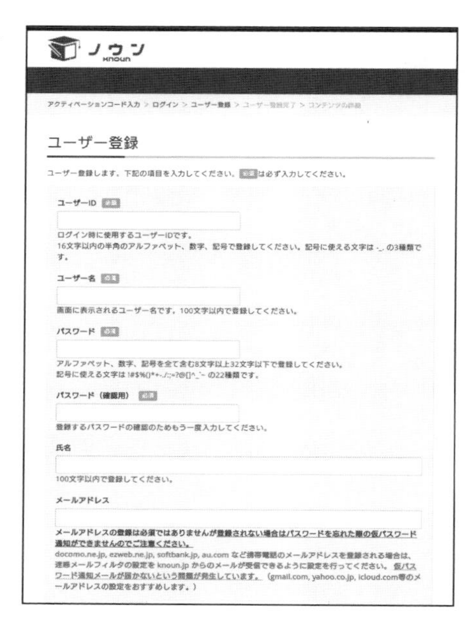

5 ログインまたはユーザー登録を行うと、コンテンツが表示されます。

6 「学習開始」ボタンをクリックすると、タブレット及びスマートフォンの場合はノウンアプリが起動し、コンテンツがダウンロードされます。パソコンの場合はWebブラウザで学習が開始されます。

※表紙画像はイメージです

7　２回目以降は、パソコンをご利用の場合は下記の「ログイン」ページからログインしてご利用ください。タブレット及びスマートフォンをご利用の場合はノウンアプリから直接ご利用ください。

[ログインページ]
https://knoun.jp/login

8　アクティベーションコード（半角英数字で入力してください。）

LECr-2025-Tori-tFDj

[ノウンアプリ　お問い合わせ窓口]

ログインやアプリの操作方法のお問い合わせについては、以下の方法にて承ります。
なお、回答は、メールにてお返事させていただきます。

○ノウンアプリのメニュー<お問い合わせ>から
○ノウン公式サイト　お問い合わせフォームから
　URL：https://knoun.jp/knounclient/ui/inquiry/regist
○メールから
　お問い合わせ先アドレス：support@knoun.jp

お電話でのお問い合わせはお受けしておりませんので、予めご了承ください。

※「ノウン」はNTTアドバンステクノロジ株式会社の登録商標です。
※記載された会社名及び製品名は、各社の商標または登録商標です。

目　次

はしがき
本書の便利な使用方法
本書の特長と効果的活用法
アプリの利用方法

労働科目（第１分冊）

第１編　労働基準法……1

❶ 総則……2
❷ 労働契約……10
❸ 賃金……20
❹ 労働時間・休憩・休日……28
❺ 年次有給休暇……42
❻ 年少者……46
❼ 妊産婦……48
❽ 就業規則……50
❾ その他の規定……56

第２編　労働安全衛生法……61

❶ 総則……62
❷ 安全衛生管理体制……64
❸ 労働者の危険又は健康障害を防止するための措置……72
❹ 機械等並びに危険有害物に関する規制……76
❺ 労働者の就業に当たっての措置……78
❻ 健康の保持増進のための措置……82
❼ その他の規定……88

第３編　労働者災害補償保険法……93

❶ 総則……94
❷ 業務災害及び通勤災害……96
❸ 給付基礎日額……110
❹ 業務災害に関する保険給付……112
❺ 通勤災害に関する保険給付……128
❻ 二次健康診断等給付……130
❼ 保険給付の通則……132
❽ 社会復帰促進等事業……140

❾ 特別加入……144
❿ その他の規定……148

第４編　雇用保険法……153

❶ 総則……154
❷ 給付の全体像……162
❸ 求職者給付……164
❹ 就職促進給付……182
❺ 教育訓練給付……184
❻ 雇用継続給付……186
❼ 育児休業給付……190
❽ 雇用保険二事業……192
❾ 費用の負担等……194
❿ 不服申立て及び雑則……196

第５編　労働保険の保険料の徴収等に関する法律……201

❶ 総則……202
❷ 保険関係……206
❸ 労働保険料の納付……218
❹ メリット制……236
❺ 印紙保険料……240
❻ 特例納付保険料……242
❼ 労働保険料の負担及び徴収金の徴収等……244
❽ 労働保険事務組合……248
❾ 不服申立て及び雑則…254

社会保険科目・一般常識科目（第２分冊）

第６編　健康保険法……1

❶　総則・保険者……2
❷　被保険者・被扶養者……8
❸　標準報酬月額及び標準賞与額……20
❹　届出等……28
❺　傷病に関する保険給付……34
❻　死亡・出産に関する保険給付……50
❼　資格喪失後の保険給付……54
❽　保険給付の通則……60
❾　費用の負担……66
❿　不服申立て等……76

第７編　国民年金法……81

❶　総則……82
❷　被保険者……86
❸　届出等……98
❹-１　給付（通則）……102
❹-２　給付（老齢基礎年金）……112
❹-３　給付（障害基礎年金）……120
❹-４　給付（遺族基礎年金）……126
❹-５　給付（第１号被保険者独自の給付）……134
❹-６　給付（その他給付関連）……140
❺　積立金の運用及び費用の負担……144
❻　不服申立て及び雑則等……154
❼　国民年金基金……156

第８編　厚生年金保険法……165

❶　総則……166
❷　被保険者……168
❸　標準報酬月額及び標準賞与額……176
❹　届出等……180
❺-１　保険給付（通則）……184
❺-２　60歳台前半の老齢厚生年金……190
❺-３　老齢厚生年金……200
❺-４　障害厚生年金及び障害手当金……202

❺ - 5　遺族厚生年金……212
❺ - 6　離婚分割制度……224
❺ - 7　その他保険給付関連……228
❺ - 8　2以上種別の期間を有する者の特例……234
❻　積立金の運用及び費用の負担……236
❼　不服申立て及び雑則等……244

第9編　労務管理その他の労働に関する一般常識……249

❶　労働条件の確保及び向上等に関する法令……250
❷　雇用安定及び就職促進に関する法令……262
❸　その他の労働関係諸法令……270
❹　労務管理及び労働経済……278

第10編　社会保険に関する一般常識……281

❶ - 1　社会保険法令（国民健康保険法）……282
❶ - 2　社会保険法令（高齢者医療の確保に関する法律）……288
❶ - 3　社会保険法令（介護保険法）……294
❶ - 4　社会保険法令（船員保険法）……300
❶ - 5　社会保険法令（児童手当法）……302
❶ - 6　社会保険法令（確定給付企業年金法）……306
❶ - 7　社会保険法令（確定拠出年金法）……310
❶ - 8　社会保険審査官・審査会法……314
❷　社会保障制度……316

〈執筆者〉

椛島 克彦（かばしま かつひこ）

明治大学法学部法律学科卒業。
一般企業に就職し、営業、法務を経て人事部に異動。採用、教育、社会保険、給与計算、各種制度整備など全般を担当。
平成21年度社会保険労務士試験合格（その後開業登録）。
平成22年1月からLEC東京リーガルマインド専任講師として、各種講座や直前対策道場に登壇。動画も多数配信。
趣味はプロ野球観戦。さらに某暗闇バイクフィットネスにハマっている。

2025年版 社労士 合格のトリセツ 基本問題集

2021年１月15日　第１版　第１刷発行
2024年８月30日　第５版　第１刷発行

執　筆●椛島 克彦
編著者●株式会社　東京リーガルマインド
LEC総合研究所　社会保険労務士試験部

発行所●株式会社　東京リーガルマインド
〒164-0001　東京都中野区中野4-11-10
アーバンネット中野ビル
LECコールセンター　0570-064-464
受付時間　平日9：30～19：30/土・日・祝10：00～18：00
※このナビダイヤルは通話料お客様ご負担となります。
書店様専用受注センター　TEL 048-999-7581 / FAX 048-999-7591
受付時間　平日9：00～17：00/土・日・祝休み
www.lec-jp.com/

カバー・本文イラスト●矢寿 ひろお
本文デザイン●株式会社 桂樹社グループ
印刷・製本●三美印刷株式会社

ISBN978-4-8449-6884-9

10月より順次発刊予定

出る順 社労士 シリーズ

インプット ◀ リンク **アウトプット ＜過去問題集＞**

リンク

科目別導入講義動画付き！

必修基本書

”最短かつ確実合格”のための必要十分な内容を掲載した受験生必携の基本書！必要知識を学べる2分冊セパレート。

出題形式のまま項目別に掲載！

必修過去問題集（全2巻）

①労働編　②社会保険編

過去10年分の本試験を同形式で掲載しているので、実戦的な演習が可能！

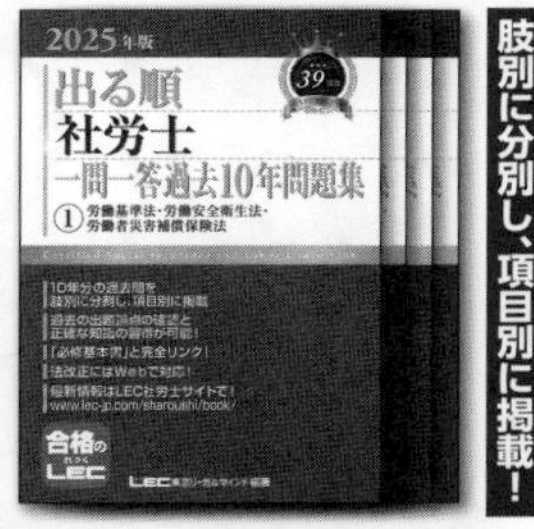

肢別に分別し、項目別に掲載！

一問一答過去10年問題集（全4巻）

①労働基準法・労働安全衛生法・労働者災害補償保険法
②雇用保険法・労働保険の保険料の徴収等に関する法律・労務管理その他の労働に関する一般常識
③健康保険法・国民年金法
④厚生年金保険法・社会保険に関する一般常識

○×形式で出題論点をスピーディーにチェック！

『出る順社労士』シリーズの問題集はすべて「必修基本書」にリンク！

問題集には「必修基本書」の該当ページを記載しているので、確認したいことや詳しく調べたいときなどに便利です。

アウトプット ＜オリジナル問題集＞

ポイント解説で理解度アップ！

選択式徹底対策問題集

収録問題数400問以上！苦手な受験生も多い選択式対策の決定版！重要条文だけでなく、見落としやすい条文までカバー！

予想問題で知識の総仕上げ！

当たる！直前予想模試

本試験を自宅でシミュレーション！渾身の予想模試を2回分収録。無料解説動画で答え合わせをしながらポイント学習！

書籍のご購入は全国の書店または弊社オンラインショップからお求めいただけます。

オンラインショップはかんたんアクセス

椛島克彦講師の社労士合

IN-PUT

基本テキスト&講義

労働編

労基	安衛	労災	雇用
全10回 450分	全4回 180分	全10回 450分	全10回 450分

講座のねらい

椛島 克彦
(かばしま かつひこ)
LEC専任講師

難化傾向の続く社労士試験について まったくの初学者と独学者を 合格レベルの受験生に導きます。

「これから社労士試験合格に向けて勉強する方」や「独学者」へ向けテキスト「社労士合格のトリセツ 基本テキスト」を作成しました。このテキストは「手取り足取り」の気持ちで“読んだすべての人に理解してもらえる”ようにいつもより図表を多くしたり、内容に入る前に“イントロダクション”として各科目の特色や試験傾向などをまず示す(さながら“転ばぬ先の杖”といったところでしょうか)など、工夫をしました。
そしてさらに今回、この本を使って Web 限定で講義をします。「独学でも読める本」でさらに講義するわけですから、きっと誰もが合格レベルの受験生に近づけるのではないかと思っています。
「基本テキスト」購入者限定特典として各科目の 1 回目の講義(全 10 回)とはじめて講義(全 1 回)を無料 Web 配信しますので、本講座に少しでも興味を持たれた方は、まずはこちらの講義を視聴してみてください。お待ちしております。
※書籍購入者限定特典の動画視聴ページの URL は「基本テキスト」内でご案内しております。

Q 基本問題集 は購入すべきでしょうか?

A 問題集は学習の理解度を把握するために、是非、チャレンジしてください。

基本問題集は、基本テキストに完全準拠しており、実力アップに最適です。したがって講義を受けたら、是非、問題集にチャレンジしてほしいです。問題集に取りかかるタイミングは、各科目終了後でもよいですし、今日講義をやった範囲でもいいです。**問題を解いて、できなかったところや分からなかったところは、基本テキストに立ち返ってチェックし、問題集にも付箋を貼るなどして後日解き直してください。**こうした繰り返しで穴のない知識を手に入れることができます。

2025年合格目標 社労士合格

2024年9月〜

合格講座本論編 [全57回]

Zoom 通学⇔通信 オールフリー！

2025年5月〜

改正法攻略講座 [全2回]

実戦

合格講座本論編

全57回(2.5H／本論編48回+確認テスト9回)

各科目の修了時に確認テストを実施します。(確認テスト全9回)
■労働基準法 ■労働安全衛生法 ■労働者災害補償保険法 ■雇用保険法 ■労働保険徴収法■労働一般常識
■健康保険法 ■国民年金法 ■厚生年金保険法 ■社会保険一般常識

本論編(2.5H×48回)
社労士試験合格のカギは「理解と記憶」そして「判断」にあります。まずは理解促進のための講義を展開しながらも、記憶にのこるフレーズや覚え方のヒントをどんどん提供していきます。そして本試験でどこが出るのか、何が試されるのか、その選別と判断方法をお伝えします。その他、単にインプット講義だけではなくアウトプット(演習)も行います。合格のカギは"解答力"と"処理能力"です。これらの力は、アウトプットトレーニングを日頃から行っていなければ養成できるものではありません。インプットが固まってからというのではなく、積極的にトレーニングするため、各科目の終了時に確認テストを行います。インプット内容がどのように出題されるのかを知り"解答力"と"処理能力"を身に付けていきます。

確認テスト(9回)
■労基安衛 ■労災 ■雇用 ■徴収 ■労働一般 ■健保 ■国年 ■厚年 ■社会一般
各科目ごと演習50分+解説90分(成績処理はありません)　選択式問題2問+択一式問題15問
※科目により問題数が変わる場合があります。

改正法攻略講座

全2回(2.5H×2回)

本試験で出題可能性が高い2年分の改正点について、解答力を養成します

横断攻略講座

全2回(2.5H×2回)

各試験科目に共通する項目を、わかりやすく図表で整理して横断的に学習し、違いを本質的に理解しながら、確実な知識を修得します。

白書・統計攻略講座

全2回(2.5H×2回)

本試験で出題の可能性が高い用語や白書・統計情報をチェックします。最新の労働経済白書、厚生労働白書の内容を集約し、試験対策上重要な項目にポイントを絞って、効率よく学習します。

実戦答練〜選択式・択一式〜

全7回(答練50分／解説90分)

社労士受験指導 実績38年のLECが誇る本試験傾向を徹底分析した予想問題を出題！

全日本社労士公開模試

全3回

3回受験で、①本試験に出題される可能性が高い主要論点をカバーできる！②解答力を合格レベルにアップできる！

コース［全73回］

6月	7月	8月

横断攻略講座［全2回］

白書・統計攻略講座［全2回］

社会保険労務士試験

答練 ～選択式・択一式～［全7回］

全日本社労士公開模試［全3回］

Message

澤井講師からのメッセージ

社労士試験の合格基準は択一式・選択式それぞれの総合点と各科目の基準点をクリアーすることが必要です。そのためには本論編でしっかりとした知識を取り込み、答案練習や模試のアウトプットにつなげていくことが大切です。通学の方も通信の方も不得意科目をつくらずコンスタントに学習を進めていきましょう。

合格講座ガイダンス
動画はこちらから

工藤講師からのメッセージ

社労士試験に合格するためには、乗り越えなければならない大変な困難があります。膨大な条文の理解のみならず時には試験テクニックも必要とされます、仕事や家庭との両立の悩みなど、とても独学で乗り越えられるものではありません。私は皆さんに、学習は苦痛ではなく、知らなかったことが理解できた時の嬉しさを感じて頂き、むしろもっと知りたい！と思う気持ちを伝えたいと思っています。メンタル面も含め、これから私が皆さんのサポーターです！

さらに直前対策を強化したい方向け別売オプション

別売 直前対策強化パック［全8回］

選択式予想講座　全2回（2.5H×2回）

選択式問題の出題傾向を徹底分析⇒必要な知識の解説、解き方のコツを伝授します！

年金横断講座　全4回（2.5H×4回）

「年金の壁」を乗り越え、得点源にしよう！

判例マスター講座　全2回（2.5H×2回）

出題可能性の高い重要判例を効率よくかつ丁寧に学習し、得点力を強化します。

法律のLECだから創ることができた、最強の

2025年 年金キーパー＋中上級コー

2024年9月～

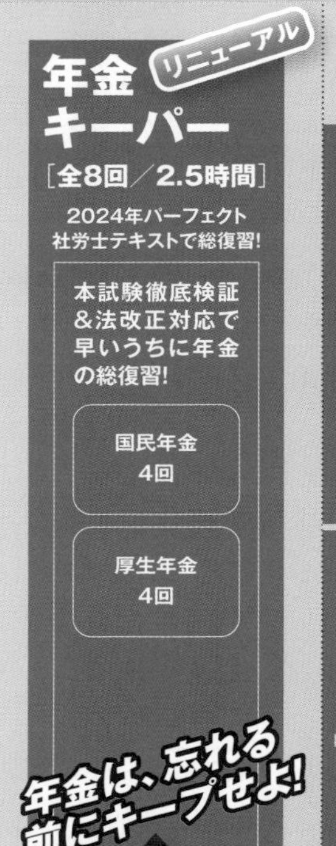

中上級講座［全61回／2.5時間］

リニューアル

労働編

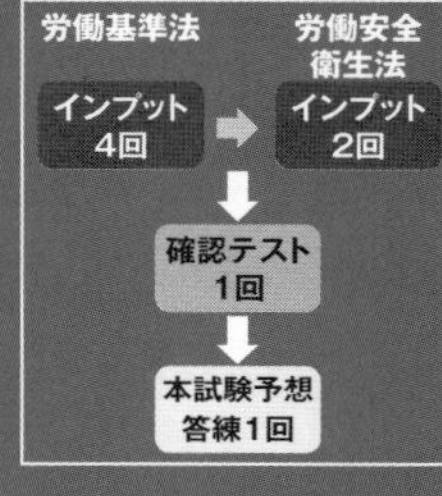

社会保険編

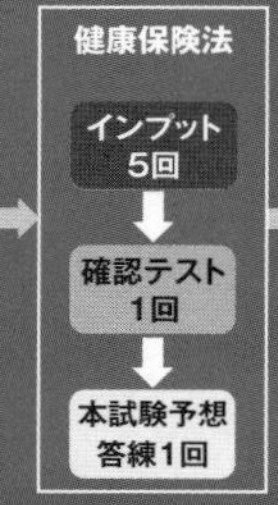

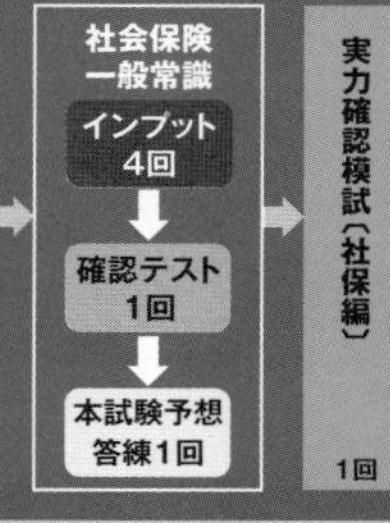

年金キーパーは、こんな中上級生にオススメ!

❶苦手な年金科目を得意科目にしておきたい方
❷せっかく覚えた知識を忘れたくない方
❸今年の知識を、来年向けに再構築しておきたい方

リニューアル

LECコース生限定オプション講座で、さらに実力アップ!

レベルアップオプション講座	椛島克彦講師
澤井の厳選!過去問セレクト	澤井清治講師
山下塾 過去10年分 過去問分析と解き方講座	山下良一講師
大野の主要科目過去問特訓ゼミ	大野公一講師
華ちゃんチョイス 過去問ナビ	西園寺華講師
一般常識徹底解説講座	滝則茂講師
早川の過去問ポイント攻略講座	早川秀市講師
吉田の過去問×肢ピックアップ講座	吉田達生講師
実力完成講座OPUSシリーズ	工藤寿年講師

中上級プログラム。**狙いは1つ、本試験で合格点を取ること。**

ス［全85回］／中上級コース［全77回］

▲詳細はこちら

2025年5月～

2025年8月

充実の直前対策［全16回］

改正法攻略講座	白書・統計攻略講座	横断攻略講座	実戦答練～選択式・択一式～	全日本社労士公開模試
全2回（2.5時間×2）	全2回（2.5時間×2）	全2回（2.5時間×2）	全7回（答練50分/解説90分）	全3回

労働一般常識

インプット 4回 → 確認テスト 1回 → 本試験予想答練1回

先取りトリプル

先取り白書対策	先取り改正法対策	実力確認模試（労働編）
1回	1回	1回

☑**科目毎の確認テストと本試験予想答練**でアウトプット力を鍛える

☑**始めからの科目間横断学習**で効率的な総復習

☑**先取りトリプル**で、知識を先取りし、直前期の詰め込みを回避！

☑**実力確認模試**（労働編・社保編）でアウトプット力完成

☑**一問一答過去問BOOK**（自習用教材）で徹底的な過去問対策

リニューアル

直前対策強化パック［全8回］別売

年金横断講座	選択式予想講座	判例マスター講座
全4回（2.5時間×4）	全2回（2.5時間×2）	全2回（2.5時間×2）

中上級コースはこんな人にオススメ

- 一通りのインプット講義を履修した方
- 模試や本試験の択一式で、半分程度は正答できている方
- これまでの学習で、過去問対策・横断学習・選択式対策が不十分だったと考えている方
- 独学や予備校での学習で、点が伸び悩んでいる方
- 似たような概念や要件に、頭を悩ませている方

LEC Webサイト ▷▷ www.lec-jp.com/

情報盛りだくさん！

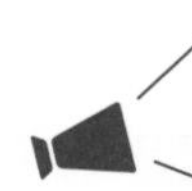

資格を選ぶときも，
講座を選ぶときも，
最新情報でサポートします！

最新情報

各試験の試験日程や法改正情報，対策講座，模擬試験の最新情報を日々更新しています。

資料請求

講座案内など無料でお届けいたします。

受講・受験相談

メールでのご質問を随時受付けております。

よくある質問

LECのシステムから，資格試験についてまで，よくある質問をまとめました。疑問を今すぐ解決したいなら，まずチェック！

書籍・問題集（LEC書籍部）

LECが出版している書籍・問題集・レジュメをこちらで紹介しています。

充実の動画コンテンツ！

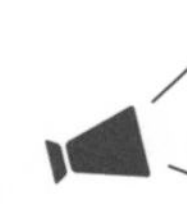

ガイダンスや講演会動画，
講義の無料試聴まで
Webで今すぐCheck！

動画視聴OK

パンフレットやWebサイトを見てもわかりづらいところを動画で説明。いつでもすぐに問題解決！

Web無料試聴

講座の第1回目を動画で無料試聴！気になる講義内容をすぐに確認できます。

LEC 全国学校案内

＊講座のお問合せ，受講相談は最寄りのLEC各校へ

LEC本校

北海道・東北

札　幌本校　☎011(210)5002
〒060-0004 北海道札幌市中央区北4条西5-1　アスティ45ビル

仙　台本校　☎022(380)7001
〒980-0022 宮城県仙台市青葉区五橋1-1-10　第二河北ビル

関東

渋谷駅前本校　☎03(3464)5001
〒150-0043 東京都渋谷区道玄坂2-6-17　渋東シネタワー

池　袋本校　☎03(3984)5001
〒171-0022 東京都豊島区南池袋1-25-11　第15野萩ビル

水道橋本校　☎03(3265)5001
〒101-0061 東京都千代田区神田三崎町2-2-15　Daiwa三崎町ビル

新宿エルタワー本校　☎03(5325)6001
〒163-1518 東京都新宿区西新宿1-6-1　新宿エルタワー

早稲田本校　☎03(5155)5501
〒162-0045 東京都新宿区馬場下町62　三朝庵ビル

中　野本校　☎03(5913)6005
〒164-0001 東京都中野区中野4-11-10　アーバンネット中野ビル

立　川本校　☎042(524)5001
〒190-0012 東京都立川市曙町1-14-13　立川MKビル

町　田本校　☎042(709)0581
〒194-0013 東京都町田市原町田4-5-8　MIキューブ町田イースト

横　浜本校　☎045(311)5001
〒220-0004 神奈川県横浜市西区北幸2-4-3　北幸GM21ビル

千　葉本校　☎043(222)5009
〒260-0015 千葉県千葉市中央区富士見2-3-1　塚本大千葉ビル

大　宮本校　☎048(740)5501
〒330-0802 埼玉県さいたま市大宮区宮町1-24　大宮GSビル

東海

名古屋駅前本校　☎052(586)5001
〒450-0002 愛知県名古屋市中村区名駅4-6-23　第三堀内ビル

静　岡本校　☎054(255)5001
〒420-0857 静岡県静岡市葵区御幸町3-21　ペガサート

北陸

富　山本校　☎076(443)5810
〒930-0002 富山県富山市新富町2-4-25　カーニープレイス富山

関西

梅田駅前本校　☎06(6374)5001
〒530-0013 大阪府大阪市北区茶屋町1-27　ABC-MART梅田ビル

難波駅前本校　☎06(6646)6911
〒556－0017 大阪府大阪市浪速区湊町1-4-1
大阪シティエアターミナルビル

京都駅前本校　☎075(353)9531
〒600-8216 京都府京都市下京区東洞院通七条下ル2丁目
東塩小路町680-2　木村食品ビル

四条烏丸本校　☎075(353)2531
〒600-8413　京都府京都市下京区烏丸通仏光寺下ル
大政所町680-1　第八長谷ビル

神　戸本校　☎078(325)0511
〒650-0021 兵庫県神戸市中央区三宮町1-1-2　三宮セントラルビル

中国・四国

岡　山本校　☎086(227)5001
〒700-0901 岡山県岡山市北区本町10-22　本町ビル

広　島本校　☎082(511)7001
〒730-0011 広島県広島市中区基町11-13　合人社広島紙屋町アネクス

山　口本校　☎083(921)8911
〒753-0814 山口県山口市吉敷下東 3-4-7　リアライズⅢ

高　松本校　☎087(851)3411
〒760-0023 香川県高松市寿町2-4-20　高松センタービル

松　山本校　☎089(961)1333
〒790-0003 愛媛県松山市三番町7-13-13　ミツネビルディング

九州・沖縄

福　岡本校　☎092(715)5001
〒810-0001 福岡県福岡市中央区天神4-4-11　天神ショッパーズ福岡

那　覇本校　☎098(867)5001
〒902-0067 沖縄県那覇市安里2-9-10　丸姫産業第2ビル

EYE関西

EYE 大阪本校　☎06(7222)3655
〒530-0013　大阪府大阪市北区茶屋町1-27　ABC-MART梅田ビル

EYE 京都本校　☎075(353)2531
〒600-8413　京都府京都市下京区烏丸通仏光寺下ル
大政所町680-1　第八長谷ビル

LEC提携校

＊提携校はLECとは別の経営母体が運営をしております。
＊提携校は実施講座およびサービスにおいてLECと異なる部分がございます。

北海道・東北

八戸中央校【提携校】 ☎0178(47)5011
〒031-0035　青森県八戸市寺横町13　第1朋友ビル　新教育センター内

弘前校【提携校】 ☎0172(55)8831
〒036-8093　青森県弘前市城東中央1-5-2
まなびの森　弘前城東予備校内

秋田校【提携校】 ☎018(863)9341
〒010-0964　秋田県秋田市八橋鯲沼町1-60
株式会社アキタシステムマネジメント内

関東

水戸校【提携校】 ☎029(297)6611
〒310-0912　茨城県水戸市見川2-3092-3

所沢校【提携校】 ☎050(6865)6996
〒359-0037　埼玉県所沢市くすのき台3-18-4　所沢K・Sビル
合同会社LPエデュケーション内

東京駅八重洲口校【提携校】 ☎03(3527)9304
〒103-0027　東京都中央区日本橋3-7-7　日本橋アーバンビル
グランデスク内

日本橋校【提携校】 ☎03(6661)1188
〒103-0025　東京都中央区日本橋茅場町2-5-6　日本橋大江戸ビル
株式会社大江戸コンサルタント内

東海

沼津校【提携校】 ☎055(928)4621
〒410-0048　静岡県沼津市新宿町3-15　萩原ビル
M-netパソコンスクール沼津校内

北陸

新潟校【提携校】 ☎025(240)7781
〒950-0901　新潟県新潟市中央区弁天3-2-20　弁天501ビル
株式会社大江戸コンサルタント内

金沢校【提携校】 ☎076(237)3925
〒920-8217　石川県金沢市近岡町845-1　株式会社アイ・アイ・ピー金沢内

福井南校【提携校】 ☎0776(35)8230
〒918-8114　福井県福井市羽水2-701　株式会社ヒューマン・デザイン内

関西

和歌山駅前校【提携校】 ☎073(402)2888
〒640-8342　和歌山県和歌山市友田町2-145
KEG教育センタービル　株式会社KEGキャリア・アカデミー内

中国・四国

松江殿町校【提携校】 ☎0852(31)1661
〒690-0887　島根県松江市殿町517　アルファステイツ殿町
山路イングリッシュスクール内

岩国駅前校【提携校】 ☎0827(23)7424
〒740-0018　山口県岩国市麻里布町1-3-3　岡村ビル　英光学院内

新居浜駅前校【提携校】 ☎0897(32)5356
〒792-0812　愛媛県新居浜市坂井町2-3-8　パルティフジ新居浜駅前店内

九州・沖縄

佐世保駅前校【提携校】 ☎0956(22)8623
〒857-0862　長崎県佐世保市白南風町5-15　智翔館内

日野校【提携校】 ☎0956(48)2239
〒858-0925　長崎県佐世保市椎木町336-1　智翔館日野校内

長崎駅前校【提携校】 ☎095(895)5917
〒850-0057 長崎県長崎市大黒町10-10　KoKoRoビル
minatoコワーキングスペース内

高原校【提携校】 ☎098(989)8009
〒904-2163　沖縄県沖縄市大里2-24-1
有限会社スキップヒューマンワーク内

※上記は2024年7月1日現在のものです。

書籍の訂正情報について

このたびは，弊社発行書籍をご購入いただき，誠にありがとうございます。
万が一誤りの箇所がございましたら，以下の方法にてご確認ください。

1 訂正情報の確認方法

書籍発行後に判明した訂正情報を順次掲載しております。
下記Webサイトよりご確認ください。

2 ご連絡方法

上記Webサイトに訂正情報の掲載がない場合は，下記Webサイトの入力フォームよりご連絡ください。

lec.jp/system/soudan/web.html

フォームのご入力にあたりましては，「Web教材・サービスのご利用について」の最下部の「ご質問内容」に下記事項をご記載ください。

- 対象書籍名（○○年版，第○版の記載がある書籍は併せてご記載ください）
- ご指摘箇所（具体的にページ数と内容の記載をお願いいたします）

ご連絡期限は，次の改訂版の発行日までとさせていただきます。
また，改訂版を発行しない書籍は，販売終了日までとさせていただきます。

※上記「2ご連絡方法」のフォームをご利用になれない場合は，①書籍名，②発行年月日，③ご指摘箇所，を記載の上，郵送にて下記送付先にご送付ください。確認した上で，内容理解の妨げとなる誤りについては，訂正情報として掲載させていただきます。なお，郵送でご連絡いただいた場合は個別に返信しておりません。

送付先：〒164-0001 東京都中野区中野4-11-10 アーバンネット中野ビル
株式会社東京リーガルマインド 出版部 訂正情報係

- 誤りの箇所のご連絡以外の書籍の内容に関する質問は受け付けておりません。
また，書籍の内容に関する解説，受験指導等は一切行っておりませんので，あらかじめご了承ください。
- お電話でのお問合せは受け付けておりません。

講座・資料のお問合せ・お申込み

LECコールセンター 0570-064-464

受付時間：平日9:30〜19:30/土・日・祝10:00〜18:00

※このナビダイヤルの通話料はお客様のご負担となります。
※このナビダイヤルは講座のお申込みや資料のご請求に関するお問合せ専用ですので，書籍の正誤に関するご質問をいただいた場合，上記「2ご連絡方法」のフォームをご案内させていただきます。

分野別セパレート本の使い方

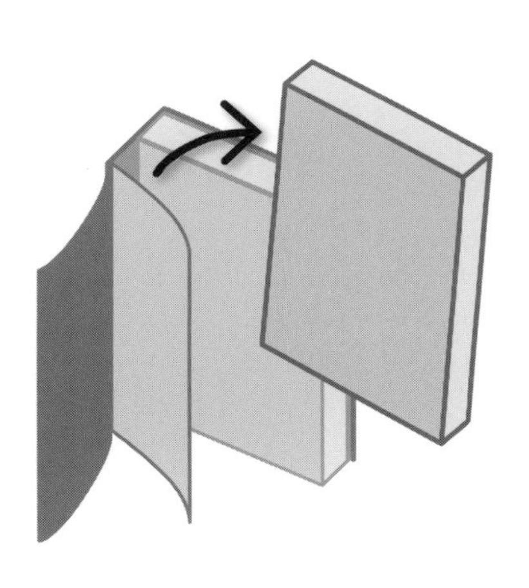

各分冊を取り外して、
手軽に持ち運びできます！

①白い厚紙を本体に残し、
　色紙のついた冊子だけを
　手でつかんでください。
②冊子をしっかりとつかん
　だまま手前に引っ張って、
　取り外してください。

※この白い厚紙と色紙のついた冊子は、のりで接着されていますので、
　丁寧に取り外してください。
　なお、取り外しの際の破損等による返品・交換には応じられませんの
　でご注意ください。

第1分冊

労働科目

LEC東京リーガルマインド

第1編

労働基準法

項　目	問題番号
総則	問題 1 ～問題 16
労働契約	問題 17～問題 33
賃金	問題 34～問題 47
労働時間・休憩・休日	問題 48～問題 70
年次有給休暇	問題 71～問題 77
年少者	問題 78
妊産婦	問題 79～問題 81
就業規則	問題 82～問題 91
その他の規定	問題 92～問題 95

❶ 総則

1 ☑☑☑ 重要度 A [H25問5-B]

労働基準法は労働条件の最低基準を定めたものであり、この最低基準が標準とならないように、同法は、この最低基準を理由として労働条件を低下させることを禁止し、その向上を図るように努めることを労働関係の当事者に義務づけている。

2 ☑☑☑ 重要度 B [H24問4-A]

労働基準法第３条が差別禁止事由として掲げている「信条」とは、政治的信条や思想上の信念を意味し、そこには宗教上の信仰は含まれない。

3 ☑☑☑ 重要度 B [H28問1-ウ]

労働基準法第３条は、労働者の国籍、信条又は社会的身分を理由として、労働条件について差別することを禁じているが、これは雇入れ後における労働条件についての制限であって、雇入れそのものを制限する規定ではないとするのが、最高裁判所の判例である。

4 ☑☑☑ 重要度 A [H27問1-C]

労働基準法第４条は、賃金について、女性であることを理由として、男性と差別的取扱いをすることを禁止しているが、賃金以外の労働条件についてはこれを禁止していない。

テキスト▶①労働科目P6

そのとおり正しい（法１条２項）。「この最低基準を理由として」とは、労働基準法に規定があることが、その**労働条件低下の決定的な理由**となっている場合をいいます。

テキスト▶①労働科目P7

法３条が差別禁止事由として掲げている信条とは、**特定の「宗教的」若しくは政治的信念**をいい、宗教上の信仰に基づく差別も法３条違反となります（法３条、昭22.9.13発基17号）。

テキスト▶①労働科目P8

そのとおり正しい（法３条、最高裁大法廷判決　昭48.12.12　三菱樹脂事件）。

椛島のワンポイント

労働基準法第３条における「国籍」「信条」「社会的身分」は限定列挙であって、ここに『性別』が入っていないことに注意しましょう。法３条は、性別を理由とする差別的取扱いは禁止していないのです。なお、性別を理由とする差別的取扱いについては、法４条及び男女雇用機会均等法において禁止されています。

テキスト▶①労働科目P9

そのとおり正しい（法４条）。

ワンポイント

賃金以外の労働条件についての差別的取扱いについては男女雇用機会均等法において禁止されています。
労働基準法第４条は賃金について、性別を理由とする差別的取扱いを禁止していますが、賃金以外の労働条件については規定しておらず、本条違反の問題にはなりません。
賃金以外の労働条件について差別的取扱いが行われた場合には、男女雇用機会均等法違反の問題が生じます。

5 ☑☑☑ 重要度 B [R4問4-C]

就業規則に労働者が女性であることを理由として、賃金について男性と差別的取扱いをする趣旨の規定がある場合、現実には男女差別待遇の事実がないとしても、当該規定は無効であり、かつ労働基準法第4条違反となる。

6 ☑☑☑ 重要度 A [椛島オリジナル]

使用者は、暴行や脅迫等によって、強制的に労働者を働かせてはならないが、これに違反した場合には、罰金刑のみ科される。

7 ☑☑☑ 重要度 A [H29問5-ウ]

労働基準法第6条は、法律によって許されている場合のほか、業として他人の就業に介入して利益を得てはならないとしているが、「業として利益を得る」とは、営利を目的として、同種の行為を反覆継続することをいい、反覆継続して利益を得る意思があっても1回の行為では規制対象とならない。

8 ☑☑☑ 重要度 A [椛島オリジナル]

労働者が労働時間中に、裁判員としての職務を執行するために必要な時間を請求した場合、使用者はそれを拒むことはできず、また、時刻を変更することも許されない。

9 ☑☑☑ 重要度 A [椛島オリジナル]

労働基準法が適用される事業は、基本的に場所的観念によって決定されるため、例えば本社と支店が異なる場所にある場合、原則として、それぞれが適用事業となる。

×

テキスト ▶ ①労働科目P8

就業規則に法４条違反の規定があるが現実に行われておらず、賃金の男女差別待遇の事実がなければ、その規定は無効ではありますが、「法４条違反とはなりません」（平9.9.25基発648号）。

×

テキスト ▶ ①労働科目P9

強制労働の禁止規定に違反した場合には、労働基準法上最も重たい罰則が適用され、その内容は、「**１年以上10年以下の懲役**」**又は20万円以上300万円以下の罰金**です（法５条、法117条）。

×

テキスト ▶ ①労働科目P10

「業として利益を得る」とは、**営利を目的**として、同種の行為を反復継続することをいい、「１回の行為であっても、**反復継続する意思**があれば、法６条に違反する」ことになります（法６条、昭23.3.2基発381号）。

×

テキスト ▶ ①労働科目P10

使用者は請求された時刻を変更することはできます（法７条）。なお、前半はそのとおり正しい記述です。

○

テキスト ▶ ①労働科目P11

そのとおり正しい（平11.3.31基発168号ほか）。

ワンポイント

本社は本社、支店は支店でそれぞれ独立して労働基準法の適用を受けますので、例えば本社だけ法を守ればそれでＯＫというわけにはいきません。

10  重要度AA [R4問1-E]

明確な契約関係がなくても、事業に「使用」され、その対償として「賃金」が支払われる者であれば、労働基準法の労働者である。

11  重要度A [H29問2-ア]

何ら事業を営むことのない大学生が自身の引っ越しの作業を友人に手伝ってもらい、その者に報酬を支払ったとしても、当該友人は労働基準法第９条に定める労働者に該当しないので、当該友人に労働基準法は適用されない。

12  重要度AA [H24問4-D]

労働基準法に定める「使用者」とは、事業主又は事業の経営担当者その他その事業の労働者に関する事項について、事業主のために行為をする管理監督者以上の者をいう。

13   重要度A [R2問1-B]

事業における業務を行うための体制が、課及びその下部組織としての係で構成され、各組織の管理者として課長及び係長が配置されている場合、組織系列において係長は課長の配下になることから、係長に与えられている責任と権限の有無にかかわらず、係長が「使用者」になることはない。

○

テキスト▶①労働科目P12

そのとおり正しい（法９条）。

椛島のワンポイント

“形式ではなく、実態”で判断すべきことも忘れてはなりません。

テキスト▶①労働科目P12

そのとおり正しい（法９条）。本問の友人は、「**事業に使用される者**」に該当しないため、労働基準法上の労働者に該当しないことから、労働基準法は適用されません。

テキスト▶①労働科目P13

労働基準法で使用者とは、事業主又は事業の経営担当者その他その事業の労働者に関する事項について、**事業主のために行為をする「すべての者」**をいい、「管理監督者以上の者」に限られているわけではありません（法10条）。

ワンポイント

使用者であるか否かについては、「人事部長」や「労務課長」等の形式（役職）にとらわれず、実態として一定の権限を与えられているかで個別に判断されます。

テキスト▶①労働科目P13

「使用者」とは、労働基準法各条の義務についての履行の責任者をいい、その認定は部長、課長等の形式にとらわれることなく各事業場において、同法各条の義務について実質的に一定の権限を与えられているか否かによるものとされています（昭22.9.13発基17号）。したがって、本問の係長に与えられている責任と権限によっては、使用者になることがあります。

14

重要度 A　[H28問1-オ]

労働協約、就業規則、労働契約等によってあらかじめ支給条件が明確にされていても、労働者の吉凶禍福に対する使用者からの恩恵的な見舞金は、労働基準法第11条にいう「賃金」にはあたらない。

15

重要度 B　[R3問1-E]

労働者が法令により負担すべき所得税等（健康保険料、厚生年金保険料、雇用保険料等を含む。）を事業主が労働者に代わって負担する場合、当該代わって負担する部分は、労働者の福利厚生のために使用者が負担するものであるから、労働基準法第11条の賃金とは認められない。

16

重要度 A　[H27問2-A]

平均賃金の計算の基礎となる賃金の総額には、３か月を超える期間ごとに支払われる賃金、通勤手当及び家族手当は含まれない。

×

テキスト▶①労働科目P14

労働者の吉凶禍福に対する使用者からの恩恵的な見舞金は、原則として、法11条にいう賃金に当たりませんが、それが労働協約、就業規則、労働契約等によって**あらかじめ支給条件が明確**にされていた場合は、法11条の「賃金に当たる」ことになります（法11条、昭22.9.13発基17号）。

×

テキスト▶①労働科目P13

労働者が法令により負担すべき所得税等を使用者が労働者に代わって負担する場合は、これらの労働者が法律上当然生ずる義務を免れるのであるから、使用者が労働者に代わって負担する部分は賃金とみなされます（昭63.3.14基発150号）。

×

テキスト▶①労働科目P16

平均賃金の計算の基礎となる賃金の総額には、３か月を超える期間ごとに支払われる賃金は含まれませんが、「通勤手当及び家族手当は含まれる」ことになります（法12条、昭22.12.26基発573号）。

椛島のワンポイント

平均賃金＝$\dfrac{\text{算定事由の発生した日以前3か月間に支払われた賃金の総額}}{\text{算定事由の発生した日以前3か月間の総日数}}$

17 ☑☑☑ 重要度 B [H27問3-A]

労働協約に定める基準に違反する労働契約の部分を無効とする労働組合法第16条とは異なり、労働基準法第13条は、労働基準法で定める基準に達しない労働条件を定める労働契約は、その部分については無効とすると定めている。

18 ☑☑☑ 重要度 B [H30問5-D]

労働基準法第14条第１項第２号に基づく、満60歳以上の労働者との間に締結される労働契約（期間の定めがあり、かつ、一定の事業の完了に必要な期間を定めるものではない労働契約）について、同条に定める契約期間に違反した場合、同法第13条の規定を適用し、当該労働契約の期間は３年となる。

19 ☑☑☑  [H25問6-B]

使用者は、満60歳以上の労働者との間に、５年以内の契約期間の労働契約を締結することができる。

テキスト▶①労働科目P17

そのとおり正しい（法13条）。

椛島のワンポイント

法13条（労働基準法違反の契約）により無効とされた部分については、法で定める基準による（**＝労基法の最低基準にまで自動的に引き上げる**）ものとされています。
労働基準法で定める最低基準に満たない労働条件については、「その部分のみ」が無効とされますが、労働契約全体としては有効です。また、最低基準を上回る労働条件については、労働者にとって有利なわけですから何も問題はなく、そのまま有効とされます。

テキスト▶①労働科目P18

労働契約の期間の上限が５年となる者との労働契約の締結について、法14条の契約期間の上限規定に違反した場合、法13条（労働基準法違反の契約）が適用され、当該労働契約の期間は「**５年**」となります（平15.10.22基発1022001号）。

テキスト▶①労働科目P19

そのとおり正しい（法14条１項２号）。

ワンポイント

高度の専門的知識等を有する労働者（当該高度の専門的知識等を必要とする業務に就く者に限る）との間でも、５年以内の契約期間の労働契約を締結することができます（同項１号）。

パターン		上限期間
原則		**3年**
例外	高度の専門的知識等を有する労働者 満60歳以上の労働者	**5年**
	有期事業（建設現場など）	上限なし

20 ☑☑☑  [R2問5-ア]

専門的な知識、技術又は経験（以下「専門的知識等」という。）であって高度のものとして厚生労働大臣が定める基準に該当する専門的知識等を有する労働者との間に締結される労働契約については、当該労働者の有する高度の専門的知識等を必要とする業務に就く場合に限って契約期間の上限を5年とする労働契約を締結することが可能となり、当該高度の専門的知識を必要とする業務に就いていない場合の契約期間の上限は3年である。

21 ☑☑☑ 重要度 B [R4問5-A]

社会保険労務士の国家資格を有する労働者について、労働基準法第14条に基づき契約期間の上限を5年とする労働契約を締結するためには、社会保険労務士の資格を有していることだけでは足りず、社会保険労務士の名称を用いて社会保険労務士の資格に係る業務を行うことが労働契約上認められている等が必要である。

22 ☑☑☑  [R5問5-A]

労働基準法第14条第1項に規定する期間を超える期間を定めた労働契約を締結した場合は、同条違反となり、当該労働契約は、期間の定めのない労働契約となる。

テキスト▶①労働科目P18

そのとおり正しい（法14条１項）。なお、本問の規定に違反した者は、30万円以下の罰金に処されます（法120条１号）。

テキスト▶①労働科目P18

そのとおり正しい（法14条１項、平15.10.22基発1022001号）。これは、社会保険労務士法に定める「全国社会保険労務士会連合会の登録」を受けているものでなければならないということを意味しています（社会保険労務士法14条の２）。

テキスト▶①労働科目P18

設問の場合、「労働基準法第14条第１項に規定する期間（**原則３年、例外５年**）」を契約期間とする労働契約となる（法13条、14条）。

椛島のワンポイント

無期労働契約になるわけではないのです。

23 ☑☑☑ 重要度A [R元問4-A]

労働契約の期間に関する事項は、書面等により明示しなければならないが、期間の定めをしない場合においては期間の明示のしようがないので、この場合においては何ら明示しなくてもよい。

24 ☑☑☑ 重要度B [H28問2-B]

労働契約の締結に際し明示された労働条件が事実と相違しているため、労働者が労働契約を解除した場合、当該解除により労働契約の効力は遡及的に消滅し、契約が締結されなかったのと同一の法律効果が生じる。

25 ☑☑☑ 重要度A [H30問5-B]

債務不履行によって使用者が損害を被った場合、現実に生じた損害について賠償を請求する旨を労働契約の締結に当たり約定することは、労働基準法第16条により禁止されている。

26 ☑☑☑ 重要度A [H25問6-E]

労働契約を締結する際に、労働者の親権者が使用者から多額の金銭を借り受けることは、人身売買や労働者の不当な足留めにつながるおそれがあるため、当該労働者の賃金と相殺されるか否かを問わず、労働基準法第17条に違反する。

テキスト▶①労働科目P19

労働契約の期間に関する事項は、いわゆる**絶対的明示事項**であるため、期間の定めの有無にかかわらず、これを「明示しなければなりません」(「労働契約の期間の定めはない」等の明示をしなければなりません)(法15条1項、則5条1項1号)。

椛島のワンポイント

「退職金」は相対的明示事項です。ですから、もし退職金という制度がないのであれば、「退職金制度はない」という明示はしなくてもよい、ということです。

テキスト▶①労働科目P20

本問の場合、労働契約の効力は、「**将来に向かって**」、**消滅**することとなります(法15条2項、民法630条)。

×

テキスト▶①労働科目P21

法16条は、違約金又は損害賠償の**額を予定することを禁止**するのであって、「現実に生じた損害について賠償を請求することを禁止する趣旨」ではありません(法16条、昭22.9.13発基17号)。

テキスト▶①労働科目P21

法17条は、前借金等と賃金を「**相殺してはならない**」ことを定めるものであって、金銭の貸し付け自体を禁じたものではありません(法17条)。

27

[H28問2-D]

労働者が、実質的にみて使用者の強制はなく、真意から相殺の意思表示をした場合でも、前借金その他労働することを条件とする前貸の債権と賃金を相殺してはならない。

28

[R2問5-ウ]

使用者の行った解雇予告の意思表示は、一般的には取り消すことができないが、労働者が具体的事情の下に自由な判断によって同意を与えた場合には、取り消すことができる。

29

[H24問3-ア]

使用者が、ある労働者を整理解雇しようと考え、労働基準法第20条の規定に従って、6月1日に、30日前の予告を行った。その後、大口の継続的な仕事が取れ人員削減の必要がなくなったため、同月20日に、当該労働者に対して、「解雇を取り消すので、わが社に引き続きいてほしい。」と申し出たが、当該労働者は同意せず、それに応じなかった。この場合、使用者が解雇を取り消しているので、当該予告期間を経過した日に、当該労働者は、解雇されたのではなく、任意退職をしたこととなる。

30

[H24問3-A]

使用者が労働者を解雇しようとする日の30日前に解雇の予告をしたところ、当該労働者が、予告の日から5日目に業務上の負傷をし療養のため2日間休業した。当該業務上の負傷による休業期間は当該解雇の予告期間の中に納まっているので、当該負傷については労働基準法第19条の適用はなく、当該解雇の効力は、当初の予告どおりの日に発生する。

×

テキスト▶①労働科目P22

法17条は、「使用者は、前借金その他労働することを条件とする前貸の債権と賃金を相殺してはならない」と規定しており、「**労働者側からの相殺は禁止されていない**」ため、実質的にみて使用者の強制による相殺の意思表示等でなければ、前貸の債権と賃金とを相殺することができます（法17条、労働基準法コンメンタール上248頁）。

テキスト▶①労働科目P25

そのとおり正しい（昭33.2.13基発90号）。なお、解雇の予告を受けた労働者が解雇予告期間中に他の使用者と労働契約を結ぶことはできますが、自ら当該契約を解除した場合を除き、予告期間満了までは従来の使用者のもとで勤務する義務があります。

×

テキスト▶①労働科目P25

解雇の予告の取消しに対して、労働者の同意がない場合は、自己退職の問題は生じないこととされており、**予告期間が満了すれば解雇**となります（昭33.2.13基発90号）。

×

テキスト▶①労働科目P25

30日前に解雇の予告をした場合であって、当該解雇予告期間満了前にその労働者が業務上負傷し又は疾病にかかり療養のために休業を要することとなったときは、法19条（解雇制限）の適用があるため、**当該休業期間及び「その後30日間」は、解雇の効力は発生しません**（法19条1項、昭26.6.25基収2609号）。

[H23問3-E]

天災事変その他やむを得ない事由のために事業の継続が不可能となった場合においても、使用者は、労働基準法第20条所定の予告手当を支払うことなく、労働者を即時に解雇しようとする場合には、行政官庁の認定を受けなければならない。

32  

[H26問2-C]

試みの使用期間中の労働者を、雇入れの日から起算して14日以内に解雇する場合は、解雇の予告について定める労働基準法第20条の規定は適用されない。

33  

[R元問4-E]

使用者は、労働者が自己の都合により退職した場合には、使用期間、業務の種類、その事業における地位、賃金又は退職の事由について、労働者が証明書を請求したとしても、これを交付する義務はない。

○

テキスト▶①労働科目P26

そのとおり正しい（法20条１項・３項）。

椛島のワンポイント

【解雇予告の原則と例外】

原則	例外	監督署の認定
①少なくとも30日前の予告 ②30日分以上の平均賃金（解雇予告手当）の支払 ③①と②の併用	天災事変その他やむを得ない事由のために事業の継続が不可能となった場合	必要
	労働者の責に帰すべき事由に基づいて解雇する場合	必要

テキスト▶①労働科目P26

そのとおり正しい（法21条４号）。

椛島のワンポイント

	解雇予告の適用除外者	やっぱり解雇予告が必要になる場合
①	日日雇い入れられる者 ▶	**１か月**を超えて引き続き使用されるに至った場合
②	２か月以内の期間を定めて使用される者 ▶	**所定の期間**を超えて引き続き使用されるに至った場合
③	季節的業務に４か月以内の期間を定めて使用される者 ▶	
④	試の使用期間中の者 ▶	**14日**を超えて引き続き使用されるに至った場合

テキスト▶①労働科目P27

労働者が、退職の場合において、使用期間、業務の種類、その事業における地位、賃金又は退職の事由（退職の事由が解雇の場合にあっては、その理由を含む）について証明書を請求した場合においては、使用者は、**遅滞なくこれを交付しなければなりません**（法22条１項）。

34  [R元問5-A]

労働基準法第24条第１項は、賃金は、「法令に別段の定めがある場合又は当該事業場の労働者の過半数で組織する労働組合があるときはその労働組合、労働者の過半数で組織する労働組合がないときは労働者の過半数を代表する者との書面による協定がある場合においては、通貨以外のもので支払うことができる。」と定めている。

35  [R3問3-イ]

賃金を通貨以外のもので支払うことができる旨の労働協約の定めがある場合には、当該労働協約の適用を受けない労働者を含め当該事業場のすべての労働者について、賃金を通貨以外のもので支払うことができる。

36  [H28問3-A]

使用者は、労働者の同意を得た場合には、賃金の支払について当該労働者が指定する銀行口座への振込みによることができるが、「指定」とは、労働者が賃金の振込み対象として銀行その他の金融機関に対する当該労働者本人名義の預貯金口座を指定するとの意味であって、この指定が行われれば同意が特段の事情のない限り得られているものと解されている。

37   [H30問6-A]

派遣先の使用者が、派遣中の労働者本人に対して、派遣元の使用者からの賃金を手渡すことだけであれば、労働基準法第24条第１項のいわゆる賃金直接払の原則に違反しない。

×

テキスト▶①労働科目P28

賃金は、法令若しくは「**労働協約**に別段の定めがある場合」又は「厚生労働省令で定める賃金について確実な支払の方法で厚生労働省令で定めるものによる場合」においては、通貨以外のもので支払うことができます（法24条１項）。

×

テキスト▶①労働科目P28

労働協約の定めによって通貨以外のもので支払うことが許されるのは、その労働協約の適用を受ける労働者に限られます（昭63.3.14基発150号）。

テキスト▶①労働科目P28

そのとおり正しい（法24条１項、昭63.1.1基発１号）。

椛島のワンポイント

本問の労働者の同意については、必ず**個々の労働者の同意（形式不問）**を得なければならず、労使協定や労働協約をもって代えることはできません。
労働者の「同意」は形式不問とされていて、同意書の形式でなくても問題ありません。労働者自らの意思で金融機関と口座番号が指定されていれば、「同意」があったものと解釈されます。

テキスト▶①労働科目P28

そのとおり正しい（昭61.6.6基発333号）。

38  重要度 B [H29問6-D]

賃金の過払を精算ないし調整するため、後に支払われるべき賃金から控除することは、「その額が多額にわたるものではなく、しかもあらかじめ労働者にそのことを予告している限り、過払のあった時期と合理的に接着した時期においてされていなくても労働基準法24条1項の規定に違反するものではない。」とするのが、最高裁判所の判例である。

39  重要度 B [R元問5-C]

労働基準法第24条第2項にいう「一定の期日」の支払については、「毎月15日」等と暦日を指定することは必ずしも必要ではなく、「毎月第2土曜日」のような定めをすることも許される。

40  重要度 B [R5問6-C]

賃金の所定支払日が休日に当たる場合に、その支払日を繰り上げることを定めることだけでなく、その支払日を繰り下げることを定めることも労働基準法第24条第2項に定めるいわゆる一定期日払に違反しない。

41  重要度 A [H28問3-D]

使用者は、労働者が出産、疾病、災害等非常の場合の費用に充てるために請求する場合には、いまだ労務の提供のない期間も含めて支払期日前に賃金を支払わなければならない。

×

テキスト▶①労働科目P29

賃金の過払を精算ないし調整するため、後に支払われるべき賃金から控除することは「『過払のあった時期と賃金の清算調整の実を失わない程度に**合理的に接着した時期**においてされ』、また、あらかじめ労働者にそのことが予告されるとか、その額が多額にわたらないとか、要は**労働者の経済生活の安定**をおびやかすおそれのない場合でなければならないものと解せられる」とするのが、最高裁判所の判例です（最高裁第一小法廷判決　昭44.12.18　福島県教組事件）。

×

テキスト▶①労働科目P30

賃金の一定の期日の支払については、暦日を指定することは必ずしも必要ではありませんが、「毎月第２土曜日」のように**月７日の範囲で変動**するような期日の定めをすることは**許されません**（法24条２項）。

椛島のワンポイント

「毎月第２土曜日」は、たしかに期日が特定されているといえますが、「周期的に到来する」とはいえません。なぜなら第２土曜日は、月によっては８日になり得るし、14日にもなり得るからです。

○

テキスト▶①労働科目P30

そのとおり正しい（法24条２項、民法142条）。

椛島のワンポイント

例えば「末日」払の場合に、その日が日曜日なら次の日（翌月の１日）に支給しても問題はない、ということですね。

×

テキスト▶①労働科目P31

使用者は、労働者が出産、疾病、災害その他厚生労働省令で定める非常の場合の費用に充てるために請求する場合においては、支払期日前であっても、「**既往の労働**」に対する賃金を支払わなければならないとされているため、いまだ労務の提供のない期間に係る賃金については、必ずしも支払う必要はありません（法25条）。

42

重要度 A　[H29問6-E]

労働基準法第26条に定める休業手当は、同条に係る休業期間中において、労働協約、就業規則又は労働契約により休日と定められている日については、支給する義務は生じない。

43

重要度 A　[H26問4-C]

労働基準法第26条にいう「使用者の責に帰すべき事由」には、天災地変等の不可抗力によるものは含まれないが、例えば、親工場の経営難から下請工場が資材、資金の獲得ができず休業した場合は含まれる。

44

重要度 A　[R5問1-E]

下記のとおり賃金を支払われている労働者が使用者の責に帰すべき事由により半日休業した場合、使用者が休業手当として支払うべき金額は発生しない。

賃　　金：日給　1日10,000円
半日休業とした日の賃金は、半日分の5,000円が支払われた。
平均賃金：7,000円

45

重要度 B　[R3問4-E]

新規学卒者のいわゆる採用内定について、就労の始期が確定し、一定の事由による解約権を留保した労働契約が成立したとみられる場合、企業の都合によって就業の始期を繰り下げる、いわゆる自宅待機の措置をとるときは、その繰り下げられた期間について、本条に定める休業手当を支給すべきものと解されている。

○

テキスト▶①労働科目P31

そのとおり正しい（法26条）。

○

テキスト▶①労働科目P31

そのとおり正しい（昭23.6.11基収1998号）。

○

テキスト▶①労働科目P32

そのとおり正しい（昭27.8.7基収3445号）。通達によれば、「1 労働日の一部を休業した場合は、労働した時間の割合で既に賃金が支払われていても、その日につき、実際に支給された賃金の額が平均賃金の100分の60に達しない場合には、その差額を支給しなければ本条違反となる」。裏を返すと、実際に支給された賃金の額が**平均賃金の100分の60以上であれば、休業手当の支払いは不要である**ということです。

○

テキスト▶①労働科目P31

そのとおり正しい（昭63.3.14基発150号）。なお、使用者の争議行為たる工場閉鎖のための休業は、その工場閉鎖が争議行為として社会通念上正当と判断される限り、使用者の責に帰すべき事由とはみられません（昭23.6.17基収第1953号）。

46 ☑☑☑  [H23問6-A]

労働安全衛生法第66条による健康診断の結果、私傷病を理由として医師の証明に基づき、当該証明の範囲内において使用者が休業を命じた場合には、当該休業を命じた日については労働基準法第26条の「使用者の責に帰すべき事由による休業」に該当するので、当該休業期間中同条の休業手当を支払わなければならない。

47 ☑☑☑  [H26問4-E]

いわゆる出来高払制の保障給を定めた労働基準法第27条の趣旨は、月給等の定額給制度ではなく、出来高払制で使用している労働者について、その出来高や成果に応じた賃金の支払を保障しようとすることにある。

テキスト▶①労働科目P31

労働安全衛生法66条の規定による健康診断の結果、私傷病のため医師の証明により休業を命じ、又は労働時間を短縮した場合については、**使用者の責に帰すべき事由による休業に該当せず**、当該休業期間中については**休業手当の支払を要しません**（昭63.3.14基発150号）。

テキスト▶①労働科目P32

労働基準法27条の趣旨は、出来高払制で使用している労働者について、仕事の出来高や量に関係なく、**「労働した時間」に応じた一定額の賃金の支払を保障**しようとすることにあります（法27条）。

ワンポイント

大体の目安としては、少なくとも平均賃金の100分の60程度を保障することが妥当とされています。

48 ☑☑☑ 重要度 B [R元問6-A]

労働基準法第32条第２項にいう「１日」とは、午前０時から午後12時までのいわゆる暦日をいい、継続勤務が２暦日にわたる場合には、たとえ暦日を異にする場合でも１勤務として取り扱い、当該勤務は始業時刻の属する日の労働として、当該日の「１日」の労働とする。

49 ☑☑☑  [R4問7-A]

使用者は、労働基準法別表第１第８号（物品の販売、配給、保管若しくは賃貸又は理容の事業）、第10号のうち映画の製作の事業を除くもの（映画の映写、演劇その他興行の事業）、第13号（病者又は虚弱者の治療、看護その他保健衛生の事業）及び第14号（旅館、料理店、飲食店、接客業又は娯楽場の事業）に掲げる事業のうち常時10人未満の労働者を使用するものについては、労働基準法第32条の規定にかかわらず、１週間について48時間、１日について10時間まで労働させることができる。

50 ☑☑☑  [H30問1-ウ]

常時10人未満の労働者を使用する小売業では、１週間の労働時間を44時間とする労働時間の特例が認められているが、事業場規模を決める場合の労働者数を算定するに当たっては、例えば週に２日勤務する労働者であっても、継続的に当該事業場で労働している者はその数に入るとされている。

○ テキスト▶①労働科目P33

そのとおり正しい（昭63.1.1基発１号）。

ワンポイント

労基法32条２項では、「使用者は、１週間の各日については、労働者に、休憩時間を除き１日について８時間を超えて、労働させてはならない」と定めています。
労働基準法が規制している時間（週40時間、日８時間）を「法定労働時間」といい、法定労働時間の範囲内で事業場ごとに定められる労働時間を「所定労働時間」といいます。

× テキスト▶①労働科目P34

本問のように、常時雇用されている労働者が10人未満の4業種（商業・映画演劇業・保健衛生業・接客娯楽業）の事業については、1週間について「44時間」、1日について「8時間」まで労働させることができます（則25条の2第1項）。

○ テキスト▶①労働科目P34

そのとおり正しい（法40条、則25条の２第１項、昭63.3.14基発150号）。

ワンポイント

本問の特例の下に、１か月単位の変形労働時間制及びフレックスタイム制を採用することはできますが、１年単位の変形労働時間制及び１週間単位の非定型的変形労働時間制を採用する場合には、本問の特例の適用はないものとされています（平11.3.31基発170号）。

51

[H28問4-A]

労働基準法第32条の労働時間とは、「労働者が使用者の指揮命令下に置かれている時間をいい、右の労働時間に該当するか否かは、労働者の行為が使用者の指揮命令下に置かれたものと評価することができるか否かにより客観的に定まる」とするのが、最高裁判所の判例である。

52

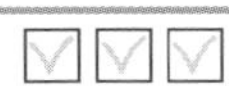

[R3問5-B]

使用者は、当該事業場に、労働者の過半数で組織する労働組合がある場合においてはその労働組合、労働者の過半数で組織する労働組合がない場合においては労働者の過半数を代表する者との書面による協定により、1か月以内の一定の期間を平均し1週間当たりの労働時間が労働基準法第32条第1項の労働時間を超えない定めをしたときは、同条の規定にかかわらず、その定めにより、特定された週において同項の労働時間又は特定された日において同条第2項の労働時間を超えて、労働させることができるが、この協定の効力は、所轄労働基準監督署長に届け出ることにより認められる。

53

[R元問2-C]

労働基準法第32条の2に定めるいわゆる1か月単位の変形労働時間制により所定労働時間が、1日6時間とされていた日の労働時間を当日の業務の都合により8時間まで延長したが、その同一週内の1日10時間とされていた日の労働を8時間に短縮した。この場合、1日6時間とされていた日に延長した2時間の労働は時間外労働にはならない。

54

[R2問6-B]

労働基準法第32条の3に定めるいわゆるフレックスタイム制を実施する際には、清算期間の長さにかかわらず、同条に掲げる事項を定めた労使協定を行政官庁（所轄労働基準監督署長）に届け出なければならない。

○

テキスト▶①労働科目P33

そのとおり正しい（最高裁第一小法廷判決　平12.3.9　三菱重工業長崎造船所事件）。例えば、トラック運転手に貨物の積込を行わせることとし、その貨物が持ち込まれるのを待機している場合において、全く労働の提供はなくとも、**出勤を命ぜられ、一定の場所に拘束されている**時間については、労働者が**使用者の指揮命令下に置かれている**時間に該当します。

×

テキスト▶①労働科目P35

労使協定において、１か月以内の一定の期間を平均し１週間当たりの労働時間が法定労働時間を超えない定めをしていれば、行政官庁に届出をしていなくても、当該労使協定の効力は認められます（法32条の２第１項）。

テキスト▶①労働科目P35

そのとおり正しい（平6.3.31基発181号）。

椛島のワンポイント

当初９時間の予定だった日に10時間働かせた場合には、「その９時間を超えた１時間」が時間外労働となります。また、例えば、当初６時間の予定だった日に10時間働かせた場合には、「８時間を超えた２時間」が時間外労働となります。

×

テキスト▶①労働科目P36

フレックスタイム制に係る労使協定は､｢清算期間が１か月を超える｣場合に限り、行政官庁への届出義務が生じます（法32条の３第４項）。

55

重要度A [R元問6-B]

労働基準法第32条の３に定めるいわゆるフレックスタイム制について、清算期間が１か月を超える場合において、清算期間を１か月ごとに区分した各期間を平均して１週間当たり50時間を超えて労働させた場合は時間外労働に該当するため、労働基準法第36条第１項の協定の締結及び届出が必要となり、清算期間の途中であっても、当該各期間に対応した賃金支払日に割増賃金を支払わなければならない。

56

重要度A [H30問2-イ]

いわゆる一年単位の変形労働時間制においては、隔日勤務のタクシー運転者等暫定措置の対象とされているものを除き、１日の労働時間の限度は10時間、１週間の労働時間の限度は54時間とされている。

57

重要度A [H29問1-C]

労働基準法第34条に定める休憩時間は、労働基準監督署長の許可を受けた場合に限り、一斉に与えなくてもよい。

58

重要度B [R5問2-ア]

休憩時間は、労働基準法第34条第２項により原則として一斉に与えなければならないとされているが、道路による貨物の運送の事業、倉庫における貨物の取扱いの事業には、この規定は適用されない。

○

テキスト▶①労働科目P37

そのとおり正しい（法32条の３第２項、平30.12.28基発1228第15号）。

椛島のワンポイント

フレックスタイム制において時間外・休日労働協定（36協定）を締結する際、１日について延長することを協定する必要はなく、**１か月及び１年**について協定すれば足ります（平30.12.28基発1228第15号）。
フレックスタイム制は、たしかに労働者が自由に労働時間管理できるのですが、過重労働防止の観点から、最も忙しい月であっても、週平均に直したときの労働時間を50時間以下にしなければならないというルールです。

テキスト▶①労働科目P39

１年単位の変形労働時間制においては、隔日勤務のタクシー運転者等暫定措置の対象とされているものを除き、**１日**の労働時間の限度は**10時間**、**１週間**の労働時間の限度は「**52時間**」とされています（則12条の４第４項）。

テキスト▶①労働科目P41

休憩時間を一斉に与えなくてもよいのは、一斉付与の適用除外に関する「**労使協定**」があるときであり、労働基準監督署長の許可の有無により認められるものではありません（法34条２項、法40条）。

ワンポイント

このほか、一定の業種に属する事業については、休憩時間を一斉に与えなくてもよいとされています。

テキスト▶①労働科目P41

休憩の一斉付与の適用が除外される事業の１つに「道路、鉄道、軌道、索道、船舶又は航空機による旅客又は貨物の運送の事業」があります（法34条２項、則31条）が、設問の「倉庫における貨物の取扱いの事業」は当該除外事業には当たりません。

[H24問5-A]

使用者は、１日の労働時間が８時間を超える場合においては少なくとも１時間の休憩時間を労働時間の途中に与えなければならず、１日の労働時間が16時間を超える場合には少なくとも２時間の休憩時間を労働時間の途中に与えなければならない。

60
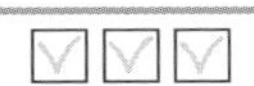

[H25問5-B]

労働基準法第35条に定める「一回の休日」は、24時間継続して労働義務から解放するものであれば、起算時点は問わないのが原則である。

61

[R4問3-D]

就業規則に所定労働時間を1日7時間、1週35時間と定めたときは、1週35時間を超え1週間の法定労働時間まで労働時間を延長する場合、各日の労働時間が8時間を超えずかつ休日労働を行わせない限り、労働基準法第36条第１項の協定をする必要はない。

62

[R2問6-C]

労働基準法第36条第３項に定める「労働時間を延長して労働させることができる時間」に関する「限度時間」は、１か月について45時間及び１年について360時間（労働基準法第32条の４第１項第２号の対象期間として３か月を超える期間を定めて同条の規定により労働させる場合にあっては、１か月について42時間及び１年について320時間）とされている。

テキスト ▶ ①労働科目P41

本問後段のような規定はなく、**8時間を超える時間が何時間であっても1時間**の休憩を与えれば、労働基準法違反とはなりません（法34条1項、昭23.5.10基収1582号）。

椛島のワンポイント

労働時間がピッタリ6時間なら休憩付与の義務はありません。また、労働時間がピッタリ8時間の場合は最低限45分付与すればよいということになります。

テキスト ▶ ①労働科目P43

「一回の休日」は、原則として、「**1暦日すなわち午前0時から午後12時まで**」の24時間継続して労働義務から解放するものをいうのであり、起算時点は問われることとなります（昭23.4.5基発535号）。

テキスト ▶ ①労働科目P44

そのとおり正しい（法36条1項）。36協定とは、「法定労働時間を超える場合」又は「法定休日に労働させる場合」に必要となる労使協定です。

テキスト ▶ ①労働科目P45

そのとおり正しい（法36条4項）。なお、本問の限度時間は、労働基準法において定められた要件であり、この要件を満たしていない（限度時間を超える時間を協定している）36協定は、全体として無効となります（平30.12.28基発1228第15号）。

63

重要度 A　[H29問1-E]

休日労働が、８時間を超え、深夜業に該当しない場合の割増賃金は、休日労働と時間外労働の割増率を合算しなければならない。

64

重要度 C　[H29問4-C]

労働基準法第36条に定める時間外及び休日の労働について、坑内労働等の労働時間の延長は、１日について２時間を超えてはならないと規定されているが、休日においては、10時間を超えて休日労働をさせることを禁止する法意であると解されている。

65

重要度 B　[H28問6-D]

労働基準法第37条に定める時間外、休日及び深夜の割増賃金を計算するについて、労働基準法施行規則第19条に定める割増賃金の基礎となる賃金の定めに従えば、通常の労働時間１時間当たりの賃金額を求める計算式は、「300,000円÷(240×７÷12)」となる。

なお、当該労働者の労働条件は次のとおりとする。

賃金：基本給のみ　月額300,000円
年間所定労働日数：240日
計算の対象となる月の所定労働日数：21日
計算の対象となる月の暦日数：30日
所定労働時間：午前９時から午後５時まで
休憩時間：正午から１時間

66

重要度 A　[H26問3-エ]

通勤手当は、労働とは直接関係のない個人的事情に基づいて支払われる賃金であるから、労働基準法第37条の割増賃金の基礎となる賃金には算入しないこととされている。

×

テキスト▶①労働科目P46

休日労働が８時間を超え、深夜業に該当しない場合の割増賃金は、「休日労働に係る割増賃金率」である３割５分以上の率で計算した額となります（平11.3.31基発168号）。**休日労働**に係る日においては**時間外労働は発生しません。**

テキスト▶①労働科目P46

そのとおり正しい（法36条、平11.3.31基発168号）。

テキスト▶①労働科目P47

そのとおり正しい。

椛島のワンポイント

本問の者のように、月によって賃金が定められている場合、割増賃金の基礎となる通常の労働時間１時間当たりの賃金額は、賃金額を月における**所定労働時間数**（月によって所定労働時間数が異なる場合には、１年間における１月平均所定労働時間数）**で除した金額**とされています。
本問の場合、年間所定労働日数が240日であり、計算の対象となる月の所定労働日数が21日であることから、月によって所定労働時間数が異なっているのがわかります（21日×12月＝252日≠240日）。
したがって、通常の労働時間１時間当たりの賃金額は、賃金額を１年間における１月平均所定労働時間数で除した金額となることから、その計算式は「300,000円÷（240×７÷12）」となります。

テキスト▶①労働科目P48

そのとおり正しい（法37条５項、則21条）。

67  [H25問3-E]

事業場の労働者の過半数で組織する労働組合がある場合において、使用者が、その労働組合と36協定を締結し、これを行政官庁に届け出た場合、その協定が有する労働基準法上の効力は、当該組合の組合員でない他の労働者にも及ぶ。

68  [H24問5-D]

労働基準法第36条は、時間外又は休日労働を適法に行わせるための手続を規定したものであるから、時間外又は休日労働命令に服すべき労働者の民事上の義務は、同条に定めるいわゆる36協定から直接当然に生ずるものではない。

69   [H22問7-D]

労働基準法第38条の４第１項に定めるいわゆる労使委員会は、同条が定めるいわゆる企画業務型裁量労働制の実施に関する決議のほか、労働時間・休憩及び年次有給休暇に関する労働基準法上の労使協定に代替する決議を行うことができるものとされている。

〇

テキスト▶①労働科目P45

そのとおり正しい（法36条１項、昭23.4.5基発535号）。

テキスト▶①労働科目P44

そのとおり正しい（法36条１項、昭63.1.1基発１号）。

椛島のワンポイント

時間外又は休日労働命令に服すべき労働者の民事上の義務（実際に労働者が時間外・休日労働をする義務）は、**36協定から直接生ずるものではない**ため、**労働協約**、**就業規則等**に、労働者を労使協定の定めるところにより労働させることができる旨の規定を設ける等の**根拠が必要**となります。

テキスト▶①労働科目P51

そのとおり正しい（法38条の４第５項）。

ワンポイント

労働基準法に定める労使協定のうち、労働者の委託による貯蓄金の管理（法18条２項）及び賃金の一部控除（法24条１項ただし書）に係るものについては、本問の代替決議の対象とされていません。
通達には「企画業務型裁量労働制は大企業の事業運営に携わる幹部候補生等を想定した制度」とあります。単に“企画する”仕事ではなく、事業運営の上で重要な決定が行われる企業の中枢部門で職務にあたる労働者をイメージすべきです。

70  [H22問4-C]

労働基準法第41条の規定により、労働時間、休憩及び休日に関する規定の適用が除外されている同条第２号に定めるいわゆる管理監督者に該当するか否かは、経験、能力等に基づく格付及び職務の内容と権限等に応じた地位の名称にとらわれることなく、職務内容、責任と権限、勤務態様等の実態に即して判断される。

テキスト ▶ ①労働科目P52

そのとおり正しい（昭63.3.14基発150号）。「監督若しくは管理の地位にある者」とは、一般的には、部長、工場長等、労働条件の決定その他労務管理について経営者と一体的な立場にある者の意ですが、名称にとらわれず**実態に即して判断**すべきものであるとされています。

椛島のワンポイント

実態を伴わずに管理監督者として扱われた結果、割増賃金が支給されないことは、社会問題となって久しく、俗に“名ばかり管理職問題”と言われます。

⑤ 年次有給休暇

71

☑☑☑ 重要度A [R4問7-E]

年次有給休暇の権利は、「労基法 39条1、2項の要件が充足されることによって法律上当然に労働者に生ずる権利ということはできず、労働者の請求をまって始めて生ずるものと解すべき」であり、「年次〔有給〕休暇の成立要件として、労働者による『休暇の請求』や、これに対する使用者の『承認』を要する」とするのが、最高裁判所の判例である。

72

☑☑☑ 重要度A [H28問7-C]

年次有給休暇を取得した日は、出勤率の計算においては、出勤したものとして取り扱う。

73

☑☑☑ 重要度B [H25問2-オ]

労働基準法第39条第4項の規定により、労働者が、例えばある日の午前9時から午前10時までの1時間という時間を単位としての年次有給休暇の請求を行った場合において、使用者は、そのような短時間であってもその時間に年次有給休暇を与えることが事業の正常な運営を妨げるときは、同条第5項のいわゆる時季変更権を行使することができる。

74

☑☑☑ 重要度A [H26問6-C]

労働基準法第39条第6項に定めるいわゆる労使協定による有給休暇の計画的付与については、時間単位でこれを与えることは認められない。

×

テキスト▶①労働科目P55

年次有給休暇の権利は、労基法39条１・２項の要件が充足されることによって「法律上当然に労働者に生ずる権利」であって、「労働者の請求をまってはじめて生ずるものではない」とするのが最高裁判例です（最高裁第二小法廷判決　昭48.3.2 白石営林署事件）。

○

テキスト▶①労働科目P56

そのとおり正しい（法39条10項、昭22.9.13基発17号）。

○

テキスト▶①労働科目P57

そのとおり正しい（平21.5.29基発0529001号）。

○

テキスト▶①労働科目P59

そのとおり正しい（平21.5.29基発0529001号）。使用者は、**労使協定**により、有給休暇を与える時季に関する定めをしたときは、有給休暇の日数のうち、**5日を超える部分**については、その定めにより有給休暇を与えることができます。

75

[椛島オリジナル]

使用者は、新規付与日数が10労働日以上の年次有給休暇が付与される労働者に対し、年次有給休暇の日数のうち５日を超える部分について、付与日から１年以内の期間に、労働者ごとにその時季を指定して与えなければならない。

76

[R2問6-E]

使用者は、労働基準法第39条第７項の規定により労働者に有給休暇を時季を定めることにより与えるに当たっては、あらかじめ、同項の規定により当該有給休暇を与えることを当該労働者に明らかにした上で、その時季について当該労働者の意見を聴かなければならず、これにより聴取した意見を尊重するよう努めなければならない。

77

[H25問2-エ]

労働基準法附則第136条の規定において、使用者は、同法第39条の規定による年次有給休暇を取得した労働者に対して、賃金の減額その他不利益な取扱いをしてはならないことが罰則付きで定められている。

×　　テキスト▶①労働科目P60

使用者は、本問の労働者に対し、年次有給休暇の日数のうち「**5日**」については、付与日から1年以内の期間に、**労働者ごとにその時季を指定**して与えなければなりません（法39条7項)。「5日を超える部分」ではありません。

椛島のワンポイント

「使用者による時季指定付与」制度は、ある意味、年次有給休暇を強制的に取らせようという趣旨なので、この制度を持ち出すまでもなく既に年次有給休暇を消化できている状況にあるならば、この制度をあえて使う必要はない、ということです。

○　　テキスト▶①労働科目P60

そのとおり正しい（則24条の6)。なお、使用者は、労働者による時季指定、計画的付与及び使用者による時季指定付与により有給休暇を与えたときは、時季、日数及び基準日を労働者ごとに明らかにした書類（「年次有給休暇管理簿」という）を作成し、当該有給休暇を与えた期間中及び当該期間の満了後5年間（当分の間3年間）保存しなければなりません（則24条の7第1項・附則72条)。

×　　テキスト▶①労働科目P61

法附則136条の年次有給休暇の不利益取扱いの禁止の規定は、それ自体としては努力義務を定めたものと解されており、罰則の定めはありません（法117条～120条、最高裁第二小法廷判決　平5.6.25　沼津交通事件)。

6 年少者

[H23問7-C]

満15歳に達した日以後の最初の３月31日が終了するまでの者について、労働基準法第56条による所轄労働基準監督署長の許可を受けて使用する場合には、午後８時から午前５時まで（厚生労働大臣が必要であると認める場合に地域又は期間を限って午後９時から午前６時までとする場合には午後９時から午前６時まで）の間は使用してはならない。

〇

テキスト▶①労働科目P63

そのとおり正しい（法61条５項）。

ワンポイント

本問の「厚生労働大臣が必要であると認める場合」として、当分の間、「演劇の事業に使用される児童が演技を行う業務に従事する場合」については、**児童を使用することが禁止**される時間帯が**午後９時から午前６時までの間**とされています（平16.11.22厚労告407号）。

79 ☑☑☑ 重要度 B [R3問6-A]

労働基準法第65条の「出産」の範囲は、妊娠4か月以上の分娩をいうが、1か月は28日として計算するので、4か月以上というのは、85日以上ということになる。

80 ☑☑☑ 重要度 A [H29問7-D]

使用者は、すべての妊産婦について、時間外労働、休日労働又は深夜業をさせてはならない。

81 ☑☑☑ 重要度 B [H25問5-B]

労働基準法第68条は、生理日の就業が著しく困難な女性が休暇を請求したときは、その者を生理日に就業させてはならない旨規定しているが、その趣旨は、当該労働者が当該休暇の請求をすることによりその間の就労義務を免れ、その労務の不提供につき労働契約上債務不履行の責めを負うことのないことを定めたにとどまり、同条は当該休暇が有給であることまでをも保障したものではないとするのが最高裁判所の判例である。

○

テキスト▶①労働科目P65

そのとおり正しい。

×

テキスト▶①労働科目P65

使用者は、「**妊産婦が請求した場合**」においては、時間外労働、休日労働又は深夜労働をさせてはなりません（法66条２項・３項）。したがって、請求していない妊産婦については、使用者は、時間外労働、休日労働又は深夜業をさせることができます。

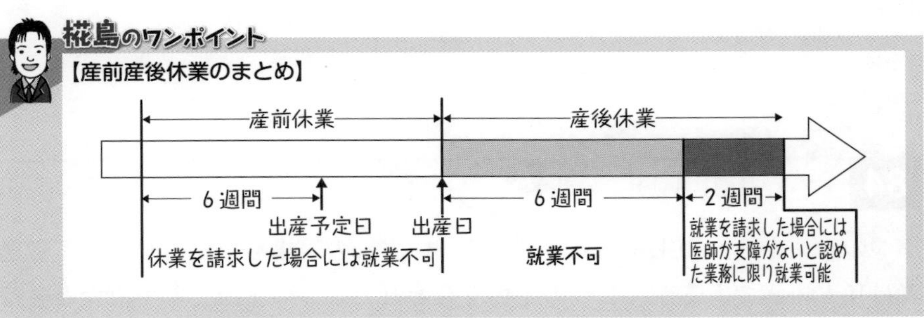

○

テキスト▶①労働科目P67

そのとおり正しい（最高裁第三小法廷判決　昭60.7.16　エヌ・ビー・シー工業事件）。

8 就業規則

82 重要度 B [R2問7-C]

派遣元の使用者は、派遣中の労働者だけでは常時10人以上にならず、それ以外の労働者を合わせてはじめて常時10人以上になるときは、労働基準法第89条による就業規則の作成義務を負わない。

83 重要度 B [R元問7-A]

労働基準法第89条に定める「常時10人以上の労働者」の算定において、１週間の所定労働時間が20時間未満の労働者は0.5人として換算するものとされている。

84 重要度 A [R2問7-D]

１つの企業が２つの工場をもっており、いずれの工場も、使用している労働者は10人未満であるが、２つの工場を合わせて１つの企業としてみたときは10人以上となる場合、２つの工場がそれぞれ独立した事業場と考えられる場合でも、使用者は就業規則の作成義務を負う。

85  重要度 A [H30問7-C]

常時10人以上の労働者を使用する使用者は、就業規則に制裁の定めをする場合においては、その種類及び程度に関する事項を必ず記載しなければならず、制裁を定めない場合にはその旨を必ず記載しなければならない。

×

テキスト▶①労働科目P68

派遣元の使用者は、派遣中の労働者とそれ以外の労働者とを合わせて常時10人以上となるときは、就業規則の作成義務を負います（昭61.6.6基発333号）。

×

テキスト▶①労働科目P68

本問のような規定はありません（法89条）。（１週間の所定労働時間の長短にかかわらず）常態として10人以上の労働者を使用していれば「常時10人以上の労働者を使用する使用者」に該当します。

ワンポイント

「常時10人以上の労働者」とは、事業場におけるパートタイマー、アルバイト等を含めたすべての労働者の数が常態として10人以上であることをいいます。なお、派遣労働者は、派遣元事業主のほうで人数カウントします。

×

テキスト▶①労働科目P68

２つの事業場がそれぞれ独立した事業場と考えられる場合は、それぞれの事業場において常時10人以上の労働者を使用しているか否かによって就業規則の作成義務の有無を判断します（法89条）。したがって、本問の場合、独立したそれぞれの工場においては、常時10人未満の労働者しか使用していないので、いずれの工場においても、使用者は、就業規則の作成義務は負いません。

×

テキスト▶①労働科目P69

「制裁の定め」は、「**相対的必要記載事項**」であるため、制裁の定めをしない場合においては、その旨を記載する必要はありません（法89条）。

86　　[H28問5-C]

退職手当制度を設ける場合には、適用される労働者の範囲、退職手当の決定、計算及び支払の方法、退職手当の支払の時期に関する事項について就業規則に規定しておかなければならないが、退職手当について不支給事由又は減額事由を設ける場合に、これらを就業規則に記載しておく必要はない。

87　　[H26問7-オ]

労働基準法第90条に定める就業規則の作成又は変更についての過半数労働組合、それがない場合には労働者の過半数を代表する者の意見を聴取する義務については、文字どおり労働者の団体的意見を求めるということであって、協議することまで使用者に要求しているものではない。

88　重要度 A　[H25問1-D]

労働基準法第89条の規定により、常時10人以上の労働者を使用するに至った使用者は、同条に規定する事項について就業規則を作成し、所轄労働基準監督署長に届け出なければならないが、従来の慣習が当該事業場の労働者のすべてに適用されるものである場合、当該事項については就業規則に規定しなければならない。

89　　[R3問7-E]

労働基準法第91条にいう「一賃金支払期における賃金の総額」とは、「当該賃金支払期に対し現実に支払われる賃金の総額」をいい、一賃金支払期に支払われるべき賃金の総額が欠勤や遅刻等により少額となったときは、その少額となった賃金総額を基礎として10分の１を計算しなければならない。

×

テキスト ▶ ①労働科目P69

退職手当についての不支給事由又は減額事由は、退職手当の決定及び計算の方法に関する事項に該当するため、これらの事由を設ける場合は、**就業規則に記載する必要があります**。なお、本問前段の記述は正しい（法89条、昭63.1.1基発1号）。

○

テキスト ▶ ①労働科目P69

そのとおり正しい（法90条）。

○

テキスト ▶ ①労働科目P69

そのとおり正しい（法89条10号、昭23.10.30基発1575号、平11.3.31基発168号）。

○

テキスト ▶ ①労働科目P70

そのとおり正しい（昭25.9.8基収1338号）。なお、賞与も賃金であることから、法91条に規定による制裁として賞与から減額をすることについては、同条の規定が適用されます（昭63.3.14基発第150号）。

90

重要度 A　[H28問5-D]

服務規律違反に対する制裁として一定期間出勤を停止する場合、当該出勤停止期間中の賃金を支給しないことは、減給制限に関する労働基準法第91条違反となる。

91

重要度 A　[H23問6-D]

労働者が5分遅刻した場合に、30分遅刻したものとして賃金カットをするという処理は、労務の提供のなかった限度を超えるカット（25分についてのカット）について労働基準法第24条の賃金の全額払の原則に反し違法であるが、このような取扱いを就業規則に定める減給の制裁として同法第91条の制限内で行う場合には、同法第24条の賃金の全額払の原則に反しない。

テキスト▶①労働科目P71

制裁としての出勤停止により、その出勤停止中の賃金の支払を受けることができないことは、制裁としての出勤停止の当然の結果であって、通常の額以下の賃金を支給することを定める法91条の**減給の制裁に該当しません**（昭23.7.3基収2177号）。

○

テキスト▶①労働科目P71

そのとおり正しい（昭63.3.14基発150号）。

9 その他の規定

92 ☑☑☑ 重要度A [R2問2-A]

労働基準法第106条により使用者に課せられている法令等の周知義務は、労働基準法、労働基準法に基づく命令及び就業規則については、その要旨を労働者に周知させればよい。

93 ☑☑☑ 重要度A [R元問7-B]

使用者は、就業規則を、①常時各作業場の見やすい場所へ掲示し、又は備え付けること、②書面を交付すること、③磁気テープ、磁気ディスクその他これらに準ずる物に記録し、かつ、各作業場に労働者が当該記録の内容を常時確認できる機器を設置することのいずれかの方法により、労働者に周知させなければならない。

94 ☑☑☑ 重要度A [H24問1-E]

裁判所は、労働基準法第20条（解雇予告手当）、第26条（休業手当）若しくは第37条（割増賃金）の規定に違反した使用者又は第39条第７項の規定による賃金（年次有給休暇中の賃金）を支払わなかった使用者に対して、労働者の請求により、これらの規定により使用者が支払わなければならない金額についての未払金のほか、これと同一額の付加金の支払を命ずることができることとされているが、この付加金の支払に関する規定は、同法第24条第１項に規定する賃金の全額払の義務に違反して賃金を支払わなかった使用者に対しては適用されない。

95 ☑☑☑ 重要度A [H29問5-イ]

労働基準法第５条に定める強制労働の禁止に違反した使用者は、「１年以上10年以下の懲役又は20万円以上300万円以下の罰金」に処せられるが、これは労働基準法で最も重い刑罰を規定している。

テキスト▶①労働科目P75

労働基準法及び同法に基づく命令については、その要旨を周知させれば足りるが、就業規則については、その全文を周知させなければなりません（法106条１項）。

テキスト▶①労働科目P75

そのとおり正しい（法106条１項、則52条の２）。

椛島のワンポイント

使用者は、事業場における労働基準法や就業規則等の遵守を図るため、所定の法令の要旨や規則、協定及び決議に関しても、定められた方法により労働者に周知させなければなりません。

テキスト▶①労働科目P76

そのとおり正しい（法114条）。すなわち、通常の賃金の未払いについては、本問の付加金支払規定は適用されない、ということです。

テキスト▶①労働科目P78

そのとおり正しい（法117条）。

ワンポイント

法５条（強制労働の禁止）の規定は、我が国にかつてみられた暴行、脅迫などによって労働を強制する封建的な悪習を排除するために、憲法18条（奴隷的拘束及び苦役からの自由）を踏まえ、精神又は身体の自由を不当に拘束する手段をもって労働者の意思に反する労働を強制することを禁止し、労働者を厚く保護したものです。

MEMO

MEMO

第2編

労働安全衛生法

項　目	問題番号
総則	問題 1 ～問題 4
安全衛生管理体制	問題 5 ～問題 16
労働者の危険又は健康障害を防止するための措置	問題 17～問題 22
機械等並びに危険有害物に関する規制	問題 23～問題 25
労働者の就業に当たっての措置	問題 26～問題 31
健康の保持増進のための措置	問題 32～問題 40
その他の規定	問題 41～問題 45

① 総則

1

☑☑☑ 重要度 A [H26問8-ア]

労働安全衛生法では、「事業者」は、「事業主又は事業の経営担当者その他その事業の労働者に関する事項について、事業主のために行為をするすべての者をいう。」と定義されている。

2

☑☑☑ 重要度 B [R2問9-A]

労働安全衛生法は、同居の親族のみを使用する事業又は事務所については適用されない。また、家事使用人についても適用されない。

3

☑☑☑ 重要度 B [H29問8-D]

労働安全衛生法は、原材料を製造し、又は輸入する者にも、これらの物の製造又は輸入に際して、これらの物が使用されることによる労働災害の発生の防止に資するよう努めることを求めている。

4

☑☑☑ 重要度 B [H26問8-イ]

労働安全衛生法第３条第３項においては、建設工事の注文者等仕事を他人に請け負わせる者について、「施工方法、工期等について、安全で衛生的な作業の遂行をそこなうおそれのある条件を附さないように配慮しなければならない。」と規定されている。

×

テキスト▶①労働科目P85

労働安全衛生法では、「事業者」は、**事業を行う者で、労働者を使用するもの**をいいます（法２条３号）。法人企業であれば当該法人（法人の代表者ではない）が、個人企業であれば事業経営主が事業者に当たります（昭和47.9.18発基91号）。

桜島のワンポイント

労働基準法の「使用者」には、部下の労務管理をその責任において行う社員全般が含まれるので、定義が広いです。労働安全衛生法では事業経営の利益の帰属主体そのもの（「事業者」）を義務主体とし、安全衛生上の責任を明確にしています。

テキスト▶該当ページなし

そのとおり正しい（昭47.9.18発基91号）。なお、鉱山保安法の規定による鉱山における保安及び船員法の適用を受ける船員については、労働安全衛生法は適用されません（法115条）。

テキスト▶①労働科目P85

そのとおり正しい（法３条２項）。

テキスト▶①労働科目P86

そのとおり正しい（法３条３項）。

5 ☑☑☑ 重要度AA [R2問9-C]

総括安全衛生管理者は、当該事業場においてその事業の実施を統括管理する者をもって充てなければならないが、必ずしも安全管理者の資格及び衛生管理者の資格を共に有する者のうちから選任しなければならないものではない。

6 ☑☑☑ 重要度A [H24問9-A]

常時120人の労働者を使用する清掃業の事業場の事業者は、総括安全衛生管理者を選任する義務があるが、当該事業場においてその事業の実施を統括管理する者であれば、他に資格等を有していない場合であっても、その者を総括安全衛生管理者に選任し、当該事業場の労働災害を防止するため必要な業務を統括管理させることができる。

7 ☑☑☑ 重要度B [R3問9-エ]

総括安全衛生管理者は、健康診断の実施その他健康の保持増進のための措置に関することを統括管理する。

8 ☑☑☑ 重要度B [H26問9-ア]

都道府県労働局長は、労働災害を防止するため必要があると認めるときは、事業者に対し、総括安全衛生管理者の解任を命ずることができる。

○

テキスト▶①労働科目P88

そのとおり正しい（法10条２項）。総括安全衛生管理者は、特別の資格等は不要です。

○

テキスト▶①労働科目P88

そのとおり正しい（法10条１項・２項、令２条１号）。

椛島のワンポイント

業種	使用労働者数
①**林業、鉱業、建設業、運送業、清掃業**	常時100人以上
②製造業（物の加工業を含む）、電気業、ガス業、水道業、各種商品卸売業、各種商品小売業、自動車整備業、機械修理業など	常時300人以上
③その他の業種	常時**1,000人**以上

○

テキスト▶①労働科目P88

そのとおり正しい（法10条１項３号）。総括安全衛生管理者が統括管理するものとして、他に安全衛生に関する計画の作成、実施、評価及び改善に関すること等があります（則３条の２第３号）。

×

テキスト▶①労働科目P88

都道府県労働局長は、労働災害を防止するため必要があると認めるときは、総括安全衛生管理者の業務の執行について事業者に「**勧告することはできる**」が、本問のように解任を命ずることはできません（法10条３項）。

9  ［椛島オリジナル］

安全管理者や衛生管理者は、原則その事業場に専属でなければならないが、産業医については、いかなる場合においても専属の規定はない。

10 重要度A ［H24問9-D］

常時30人の労働者を使用する運送業の事業場の事業者は、安全衛生推進者を選任する義務があるが、安全衛生推進者養成講習を修了した当該事業場の労働者であれば、他に資格等を有していない場合であっても、その者を安全衛生推進者に選任し、当該事業場の労働災害を防止するため必要な業務を担当させることができる。

11 重要度A ［H23問8-D］

常時30人の労働者を使用する旅館業の事業場においては安全衛生推進者を選任しなければならないが、安全衛生推進者は少なくとも毎月１回作業場等を巡視しなければならない。

12  ［H23問8-C］

常時60人の労働者を使用する自動車整備業の事業場においては産業医を選任しなければならないが、産業医は、原則として、少なくとも毎年１回作業場等を巡視しなければならない。

×

テキスト▶①労働科目P91

産業医にも、要件を満たせば専属でなければならない、という規定があります（則13条１項３号）。具体的には、以下の事業場にあっては、その事業場に専属の者を選任しなければなりません。

①**常時1,000人以上**の労働者を使用する事業場
②一定の**有害**な業務に**常時500人以上**の労働者を従事させる事業場

○

テキスト▶①労働科目P90

そのとおり正しい（法12条の２、則12条の２）。事業者は、**安全管理者を選任すべき事業場及び衛生管理者を選任すべき事業場「以外」**で、**常時10人以上50人未満**の労働者を使用する事業場ごとに、安全衛生推進者又は衛生推進者を選任しなければなりません。

×

テキスト▶①労働科目P90

安全衛生推進者については、作業場等の巡視を定める明文の規定はありません（法12条の２）。

×

テキスト▶①労働科目P91

産業医については、作業場等を巡視する義務が課されていますが、その頻度は本問の「少なくとも毎年１回」ではなく、**原則として、「少なくとも毎月１回」**と定められています（法13条１項、則15条１項）。

ワンポイント

産業医が、事業者から、毎月１回以上、所定の情報提供を受けている場合であって、事業者の同意を得ているときは、作業場巡視の頻度を少なくとも２月に１回とすることができます。

13

☑☑☑ 重要度 B [H26問9-ウ]

事業者は、産業医を選任すべき事業場以外の事業場については、労働安全衛生法第13条第１項に定める労働者の健康管理等（以下本問において「労働者の健康管理等」という。）を行うのに必要な医学に関する知識を有する医師又は労働者の健康管理等を行うのに必要な知識を有する保健師に労働者の健康管理等の全部又は一部を行わせるように努めなければならない。

14

☑☑☑ 重要度 A [H24問8-C]

「統括安全衛生責任者を選任すること」は、造船業を除く製造業の元方事業者がその労働者及び関係請負人の労働者の作業が同一の場所において行われる場合に、法令の規定により講じることが義務付けられている措置である。

15

☑☑☑ 重要度 A [H22問8-A]

建設業に属する事業の元方事業者は、その労働者及び関係請負人の労働者の数が労働安全衛生法施行令で定める仕事の区分に応じて一定数未満であるときを除き、これらの労働者の作業が同一の場所において行われることによって生ずる労働災害を防止するため、統括安全衛生責任者を選任し、その者に元方安全衛生管理者の指揮等をさせなければならない。

テキスト▶①労働科目P91

そのとおり正しい（法13条の２）。

テキスト▶①労働科目P94

「統括安全衛生責任者」を選任することは、製造業の元方事業者が講ずべき措置として義務付けられてはいません（法15条１項）。

ワンポイント

特定元方事業者であって同一の場所において一定数以上の労働者を使用するものには、本問の措置が義務付けられています。

業種（仕事の区分）	使用労働者数
①ずい道や橋梁の建設、圧気工法による作業	常時**30人**以上
②上記①以外の建設業、造船業	常時**50人**以上

テキスト▶①労働科目P94

そのとおり正しい（法15条１項、令７条２項）。

椛島のワンポイント

統括安全衛生責任者を選任する必要があるのは、元方事業者のうち、**建設業又は造船業**を行う者（「**特定元方事業者**」という）であって、次に該当するものです。

①**ずい道**等の建設の仕事、**橋梁**の建設の仕事（一定の場所において行われるものに限る）又は**圧気工法**による作業を行う仕事であって、**常時30人以上**の労働者を使用するもの

②上記①に掲げる仕事以外の仕事であって、**常時50人以上**の労働者を使用するもの

16   [R4問10-E]

事業者は、安全衛生委員会を構成する委員には、安全管理者及び衛生管理者のうちから指名する者を加える必要があるが、産業医を委員とすることについては努力義務とされている。

×

テキスト▶①労働科目P92

安全衛生委員会の委員は「安全委員会及び衛生委員会の構成員を合わせたもの」とされています（法19条２項）。よって、「産業医のうちから事業者が指名した者」が必ず当該委員会の委員に入っていなければなりません。

③ 労働者の危険又は健康障害を防止するための措置

17 ☑☑☑ 重要度 A [H24問8-A]

特定元方事業者は、その労働者及び関係請負人の労働者の作業が同一の場所において行われることによって生ずる労働災害を防止するために、作業期間中少なくとも１週間に１回、作業場所を巡視しなければならない。

18 ☑☑☑ 重要度 B [H27問8-C]

「元方事業者及びすべての関係請負人が参加する協議組織の設置及び運営を行うこと」は、造船業を除く製造業の元方事業者がその労働者及び関係請負人の労働者の作業が同一の場所において行われる場合に、法令の規定により講じることが義務付けられている措置である。

19 ☑☑☑ 重要度 C [H24問8-D]

「つり上げ荷重が１トンのクレーンを用いて行う作業であるときは、当該クレーンの運転についての合図を統一的に定めること」は、造船業を除く製造業の元方事業者がその労働者及び関係請負人の労働者の作業が同一の場所において行われる場合に、法令の規定により講じることが義務付けられている措置である。

20 ☑☑☑ 重要度 B [H24問10-A]

注文者は、その請負人に対し、当該仕事に関し、その指示に従って当該請負人の労働者を労働させたならば、労働安全衛生法又は同法に基づく命令の規定に違反することとなる指示をしてはならない。

×

テキスト▶①労働科目P99

特定元方事業者は、その労働者及び関係請負人の労働者の作業が同一の場所において行われることによって生ずる労働災害を防止するために、「**毎作業日に少なくとも1回**」、作業場所を巡視しなければなりません（則637条）。

×

テキスト▶①労働科目P100

「協議組織の設置及び運営」を行うことは、造船業を除く製造業の元方事業者が講ずべき措置として義務付けられてはいません（法30条の2第1項）。なお、元方事業者のうち建設業及び造船業を行う者（**特定元方事業者**）には、本問の措置が**義務付けられています**（法30条1項）。

○

テキスト▶①労働科目P99

そのとおり正しい（法30条の2第1項、則643条の3第1項・639条1項）。

○

テキスト▶①労働科目P99

そのとおり正しい（法31条の4）。例えば、安衛法や安衛法に基づく命令に違反して、クレーンによってつり上げ能力を超える荷をつり上げることを指示すること等です。

21

重要度 A　[H22問8-B]

製造業に属する事業の元方事業者は、関係請負人が、当該仕事に関し、労働安全衛生法又は同法に基づく命令の規定に違反しないよう必要な指導を行わなければならず、これらの規定に違反していると認めるときは、是正のため必要な指示を行わなければならないが、関係請負人の労働者に対しては、このような指導及び指示を直接行ってはならない。

22

重要度 B　[H24問10-C]

工場の用に供される建築物を他の事業者に貸与する者は、所定の除外事由に該当する場合を除き、当該建築物の貸与を受けた事業者の事業に係る当該建築物による労働災害を防止するため必要な措置を講じなければならない。

×

テキスト▶①労働科目P99

元方事業者は、関係請負人のみならず「**関係請負人の労働者**」**に対しても**、当該仕事に関し、労働安全衛生法又は同法に基づく命令の規定に違反しないよう必要な指導を行わなければならず、これらの規定に違反していると認めるときは、是正のため必要な指示を行わなければなりません（法29条１項・２項）。

ワンポイント

本問の規定は**業種の如何にかかわらず**適用されます。
製造業等の元方事業者の講ずべき措置には、「特定元方事業者の講ずべき措置」とは異なり、「協議組織の設置及び運営を行うこと」は入っていません。

○

テキスト▶①労働科目P101

そのとおり正しい（法34条、令11条）。

23 ☑☑☑ 重要度 B [H25問10-A]

フォークリフト（本邦の地域内で使用されないことが明らかな場合を除く。）は、労働安全衛生法第37条第１項の規定に基づき、製造しようとする者が、厚生労働省令で定めるところにより、あらかじめ都道府県労働局長の許可を受けなければならないものである。

24 ☑☑☑ 重要度 A [R5問8-E]

「機体重量が３トン以上の車両系建設機械」は、労働安全衛生法第37条第１項の「特定機械等」（特に危険な作業を必要とする機械等であって、これを製造しようとする者はあらかじめ都道府県労働局長の許可を受けなければならないもの）として、労働安全衛生法施行令に掲げられていない。

25 ☑☑☑ 重要度 B [H30問9-C]

作業床の高さが２メートル以上の高所作業車は、労働安全衛生法第45条第２項に定める特定自主検査の対象になるので、事業者は、その使用する労働者には当該検査を実施させることが認められておらず、検査業者に実施させなければならない。

テキスト▶①労働科目P102

フォークリフトは、あらかじめ都道府県労働局長の許可を必要とする特定機械等には該当しません（法別表第１、令12条）。

テキスト▶①労働科目P102

そのとおり正しい（法別表第１、令12条）。特定機械等（数字省略）とは、ボイラー、第Ｉ種圧力容器、クレーン、デリック、エレベーター、建設用リフト、ゴンドラを指します。設問の「車両系建設機械」は入っていないです。

×

テキスト▶①労働科目P104

特定自主検査は、検査業者のみならず、「事業者が使用する**労働者で厚生労働省令で定める資格を有するもの**」にも実施させることができます（法45条２項、令15条２項）。

ワンポイント

特定機械等は、「特定自主検査」の対象になっていません。

26 ☑☑☑ 重要度 B [R2問10-A]

事業者は、常時使用する労働者を雇い入れたときは、当該労働者に対し、厚生労働省令で定めるところにより、その従事する業務に関する安全又は衛生のための教育を行わなければならない。臨時に雇用する労働者については、同様の教育を行うよう努めなければならない。

27 ☑☑☑ 重要度 A [H27問9-C]

派遣就業のために派遣され就業している労働者に対する労働安全衛生法第59条第３項の規定に基づくいわゆる危険・有害業務に関する特別の教育の実施義務については、当該労働者を派遣している派遣元の事業者及び当該労働者を受け入れている派遣先の事業者の双方に課せられている。

28 ☑☑☑ 重要度 B [H22問10-C]

運送業の事業者は、新たに職務に就く職長に対して、作業方法の決定及び労働者の配置に関すること、労働者に対する指導又は監督の方法に関すること等について安全衛生教育を行わなければならない。

29 ☑☑☑ 重要度 B [R2問10-C]

安全衛生教育の実施に要する時間は労働時間と解されるので、当該教育が法定労働時間外に行われた場合には、割増賃金が支払われなければならない。

×

テキスト▶①労働科目P106

雇入れ時の安全衛生教育は、臨時に雇用する労働者を含めたすべての労働者に対して行わなければなりません（法59条１項）。

×

テキスト▶①労働科目P107

特別教育の実施義務者は「**派遣先の事業者のみ**」です（法59条３項、労働者派遣法45条）。

×

テキスト▶①労働科目P107～108

「運送業」は、本問のいわゆる職長等の教育を行うべき業種とされていません。**職長等の教育**を行わなければならないのは、次の業種に属する事業者です（法60条、令19条）。

①**建設業**
②**製造業**（一定のものを除く）
③**電気業**
④**ガス業**
⑤**自動車整備業**
⑥**機械修理業**

テキスト▶①労働科目P106

そのとおり正しい（昭47.9.18基発602号）。なお、本問の安全衛生教育は、労働者がその業務に従事する場合の労働災害の防止を図るため、事業者の責任において実施されなければならないものであり、したがって、安全衛生教育については所定労働時間に行うことを原則としています。

30

☑☑☑ 重要度B [H28問10-A]

産業労働の場において、事業者は、例えば最大荷重が１トン以上のフォークリフトの運転（道路上を走行させる運転を除く。）の業務については、都道府県労働局長の登録を受けた者が行うフォークリフト運転技能講習を修了した者その他厚生労働省令で定める資格を有する者でなければ、当該業務に就かせてはならないが、個人事業主である事業者自らが当該業務を行うことについては制限されていない。

31

☑☑☑  [H22問9-E]

事業者は、作業床の高さが10メートル以上の高所作業車の運転（道路上を走行させる運転を除く。）の業務については一定の資格を有する者でなければ当該業務に就かせてはならないが、当該業務に就くことができる者は、都道府県労働局長の登録を受けた者が行う高所作業車運転技能講習を修了した者でなければならない。

×

テキスト ▶ ①労働科目P109

最大荷重が１トン以上のフォークリフトの運転（道路上を走行させる運転を除く）の業務については、都道府県労働局長の登録を受けた者が行うフォークリフト運転技能講習を修了した者その他厚生労働省令で定める資格を有する者でなければ、当該業務に就かせてはならず、「個人事業主である事業者自らが当該業務を行う場合についても同様」です（法61条１項・２項、令20条11号）。

澁島のワンポイント

【フォークリフト”における「特別教育」と「就業制限」】

１トン未満	**特別教育**の対象となる
１トン以上	**就業制限**の対象となる

テキスト ▶ ①労働科目P109

そのとおり正しい（法61条１項、法76条１項、法別表第18、令20条15号）。

6 健康の保持増進のための措置

32 重要度 B [R元問10-B]

労働安全衛生法第66条の定めに基づいて行う健康診断に関し、事業者は、常時使用する労働者を雇い入れるときは、当該労働者に対し、所定の項目について医師による健康診断を行わなければならないが、医師による健康診断を受けた後、6か月を経過しない者を雇い入れる場合において、その者が当該健康診断の結果を証明する書面を提出したときは、当該健康診断の項目については、この限りでない。

33 重要度 A [R元問10-C]

労働安全衛生法第66条の定めに基づいて行う健康診断に関し、期間の定めのない労働契約により使用される短時間労働者に対する一般健康診断の実施義務は、1週間の労働時間数が当該事業場において同種の業務に従事する通常の労働者の1週間の所定労働時間数の4分の3以上の場合に課せられているが、1週間の労働時間数が当該事業場において同種の業務に従事する通常の労働者の1週間の所定労働時間数のおおむね2分の1以上である者に対しても実施することが望ましいとされている。

34  [H27問10-イ]

事業者は、深夜業を含む業務に常時従事する労働者については、当該業務への配置換えの際及び6月以内ごとに1回、定期に、労働安全衛生規則に定める項目について健康診断を実施しなければならない。

×

テキスト ▶ ①労働科目P112

本問の場合、医師による健康診断を受けた後、**「3か月」**を経過しない者を雇い入れる場合において、その者が当該健康診断の結果を証明する書面を提出したときは、当該健康診断の項目に相当する項目については、本問の健康診断を行う必要はないものとされています（則43条1項）。

○

テキスト ▶ ①労働科目P112

そのとおり正しい（法66条1項、平5.12.1基発663号）。本問の最後にあるとおり、**「2分の1以上」**の者に対しても実施することが望ましい、と通達に書かれています。

○

テキスト ▶ ①労働科目P112

そのとおり正しい（則45条）。本問の健康診断は「特定業務従事者に対する健康診断」と呼ばれます。

椛島のワンポイント

「特定業務」とは、「著しく暑熱又は寒冷な場所における業務」や「深夜業を含む業務」等の業務をいいます。

35

重要度 B　[R5問10-E]

労働者は、労働安全衛生法の規定により事業者が行う健康診断を受けなければならない。ただし、事業者の指定した医師又は歯科医師が行う健康診断を受けることを希望しない場合において、その旨を明らかにする書面を事業者に提出したときは、この限りでない。

36

重要度 A　[H27問10-エ]

事業者は、労働安全衛生規則に定める健康診断については、その結果に基づき健康診断個人票を作成して、その個人票を少なくとも３年間保存しなければならない。

37

重要度 S　[R2問8-A]

事業者は、休憩時間を除き１週間当たり40時間を超えて労働させた場合におけるその超えた時間が１月当たり60時間を超え、かつ、疲労の蓄積が認められる労働者から申出があった場合は、面接指導を行わなければならない。

38

重要度 A　[R2問8-B]

事業者は、研究開発に係る業務に従事する労働者については、休憩時間を除き１週間当たり40時間を超えて労働させた場合におけるその超えた時間が１月当たり80時間を超えた場合は、労働者からの申出の有無にかかわらず面接指導を行わなければならない。

39

重要度 B　[R2問8-E]

事業者は、労働安全衛生法に定める面接指導の結果については、当該面接指導の結果の記録を作成して、これを保存しなければならないが、その保存すべき年限は３年と定められている。

×

テキスト▶①労働科目P114

ただし書きが誤り。正しくは「ただし、事業者の指定した医師又は歯科医師が行う健康診断を受けることを希望しない場合において、**他の医師又は歯科医師の行うこれらの規定による健康診断に相当する健康診断を受け、その結果を証明する書面を事業者に提出したとき**は、この限りでない。」です（法66条５項）。

×

テキスト▶①労働科目P115

事業者は、健康診断の結果に基づき、健康診断個人票を作成して、これを、原則として、「**５年間**」**保存**しなければなりません（則51条）。

×

テキスト▶①労働科目P117

事業者は、休憩時間を除き１週間当たり40時間を超えて労働させた場合におけるその超えた時間が１月当たり「80時間」を超え、かつ、疲労の蓄積が認められる労働者から申出があった場合は、本問の面接指導を行わなければなりません（法66条の８第１項、則52条の２第１項、則52条の３第１項）。

×

テキスト▶①労働科目P118

事業者は、研究開発に係る業務に従事する労働者については、休憩時間を除き１週間当たり40時間を超えて労働させた場合におけるその超えた時間が１月当たり「100時間」を超えた場合は、労働者からの申出の有無にかかわらず、面接指導を行わなければなりません（法66条の８の２第１項、則52条の７の２）。

×

テキスト▶①労働科目P120

事業者は、面接指導の結果に基づき、当該面接指導の結果の記録を作成して、これを「５年間」保存しなければなりません（則52条の６第１項、則52条の７の２第２項、則52条の７の４第２項、則52条の18第１項）。

40  重要度 A [H30問10-C]

労働安全衛生法第66条の10に定める医師等による心理的な負担の程度を把握するための検査（以下本問において「ストレスチェック」という。）の項目には、ストレスチェックを受ける労働者への職場における他の労働者による支援に関する項目を含めなければならない。

○

テキスト▶①労働科目P120

そのとおり正しい（則52条の９）。

⑦ その他の規定

41 ☑☑☑ 重要度 B [H23問9-D]

都道府県労働局長は、労働安全衛生法第79条の規定により、事業場の施設その他の事項について、労働災害の防止を図るため総合的な改善措置を講ずる必要があると認めるときは、安全衛生改善計画作成指示書により、事業者に対し、当該事業場の安全衛生改善計画を作成すべきことを指示することができる。

42 ☑☑☑ 重要度 A [H29問8-B]

労働者が事業場内における負傷により休業した場合は、その負傷が明らかに業務に起因するものではないと判断される場合であっても、事業者は、労働安全衛生規則第97条の労働者死傷病報告書を所轄労働基準監督署長に提出しなければならない。

43 ☑☑☑ 重要度 A [H25問9-D]

労働者が事業場内における負傷により休業の日数が２日の休業をしたときは、事業者は、遅滞なく、所定の様式による報告書を所轄労働基準監督署長に提出しなければならない。

○

テキスト▶①労働科目P122

そのとおり正しい（法79条１項、則84条の３）。

ワンポイント

都道府県労働局長は、本問の安全衛生改善計画の作成の指示をした場合において、専門的な助言を必要とすると認めるときは、当該事業者に対し、労働安全コンサルタント又は労働衛生コンサルタントによる安全又は衛生に係る診断を受け、かつ、安全衛生改善計画の作成について、これらの者の意見を聴くべきことを勧奨することができます（法80条）。

○

テキスト▶①労働科目P124

そのとおり正しい（則97条）。

ワンポイント

本問の報告書は、遅滞なく、所轄労働基準監督署長に提出しなければなりません。

×

テキスト▶①労働科目P125

労働者が事業場内における負傷により休業した場合の労働者死傷病報告に関し、休業の日数が４日未満のときは、１月から３月まで、４月から６月まで、７月から９月まで及び10月から12月までの各期間における当該事実について、それぞれの期間における「**最後の月の翌月末日まで**」に提出すればよいこととされています（則97条）。

ワンポイント

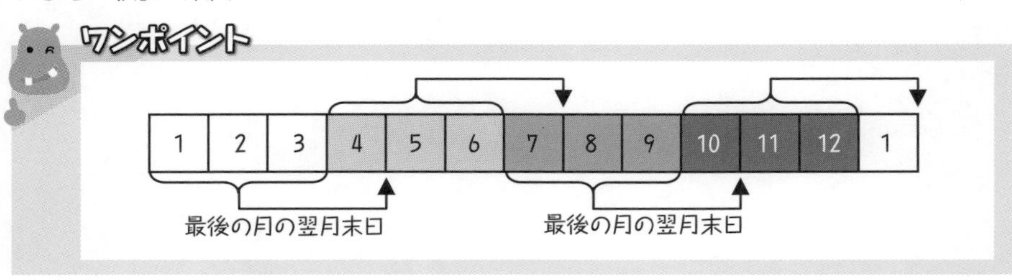

44

[R3問10-E]

事業者は、労働者が労働災害により死亡し、又は4日以上休業したときは、その発生状況及び原因その他の厚生労働省令で定める事項を各作業場の見やすい場所に掲示し、又は備え付けることその他の厚生労働省令で定める方法により、労働者に周知させる義務がある。

45

[H30問8-A]

派遣元事業者は、派遣労働者を含めて常時使用する労働者数を算出し、それにより算定した事業場の規模等に応じて、総括安全衛生管理者、衛生管理者、産業医を選任し、衛生委員会の設置をしなければならない。

テキスト▶①労働科目P124

本問のような規定はありません（則97条１項）。なお、事業者は、労働者が労働災害その他就業中又は事業場内若しくはその附属建設物内における負傷、窒息又は急性中毒により死亡し、又は休業したときは、遅滞なく、報告書を所轄労働基準監督署長に提出しなければなりません。

テキスト▶①労働科目P127

そのとおり正しい（法10条１項、法12条１項、労働者派遣法45条ほか）。

ワンポイント

労働者派遣において、安全管理者及び作業主任者の選任義務については、当該労働者を受け入れている派遣先の事業者に課せられています。

第3編

労働者災害補償保険法

項　目	問題番号
総則	問題 1 ～問題 4
業務災害及び通勤災害	問題 5 ～問題 26
給付基礎日額	問題 27
業務災害に関する保険給付	問題 28～問題 52
通勤災害に関する保険給付	問題 53～問題 55
二次健康診断等給付	問題 56～問題 58
保険給付の通則	問題 59～問題 73
社会復帰促進等事業	問題 74～問題 81
特別加入	問題 82～問題 86
その他の規定	問題 87～問題 93

❶ 総則

1   [H30問4-オ]

試みの使用期間中の者にも労災保険法は適用される。

2   [H28問1-B]

法人のいわゆる重役で業務執行権又は代表権を持たない者が、工場長、部長の職にあって賃金を受ける場合は、その限りにおいて労災保険法が適用される。

3   [H26問2-エ]

2以上の労災保険適用事業に使用される労働者は、それぞれの事業における労働時間数に関係なくそれぞれの事業において、労災保険法の適用がある。

4   [H29問4-A]

労災保険法は、市の経営する水道事業の非常勤職員には適用されない。

○

テキスト▶①労働科目P136

そのとおり正しい（法３条、労働基準法９条）。労災保険の適用労働者の範囲は、労働基準法９条（労働者）に準じており、「**適用事業に使用される者で、賃金を支払われるもの**」とされています。試みの使用期間中の者は、当然に労働基準法上の労働者です。

ワンポイント

派遣労働者については、派遣元事業主が適用事業となります。

テキスト▶①労働科目P136

そのとおり正しい（昭23.3.17基発461号）。本問の者は、適用事業に使用される者で賃金を支払われるものとして労災保険を適用するものとされます。労災保険の適用対象労働者と労働基準法の労働者はイコールです。

テキスト▶①労働科目P136

そのとおり正しい（法１条ほか）。

×

テキスト▶①労働科目P136

本問の者（**現業かつ非常勤の地方公務員**）には、労災保険法が適用されます（昭42.10.27基発1000号）。

② 業務災害及び通勤災害

5 重要度B [R元問4-B]

派遣労働者に係る業務災害の認定に当たっては、派遣元事業場と派遣先事業場との間の往復の行為については、それが派遣元事業主又は派遣先事業主の業務命令によるものであれば一般に業務遂行性が認められるものとして取り扱うこととされている。

6 重要度A [H30問1-B]

厚生労働省労働基準局長通知（「心理的負荷による精神障害の認定基準について」平成23年12月26日付け基発1226第1号。）において、業務による強い心理的負荷とは、精神障害を発病した労働者がその出来事及び出来事後の状況が持続する程度を主観的にどう受け止めたかという観点から評価されるものであるとされている。

7 重要度B [R3問4-E]

心理的負荷による精神障害の認定基準（令和2年5月29日付け基発0529第1号）における「上司等」には、同僚又は部下であっても業務上必要な知識や豊富な経験を有しており、その者の協力が得られなければ業務の円滑な遂行を行うことが困難な場合、同僚又は部下からの集団による行為でこれに抵抗又は拒絶することが困難である場合も含む。

8 重要度C [H28問2-A]

道路清掃工事の日雇い労働者が、正午からの休憩時間中に同僚と作業場内の道路に面した柵にもたれて休憩していたところ、道路を走っていた乗用車が運転操作を誤って柵に激突した時に逃げ遅れ、柵と自動車に挟まれて胸骨を骨折した場合、業務上の負傷と認められる。

○

テキスト▶①労働科目P137

そのとおり正しい（昭61.6.30基発383号）。本問のように業務命令を受けているのであれば、それは「**事業主の支配下にある状態**」といえます。

×

テキスト▶①労働科目P140～141

本問の業務による強い心理的負荷とは、精神障害を発病した労働者がその出来事及び出来事後の状況が持続する程度を主観的にどう受け止めたかではなく、「**同種の労働者が一般的にどう受け止めるか**という観点」から評価されるものです（平23.12.26基発1226第１号）。

テキスト▶該当ページなし

そのとおり正しい（令2.5.29基発0529第１号）。なお、本問の認定基準の業務による心理的負荷評価表の「平均的な心理的負荷の強度」の「具体的出来事」の１つである「同僚等から、暴行又は（ひどい）いじめ・嫌がらせを受けた」のうち、「同僚等から、治療を要さない程度の暴行を受け、行為が反復・継続していない場合」であって、他に会社に相談しても適切な対応がなく改善されなかった等の事情がなければ、心理的負荷の程度は「中」になるとされています。

テキスト▶①労働科目P138

そのとおり正しい（昭25.6.8基災収1252号）。

9 ☑☑☑  [H28問2-B]

炭鉱で採掘の仕事に従事している労働者が、作業中泥に混じっているのを見つけて拾った不発雷管を、休憩時間中に針金でつついて遊んでいるうちに爆発し、手の指を負傷した場合、業務上の負傷と認められる。

10 ☑☑☑  [H26問1-D]

上司の命により従業員の無届欠勤者の事情を調査するため、通常より約30分早く「自宅公用外出」として自宅を出発、自転車で欠勤者宅に向かう途中電車にはねられ死亡した災害は業務上とされている。

11 ☑☑☑ 重要度A [H26問7-D]

労働者が業務に起因して負傷又は疾病を生じた場合に該当すると認められるためには、業務と負傷又は疾病との間に相当因果関係があることが必要である。

×

テキスト▶①労働科目P138

本問の負傷は、業務上の負傷とは認められず、「業務外」とされます（昭27.12.1基災収3907号）。

テキスト▶①労働科目P138

そのとおり正しい（昭24.12.15基収3001号）。

テキスト▶①労働科目P137

そのとおり正しい。

12

重要度 B

[H28問5-ア]

業務上の疾病の範囲は、労働基準法施行規則別表第一の二の各号に掲げられているものに限定されている。

13

重要度 B

[H27問1-A]

厚生労働省労働基準局長通知（「心理的負荷による精神障害の認定基準について」（平成23年12月26日付け基発1226第１号）、以下「認定基準」という。）においては、うつ病エピソードの発病直前の２か月間連続して１月当たりおおむね80時間の時間外労働を行い、その業務内容が通常その程度の労働時間を要するものであった場合、心理的負荷の総合評価は「強」と判断される。

○

テキスト▶①労働科目P141

そのとおり正しい（法７条、法12条の８第２項、労働基準法施行規則別表１の２、昭53.3.30基発186号ほか）。労働基準法施行規則別表１の２及びこれに基づく告示においては、**一定の疾病を例示列挙**するとともに**包括的な救済規定**を補足的に設けています。

椛島のワンポイント

【労働基準法施行規則の別表第１の２】

号	内容
1号	【業務上の負傷に起因する疾病】 例：業務上の頭部の負傷による慢性硬膜下血腫など
2～10号	【職業性の疾病】 ・どの時点で疾病に罹ったのか立証が困難 →あらかじめ想定される疾病を**例示列挙**して、**迅速に**被災労働者を保護 例：過重労働に起因する脳・心臓疾患［**8**号］ 例：業務ストレスに起因する精神障害［**9**号］
11号	【その他業務に起因することの明らかな疾病】 ・上記に列挙されていない疾病であっても、包括的に救済される →労働者側に立証責任がある

テキスト▶①労働科目P141

本問の場合、「80時間」を「120時間」に読み替えると正しい記述となります（平23.12.26基発1226第１号）。

14

☑☑☑ 重要度 A [H27問1-E]

厚生労働省労働基準局長通知（「心理的負荷による精神障害の認定基準について」（平成23年12月26日付け基発1226第１号）、以下「認定基準」という。）においては、うつ病エピソードを発病した労働者がセクシュアルハラスメントを受けていた場合の心理的負荷の程度の判断は、その労働者がその出来事及び出来事後の状況が持続する程度を主観的にどう受け止めたかで判断される。

15

☑☑☑  [H25問7-B]

出張の機会を利用して当該出張期間内において、出張先に赴く前後に自宅に立ち寄る行為（自宅から次の目的地に赴く行為を含む。）については、当該立ち寄る行為が、出張経路を著しく逸脱していないと認められる限り、原則として、通常の出張の場合と同様、業務として取り扱われる。

16

☑☑☑  [H24問7-A]

厚生労働省労働基準局長通知（「心理的負荷による精神障害の認定基準について」平成23年12月26日付け基発1226第１号）においては、次のいずれの要件も満たす場合に、業務上の疾病として取り扱うこととしている。

①対象疾病を発病していること。

②対象疾病の発病前おおむね６か月の間に、業務による強い心理的負荷が認められること。

③業務以外の心理的負荷及び個体側要因により対象疾病を発病したとは認められないこと。

テキスト▶①労働科目P140～141

うつ病エピソードを発病した労働者がセクシャルハラスメントを受けていた場合の心理的負荷の程度の判断は、その労働者がその出来事及び出来事後の状況が持続する程度を主観的にどう受け止めたかで判断するのではなく、「**同種の労働者が一般的にどう受け止めるかという観点**」から評価されます（平23.12.26基発1226第1号）。

テキスト▶①労働科目P138

そのとおり正しい（平18.3.31基労管発0331001号・基労補発0331003号）。

○

テキスト▶①労働科目P140

そのとおり正しい（平23.12.26基発1226第1号）。

ワンポイント

基準を満たす対象疾病に併発した疾病については、対象疾病に付随する疾病として認められるか否かを個別に判断し、これが認められる場合には当該対象疾病と一体のものとして、労働基準法施行規則別表第1の2第9号に該当する業務上の疾病として取り扱うものとされます。

17

☑☑☑ 

[R4問1-A]

厚生労働省労働基準局長通知（「血管病変等を著しく増悪させる業務における脳血管疾患及び虚血性心疾患等の認定基準について」令和３年９月14日付け基発0914第１号）において、発症前１か月間におおむね100時間又は発症前２か月間ないし６か月間にわたって、１か月当たりおおむね80時間を超える時間外労働が認められない場合には、これに近い労働時間が認められたとしても、業務と発症との関連性が強いと評価することはできない。

18

☑☑☑ 

[R4問1-D]

厚生労働省労働基準局長通知（「血管病変等を著しく増悪させる業務における脳血管疾患及び虚血性心疾患等の認定基準について」令和３年９月14日付け基発0914第１号）において、急激な血圧変動や血管収縮等を引き起こすことが医学的にみて妥当と認められる「異常な出来事」と発症との関連性については、発症直前から１週間前までの間が評価期間とされている。

19

☑☑☑ 

[H29問5-D]

通勤災害における合理的な経路とは、住居等と就業の場所等との間を往復する場合の最短距離の唯一の経路を指す。

20

☑☑☑ 

[H27問3-E]

会社からの退勤の途中で美容院に立ち寄った場合、髪のセットを終えて直ちに合理的な経路に復した後についても、通勤に該当しない。

×

テキスト▶①労働科目P139～140

本問前段の時間外労働時間の水準には至らないがこれに近い時間外労働が認められる場合には、特に他の負荷要因の状況を十分考慮し、そのような時間外労働に加えて一定の労働時間以外の負荷が認められるときには、業務と発症との関連性が強いと評価できることを踏まえて判断することとされており、本問の場合であっても、業務と発症との関連性が「強いと評価することができる場合があります」（令3.9.14基発0914第１号）。

テキスト▶①労働科目P139～140

本問の異常な出来事と発症との関連性についての評価期間は、「発症直前から前日までの間」とされています（令3.9.14基発0914第１号）。

×

テキスト▶①労働科目P144

通勤災害における合理的な経路とは、本問のように最短のルートに限定されるわけではありません（平18.3.31基発0331042号ほか）。

×

テキスト▶①労働科目P146

会社からの退勤の途中で美容院に立ち寄った行為は、労災保険法施行規則８条に規定する**「日常生活上必要な行為」の範囲に含まれる**ため、本問のように、当該行為後、直ちに**合理的な経路に復した後**については、**通勤に該当**します（法７条３項、昭58.8.2基発420号ほか）。

21 ☑☑☑ 重要度 A [H26問1-E]

明日午前８時から午後１時までの間に、下請業者の実施する隣町での作業を指導監督するよう出張命令を受け、翌日、午前７時すぎ、自転車で自宅を出発し、列車に乗車すべく進行中、踏切で列車に衝突し死亡したが、同人が乗車しようとしていた列車が通常の通勤の場合にも利用していたものである場合は、通勤災害とされている。

22 ☑☑☑ 重要度 A [H25 問4-ア]

通勤の途中、経路上で遭遇した事故において、転倒したタンクローリーから流れ出す有害物質により急性中毒にかかった場合は、通勤によるものと認められる。

23 ☑☑☑ 重要度 A [H25問4-オ]

女性労働者が一週間に数回、やむを得ない事情により、就業の場所からの帰宅途中に最小限の時間、要介護状態にある夫の父を介護するために夫の父の家に立ち寄っている場合に、介護終了後、合理的な経路に復した後は、再び通勤に該当する。

24 ☑☑☑ 重要度 B [H24問1-A]

通勤災害とは、労働者の通勤による負傷、疾病、障害又は死亡をいうが、寝過ごしにより就業場所に遅刻した場合は、通勤に該当することはない。

×

テキスト▶①労働科目P138

本問の場合は、業務災害とされています（昭34.7.15基収2980号）。出張中は、特別の事情がない限り、**出張過程の全般について事業主の支配下**にあるといってよく、その過程全般（積極的な私用、私的行為、恣意的行為等を除く）が業務行為とみられます。したがって、当該往復行為中の災害は、業務災害とされ、通勤災害としては取り扱われません。

テキスト▶①労働科目P142

そのとおり正しい（昭48.11.22基発644号、平18.3.31基発0331042号）。

テキスト▶①労働科目P146

そのとおり正しい（則８条５号）。要介護状態にある配偶者、子、父母、孫、祖父母及び兄弟姉妹並びに配偶者の父母の介護（継続的に又は反復して行われるものに限る）は、**日常生活上必要な行為**に該当するため、当該行為を最小限度の範囲で行う場合には、当該行為の間を除き、**通常の経路に復した後は通勤**と認められます。

ワンポイント

「要介護状態」とは、負傷、疾病又は身体上若しくは精神上の障害により、２週間以上の期間にわたり常時介護を必要とする状態をいいます。

テキスト▶①労働科目P142

所定の就業日に所定の就業開始時刻を目処に住居を出て就業の場所へ向かう場合は、寝過ごしによる遅刻、あるいはラッシュを避けるための早出等、時刻的に若干の前後があっても就業との関連性があるため、これらの行為についても通勤とされます（平18.3.31基発0331042号）。

25   [R4問5-B]

アパートの２階の一部屋に居住する労働者が、いつも会社に向かって自宅を出発する時刻に、出勤するべく靴を履いて自室のドアから出て１階に降りようとした時に、足が滑り転倒して負傷した場合、通勤災害に当たらない。

26   [R4問6-C]

通常深夜まで働いている男性労働者が、半年ぶりの定時退社の日に、就業の場所からの帰宅途中に、ふだんの通勤経路を外れ、要介護状態にある義父を見舞うために義父の家に立ち寄り、一日の介護を終えた妻とともに帰宅の途につき、ふだんの通勤経路に復した後は、通勤に該当する。

×

テキスト▶①労働科目P142

アパートについては、アパートの外戸が住居と通勤経路との境界であるため、「アパートの階段は、通勤の経路と認められます」(昭49.4.9基収314号)。なお、これに対し、一戸建ての屋敷構えの住居については、敷地内に入る地点が住居と通勤との境界であるため、たとえ玄関先の石段で転倒し負傷したとしても通勤災害とは認められません(昭49.7.15基収2110号)。比較して押さえましょう。

×

テキスト▶①労働科目P146

本問の「要介護状態にある労働者の配偶者の父の介護」は、継続的に又は反復して行われるものではなく、「日常生活上必要な行為であって厚生労働省令で定めるもの」には該当しません(法7条3項、則8条)。したがって、本問の通勤経路に復した後は「通勤に該当しない」が正解です。

27    重要度A ［H27問7-イ］

年金たる保険給付の支給に係る給付基礎日額に１円未満の端数があるときは、その端数については切り捨てる。

テキスト ▶ ①労働科目P148

給付基礎日額に１円未満の端数があるときは、その端数については「**１円に切り上げる**」こととされています（法８条の５）。

28 ☑☑☑ 重要度AA [椛島オリジナル]

業務災害に関する保険給付は、すべて労働基準法等に規定する災害補償の事由が生じた場合に、補償を受けるべき労働者若しくは遺族又は葬祭を行う者に対し、その請求に基づいて行うこととされている。

29 ☑☑☑ 重要度B [R元問5-A]

療養の給付は、社会復帰促進等事業として設置された病院若しくは診療所又は都道府県労働局長の指定する病院若しくは診療所、薬局若しくは訪問看護事業者（「指定病院等」という。以下本問において同じ。）において行われ、指定病院等に該当しないときは、厚生労働大臣が健康保険法に基づき指定する病院であっても、療養の給付は行われない。

30 ☑☑☑  重要度A [H30問2-A]

傷病補償年金は、業務上負傷し、又は疾病にかかった労働者が、当該負傷又は疾病に係る療養の開始後１年を経過した日において次の①、②のいずれにも該当するとき、又は同日後次の①、②のいずれにも該当することとなったときに、その状態が継続している間、当該労働者に対して支給する。

①当該負傷又は疾病が治っていないこと。

②当該負傷又は疾病による障害の程度が厚生労働省令で定める傷病等級に該当すること。

×

テキスト▶①労働科目P153

すべてではありません（法12条の８第２項）。労働基準法等の災害補償規定にそのルーツがあるのは、傷病補償年金及び介護補償給付を除く５つの保険給付です。

テキスト▶①労働科目P154

そのとおり正しい（則11条１項）。

テキスト▶①労働科目P157

傷病補償年金は、業務上負傷し、又は疾病にかかった労働者が、当該負傷又は疾病に係る療養の開始後「**１年６か月**」を経過した日において本問①及び②のいずれにも該当するとき、又は同日後本問①及び②のいずれにも該当することとなったときに、その状態が継続している間、当該労働者に対して支給されます（法12条の８第３項）。

31

[H30問2-D]

療養補償給付としての療養の給付の範囲には、病院又は診療所における療養に伴う世話その他の看護のうち、政府が必要と認めるものは含まれるが、居宅における療養に伴う世話その他の看護が含まれることはない。

32

重要度 A

[H30問5-A]

休業補償給付は、業務上の傷病による療養のため労働できないために賃金を受けない日の4日目から支給されるが、休業の初日から第3日目までの期間は、事業主が労働基準法第76条に基づく休業補償を行わなければならない。

33

重要度 B

[H30問5-B]

業務上の傷病により、所定労働時間の全部労働不能で半年間休業している労働者に対して、事業主が休業中に平均賃金の6割以上の金額を支払っている場合には、休業補償給付は支給されない。

テキスト▶①労働科目P154

療養補償給付としての療養の給付の範囲には、「居宅における療養上の管理及びその療養に伴う世話その他の**看護が含まれます**」（法13条２項）。

椛島のワンポイント

療養補償給付		
	原則 療養の給付	例外 療養の費用の支給
給付の方法	直接療養を給付する **現物**給付	療養に要した費用を償還する **現金**給付
給付の範囲（政府が必要と認めるものに限る）	①診察 ②薬剤又は治療材料の支給 ③処置、手術その他の治療 ④居宅における療養上の管理及びその療養に伴う世話その他の看護 ⑤病院又は診療所への入院及びその療養に伴う世話その他の看護 ⑥移送	
医療機関	指定病院等	指定病院等以外の病院等
給付の額	全額（労働者の一部負担はない）	

テキスト▶①労働科目P156

そのとおり正しい（法14条１項、労働基準法76条１項）。

テキスト▶①労働科目P155

そのとおり正しい（法14条１項）。本問の場合は「賃金を受けない日」に該当しないため、休業補償給付は支給されません。

34

[H30問5-E]

業務上の傷病により、部分算定日（所定労働時間のうち、その一部分についてのみ労働する日又は賃金が支払われる休暇をいう。以下同じ）の休業補償給付の額は、療養開始後１年６か月未満の場合には、休業給付基礎日額から当該部分算定日に対して支払われる賃金の額を控除して得た額の100分の60に相当する額である。

35

[H27問2-C]

療養補償給付たる療養の給付を受けようとする者は、厚生労働省令に規定された事項を記載した請求書を、直接、所轄労働基準監督署長に提出しなければならない。

36

[R2問6-B]

業務上負傷し、又は疾病にかかった労働者が、当該負傷又は疾病に係る療養の開始後３年を経過した日において傷病補償年金を受けている場合に限り、その日において、使用者は労働基準法第81条の規定による打切補償を支払ったものとみなされ、当該労働者について労働基準法第19条第１項の規定によって課せられた解雇制限は解除される。

37

[R5問2-A]

業務上の災害により、ひじ関節の機能に障害を残し（第12級の６）、かつ、四歯に対し歯科補てつを加えた（第14級の２）場合の、障害補償給付を支給すべき身体障害の障害等級は、「併合第11級」である。

○

テキスト▶①労働科目P156

そのとおり正しい（法14条１項）。

ワンポイント

業務上の傷病による療養のため、そのすべてにおいて労働することができない場合（**全部労働不能**）に係る休業補償給付の額は、休業１日につき**休業給付基礎日額の100分の60**に相当する額とされています。

【全部労働不能・一部労働不能】

「全部労働不能」とは、まるまる１日働くことができない日のこと。「一部労働不能」は、一日のうちの一部について働くことができない（言い換えれば一部について働くことができる）日のこと。

×

テキスト▶①労働科目P155

療養補償給付たる療養の給付を受けようとする者は、厚生労働省令に規定された事項を記載した請求書を、「療養の給付を受けようとする**指定病院等を経由**して」、所轄労働基準監督署長に提出しなければなりません（則12条）。

×

テキスト▶①労働科目P24

本問の場合のみならず、「業務上傷病に係る療養開始後３年を経過した日後において傷病補償年金を受けることとなった場合についても」、当該「傷病補償年金を受けることとなった日」において、使用者は、労働基準法81条の規定による打切補償を支払ったものとみなされ、当該労働者について労働基準法19条１項の規定によって課せられた解雇制限は解除されます（法19条）。

×

テキスト▶①労働科目P159

「併合第12級」が正しいです（則14条２項）。設問は「併合繰上げ」ではなく、「**併合**」が適用されます。よって、重い方の身体障害の該当する障害等級がそのまま、その複数の身体障害の障害等級とされます。

椛島のワンポイント

「併合繰上げ」というのは、「同時に第13級以上の障害が複数残った」場合に適用されるルールです。

38

[H30問6-E]

障害等級表に該当する障害が２以上あって厚生労働省令の定める要件を満たす場合には、その障害等級は、厚生労働省令の定めに従い繰り上げた障害等級による。具体例は次の通りである。

①第５級、第７級、第９級の３障害がある場合 第３級
②第４級、第５級の２障害がある場合………　第２級
③第８級、第９級の２障害がある場合………　第７級

39

[H25問1-D]

傷病補償年金を受ける者には、介護補償給付は行わない。

40

[R2問6-E]

介護補償給付は、親族又はこれに準ずる者による介護についても支給されるが、介護の費用として支出した額が支給されるものであり、「介護に要した費用の額の証明書」を添付しなければならないことから、介護費用を支払わないで親族又はこれに準ずる者による介護を受けた場合は支給されない。

41

[H25問2-E]

介護補償給付の額は、常時介護を要する状態の被災労働者については、支給すべき事由が生じた月において介護に要する費用として支出された額が、労災保険法施行規則に定める額に満たない場合にあっては、当該介護に要する費用として支出された額である。

×

テキスト▶①労働科目P159

②は「第１級」になるから誤りです（則14条３項）。

×

テキスト▶①労働科目P161

介護補償給付は、障害補償年金又は「傷病補償年金」を受ける権利を有する労働者が所定の要件に該当する場合に、当該**労働者の請求**に基づいて行われます（法12条の８第４項）。

×

テキスト▶①労働科目P162

その月において介護に要する費用を支出して介護を受けた日がない場合であっても、親族又はこれに準ずる者による介護を受けた日があるときは、支給すべき事由が生じた月を除き、最低保証額の適用があることから、本問の場合、介護補償給付が支給され得ます（法19条の２、則18条の３の４）。

テキスト▶①労働科目P162

そのとおり正しい（則18条の３の４第１項２号かっこ書）。支給すべき事由が生じた月（＝**介護開始月**）については、最低保証規定は適用されないため、本問のとおり、「当該介護に要する費用（＝**実費**）」が支給されます。仮に、親族による介護しか受けていないのであれば、当該月は介護補償給付は支給されません。

ワンポイント

親族による介護の場合における最低保証は、２か月目から適用となります。介護開始月には最低保証はされません。

42 重要度 B [H28問6-ア]

傷病補償年金の受給者が当該傷病が原因で死亡した場合には、その死亡の当時その収入によって生計を維持していた妻は、遺族補償年金を受けることができる。

43  [R5問5-D]

労働者が就職後極めて短期間の間に死亡したため、死亡した労働者の収入で生計を維持するに至らなかった遺族でも、労働者が生存していたとすればその収入によって生計を維持する関係がまもなく常態となるに至ったであろうことが明らかな場合は、遺族補償年金の受給資格者である。

44   [H28問6-エ]

遺族補償年金の受給権を失権したものは、遺族補償一時金の受給権者になることはない。

45   [H28問6-オ]

労働者が業務災害により死亡した場合、その兄弟姉妹は、当該労働者の死亡の当時、その収入により生計を維持していなかった場合でも、遺族補償一時金の受給者となることがある。

○

テキスト ▶ ①労働科目P163

そのとおり正しい（法16条、法16条の２）。

○

テキスト ▶ 該当ページなし

そのとおり正しい（則14条の４、昭和41.1.31基発73号、昭41.10.22基発1108ほか）。

×

テキスト ▶ ①労働科目P165

遺族補償一時金を受けることができる遺族は、労働者の死亡の当時の身分によるものとされており、**労働者の死亡の当時その身分を有していた者**であれば、遺族補償年金の受給権者が失権した場合であっても、遺族補償一時金の受給権者と「**なることがある**」とされています（法16条の７、昭41.1.31基発73号）。

○

テキスト ▶ ①労働科目P165

そのとおり正しい（法16条の７）。

46  [R2問6-C]

業務上の災害により死亡した労働者Ｙには２人の子がいる。１人はＹの死亡の当時19歳であり、Ｙと同居し、Ｙの収入によって生計を維持していた大学生で、もう１人は、Ｙの死亡の当時17歳であり、Ｙと離婚した元妻と同居し、Ｙが死亡するまで、Ｙから定期的に養育費を送金されていた高校生であった。２人の子は、遺族補償年金の受給資格者であり、同順位の受給権者となる。

47   [H23問3-A]

遺族補償年金を受ける権利は、その権利を有する遺族が、直系血族又は直系姻族である者の養子となったときは、消滅する。

テキスト▶①労働科目P164

本問の場合、死亡したYの子2人のうち、19歳の子は、遺族補償年金の受給資格者にも、遺族補償年金の受給権者にもなりません（法16条の2第1項）。

テキスト▶①労働科目P164

遺族補償年金を受ける権利は、その権利を有する遺族が直系血族又は直系姻族「以外の者」の養子（届出をしていないが、事実上養子縁組関係と同様の事情にある者を含む）となったときは、消滅することとされていますが、本問のように**直系血族又は直系姻族である者の養子**となったときであっても**消滅はしません**（法16条の4第1項3号）。

椛島のワンポイント

【遺族補償年金の失権事由】

①死亡したとき
②婚姻（事実上の婚姻を含む）をしたとき
③直系血族又は直系姻族以外の者の養子（事実上の養子を含む）となったとき
④離縁によって、死亡した労働者との親族関係が終了したとき
⑤子、孫又は兄弟姉妹については、18歳に達した日以後の最初の3月31日が終了したとき（**労働者の死亡の当時から**一定の障害の状態にあるときを除く）
⑥一定の障害の状態にある夫、子、父母、孫、祖父母又は兄弟姉妹については、当該障害の状態に該当しなくなったとき（夫、父母又は祖父母については労働者の死亡の当時55歳以上であったとき、子又は孫については18歳に達する日以後の最初の3月31日までの間にあるとき、兄弟姉妹については18歳に達する日以後の最初の3月31日までの間にあるか又は労働者の死亡の当時55歳以上であったときを除く）

48  

[H23問3-B]

遺族補償年金を受ける権利は、その権利を有する遺族が、婚姻の届出はしていないものの事実上婚姻関係と同様の事情にある場合に至ったときは、消滅する。

49  

[H23問3-C]

遺族補償年金を受ける権利は、その権利を有する兄弟姉妹が労災保険法第16条の2第1項第4号の厚生労働省令で定める障害の状態にあるときであっても、18歳に達した日以後の最初の3月31日が終了したときは、消滅する。

50  

[R3問6-A]

遺族補償一時金を受けるべき遺族の順位について、労働者の死亡当時その収入によって生計を維持していた父母は、労働者の死亡当時その収入によって生計を維持していなかった配偶者より先順位となる。

テキスト▶①労働科目P164

そのとおり正しい（法16条の4第1項2号）。

桜島のワンポイント

遺族補償年金を受ける権利は、その権利を有する遺族が婚姻をしたときは消滅することとされており、当該婚姻には、「届出をしていないが、**事実上婚姻関係と同様の事情にある場合を含む**」こととされています。したがって、遺族補償年金を受ける権利を有する遺族が、婚姻の届出をしていないが、事実上婚姻関係と同様の事情にある場合に至ったときについても、その権利は消滅することとなります。

テキスト▶①労働科目P164

子、孫又は兄弟姉妹については、原則として、18歳に達した日以後の最初の3月31日が終了したときは、遺族補償年金を受ける権利は消滅することとされていますが、**労働者の死亡の時から引き続き**厚生労働省令で定める**障害の状態**にあるときは、**18歳に達した日以後の最初の3月31日が終了したときであっても、消滅しない**こととされています（法16条の4第1項5号）。

テキスト▶①労働科目P165

遺族補償一時金を受けることができる遺族の順位について、本問の父母は、本問の配偶者より「後順位」となります（法16条の7）。遺族補償一時金を受けることができる遺族の順位は、①配偶者、②労働者の死亡の当時その収入によって生計を維持していた子、父母、孫及び祖父母、③前記②に該当しない子、父母、孫及び祖父母、④兄弟姉妹とされており、②及び③に掲げる者のうちにあっては、それぞれ、②及び③に掲げる順序によるものとされています。

51 ☑☑☑ 

[R3問6-D]

遺族補償一時金を受けるべき遺族の順位について、労働者の死亡当時その収入によって生計を維持していた兄弟姉妹は、労働者の死亡当時その収入によって生計を維持していなかった子より後順位となる。

52 ☑☑☑ 

[椛島オリジナル]

葬祭料の受給権者には、いわゆる生計維持や生計同一といった要件はない。

テキスト▶①労働科目P165

そのとおり正しい（法16条の７）。遺族補償一時金を受けることができる遺族の順位は、①配偶者、②労働者の死亡の当時その収入によって生計を維持していた子、父母、孫及び祖父母、③前記②に該当しない子、父母、孫及び祖父母、④兄弟姉妹とされており、②及び③に掲げる者のうちにあっては、それぞれ、②及び③に掲げる順序によるものとされています。したがって、遺族補償一時金を受けることができる遺族の順位について、本問の兄弟姉妹は、本問の子より「後順位」となります。

〇

テキスト▶①労働科目P166

そのとおり正しい（法12条の８第２項）。葬祭料は、労働者が業務上死亡した場合に、「**葬祭を行う者**」に対して支給されます。したがって、そもそも遺族にも限定していません。

[H24問2-E]

休業給付が支給されない休業の初日から第３日目までの待期期間について、事業主は労働基準法に基づく休業補償の義務を負わない。

54

[H22問1-A]

労災保険の保険給付は、業務災害に対する迅速公正な保護だけでなく、通勤災害に対しても同様な保護をするために行われるものであるが、通勤災害に関しては、業務災害に係る介護補償給付に対応する保険給付は定められていない。

55

[H25問4-ウ]

政府は、同一の通勤災害に係る療養給付について既に一部負担金を納付した者からは、一部負担金を徴収しない。

テキスト▶①労働科目P168

そのとおり正しい（法22条の２）。休業給付が療養のために賃金を受けない日の第４日目から支給される点においては、休業補償給付と同様ですが、休業給付の**待期期間３日間**については、事業主に労働基準法に基づく**休業補償の義務が生じない**点において、休業補償給付とは異なります。

テキスト▶①労働科目P167

通勤災害に関しては、業務災害に係る介護補償給付に対応する保険給付として、**「介護給付」**が定められています（法21条７号）。なお、前段の記述は正しい（法１条）。

テキスト▶①労働科目P168

そのとおり正しい（則44条の２第１項３号）。一部負担金は、労働者に支給すべき最初の休業給付の額から控除されます。つまり、**２回目からは控除しない**ということです。

ワンポイント

そのほか、「療養開始から３日以内に死亡した者」や「第三者の行為によって生じた事故により療養給付を受ける者」からも一部負担金は徴収しないことになっています。

6 二次健康診断等給付

56 重要度 A [H30問7-A]

一次健康診断の結果その他の事情により既に脳血管疾患又は心臓疾患の症状を有すると認められる場合には、二次健康診断等給付は行われない。

57 重要度 B [H30問7-B]

特定保健指導は、医師または歯科医師による面接によって行われ、栄養指導もその内容に含まれる。

58 重要度 A [H23問1-C]

二次健康診断等給付は、労災保険法第26条第１項の一次健康診断において、血圧検査、血液検査その他業務上の事由による脳血管疾患及び心臓疾患の発生にかかわる身体の状態に関する検査であって、厚生労働省令で定めるもの（①血圧の測定、②低比重リポ蛋たん白コレステロール（ＬＤＬコレステロール）、高比重リポ蛋たん白コレステロール（ＨＤＬコレステロール）又は血清トリグリセライドの量の検査、③血糖検査、④腹囲の検査又はＢＭＩ（ＢＭＩ＝体重(kg)/身長$(m)^{2}$）の測定）が行われた場合において、これらの項目の３つ以上の項目に異常の所見があると診断された労働者（当該一次健康診断の結果その他の事情により既に脳血管疾患又は心臓疾患の症状を有すると認められるものを除く。）に対し、当該労働者の請求に基づいて行うものである。

テキスト▶①労働科目P170

そのとおり正しい（法26条１項）。なお、一次健康診断とは労働安全衛生法66条１項の規定による健康診断等のうち、直近のものをいいます。

椛島のワンポイント

二次健康診断等給付の目的はあくまでも「疾病の予防」です。既に疾患の症状を有する場合には即刻療養に入るべきであり、二次健康診断等給付は行われないということになります。

テキスト▶①労働科目P171

特定保健指導は、**医師又は「保健師」による面接**によって行われます（法26条２項２号、平13.3.30基発233号）。

テキスト▶①労働科目P170

二次健康診断等給付は、労働安全衛生法の規定による一次健康診断において、血圧検査、血液検査その他業務上の事由による脳血管疾患及び心臓疾患の発生にかかわる身体の状態に関する検査であって、厚生労働省令で定めるもの（本問に掲げる①から④のもの）が行われた場合において、当該検査を受けた労働者が「**そのいずれの項目にも異常の所見があると診断されたとき**」に、当該労働者（一定の者を除く）に対し、その**請求に基づいて**行うこととされています（法26条１項）。

7 保険給付の通則

59

[H30問4-イ]

労災保険法に基づく遺族補償年金を受ける権利を有する者が死亡した場合において、その死亡した者が死亡前にその遺族補償年金を請求していなかったときは、当該遺族補償年金を受けることができる他の遺族は、自己の名で、その遺族補償年金を請求することができる。

60

[H29問7-D]

保険給付を受ける権利は、労働者の退職によって変更されることはない。

61

[H27問7-ア]

年金たる保険給付の支給は、支給すべき事由が生じた月から始められ、支給を受ける権利が消滅した月で終了する。

62

[H25問1-E]

年金たる保険給付を受ける権利を有する者が死亡したためその支給を受ける権利が消滅したにもかかわらず、その死亡の日の属する月の翌月以後の分として当該年金たる保険給付の過誤払が行われた場合において、当該過誤払による返還金に係る債権に係る債務の弁済をすべき者に支払うべき保険給付があるときであっても、当該保険給付の支払金の金額を当該過誤払による返還金に係る債権の金額に充当することはできない。

○

テキスト▶①労働科目P175

そのとおり正しい（法11条１項・２項）。

ワンポイント

未支給の保険給付の請求権者が、その未支給の保険給付を受けないうちに死亡した場合には、その死亡した未支給の保険給付の請求権者の**相続人が請求権者**となります（昭41.1.31基発73号）。

○

テキスト▶①労働科目P176

そのとおり正しい（法12条の５）。

椛島のワンポイント

使用者による解雇、労働者の自由意思による任意退職、労働契約の期間満了による自動退職、定年退職、事業の廃止に伴う労働関係の終了等、退職の理由にかかわらず、**受給権が変更されることはありません**。

×

テキスト▶①労働科目P172

年金たる保険給付の支給は、支給すべき事由が**生じた「月の翌月」から始められ**、支給を受ける権利が**消滅した月で終了**します（法９条１項）。

×

テキスト▶①労働科目P176

本問の場合には、債務の弁済をすべき者に支払うべき保険給付の支払金の金額を過誤払による返還金に係る債権の金額に充当することができます（法12条の２）。

ワンポイント

過誤払い分の受給権者と充当の対象となる後の給付の受給権者が異なる点が、「内払」との違いです。

63

[H24問4-B]

保険給付を受ける権利は、譲り渡すことができない。

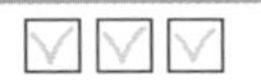 

64

[H24問4-C]

租税その他の公課は、保険給付として支給を受けた金品を標準として課することはできない。

65

[H24問4-D]

政府は、保険給付を受ける権利を有する者が、正当な理由なく、行政の出頭命令に従わないときは、保険給付の支給決定を取り消し、支払った金額の全部又は一部の返還を命ずることができる。

66

[H23問2-E]

航空機が墜落し、滅失し、又は行方不明となった際、現にその航空機に乗っていた労働者の生死が3か月間わからない場合の、遺族補償給付、葬祭料、遺族給付及び葬祭給付の支給に関する規定の適用において、当該労働者が死亡したものと推定する時期は、「航空機が墜落し、滅失し、又は行方不明となった日から3か月後」である。

テキスト▶①労働科目P176

そのとおり正しい（法12条の５第２項）。

椛島のワンポイント

保険給付を受ける権利は、**譲り渡し、担保に供し、又は差し押さえることができません。**

テキスト▶①労働科目P177

そのとおり正しい（法12条の６）。

ワンポイント

労働者災害補償保険に関する書類には、印紙税は課されません（法44条）。

テキスト▶①労働科目P178

本問の場合、政府は、保険給付の支給決定を取り消し、支払った金額の全部又は一部の返還を命ずるのではなく、「保険給付の支払を**一時差し止める**ことができる」ものとされています（法47条の３）。

テキスト▶①労働科目P174

航空機が墜落し、滅失し、又は行方不明となった際、現にその航空機に乗っていた労働者の生死が３か月間わからない場合には、遺族補償給付、葬祭料、遺族給付及び葬祭給付の支給に関する規定の適用については、「**その航空機が墜落し、滅失し、又は行方不明となった日**」に、当該労働者は、**死亡したものと推定**されます（法10条）。

67 ☑☑☑ 重要度 A [R2問2-A]

船舶が沈没した際現にその船舶に乗っていた労働者の死亡が３か月以内に明らかとなり、かつ、その死亡の時期がわからない場合には、遺族補償給付、葬祭料、遺族給付及び葬祭給付の支給に関する規定の適用については、その船舶が沈没した日に、当該労働者は、死亡したものと推定する。

68 ☑☑☑ 重要度 A [R2問2-B]

航空機に乗っていてその航空機の航行中行方不明となった労働者の生死が３か月間わからない場合には、遺族補償給付、葬祭料、遺族給付及び葬祭給付の支給に関する規定の適用については、労働者が行方不明となって３か月経過した日に、当該労働者は、死亡したものと推定する。

69 ☑☑☑ 重要度 A [H26問3-ア]

業務遂行中の災害であっても、労働者が故意に自らの負傷を生じさせたときは、政府は保険給付を行わない。

70 ☑☑☑ 重要度 A [R2問1-B]

業務遂行中の負傷であれば、負傷の原因となった事故が、負傷した労働者の故意の犯罪行為によって生じた場合であっても、政府は保険給付の全部又は一部を行わないとすることはできない。

テキスト▶①労働科目P174

そのとおり正しい（法10条）。なお、本問の規定は、しばしば生死不明の事故のみられる船舶及び航空機に乗り込む労働者について、民法に定める失踪宣告及び行政庁による死亡認定に対する特例として短期の死亡推定規定を設け、迅速な補償を行うことにより、遺族等の保護を図っています。

テキスト▶①労働科目P174

本問の労働者は、「行方不明となった日」に、死亡したものと推定します（法10条）。

○

テキスト▶①労働科目P177

そのとおり正しい（法12条の２の２第１項）。「**故意**」とは、自分の行為が一定の結果を生ずべきことを認識し、かつ、この結果を生ずることを認容することをいいます。ただし、被災労働者が結果の発生を認容していても業務との因果関係が認められる事故については、法12条の２の２第１項の適用はありません（昭40.7.31基発901号）。

椛島のワンポイント

「故意に」というキーワードが出てきたら、保険給付は「絶対的に制限」されます。これを絶対制限といいます。

テキスト▶①労働科目P177

業務遂行中の負傷であっても、負傷の原因となった事故が、負傷した労働者の故意の犯罪行為によって生じた場合には、政府は、保険給付の全部又は一部を行わないことができます（法12条の２の２第２項）。

71

重要度 B　[H27問4-A]

事業主が、労災保険法第31条第１項第１号の事故に係る事業に関し、保険手続に関する指導を受けたにもかかわらず、その後10日以内に保険関係成立届を提出していなかった場合、「故意」と認定した上で、原則、費用徴収率を100％とする。なお、本問の「保険手続に関する指導」とは、所轄都道府県労働局、所轄労働基準監督署又は所轄公共職業安定所の職員が、保険関係成立届の提出を行わない事業主の事業場を訪問し又は当該事業場の事業主等を呼び出す方法等により、保険関係成立届の提出ほか所定の手続をとるよう直接行う指導をいう。

72

重要度 B　[H27問4-C]

事業主が、労災保険法第31条第１項第１号の事故に係る事業に関し、保険手続に関する指導又は加入勧奨を受けておらず、労働保険徴収法第３条に規定する保険関係が成立した日から１年を経過してなお保険関係成立届を提出していなかった場合、原則、「重大な過失」と認定した上で、費用徴収率を40％とする。

73

重要度 B　[R2問2-D]

偽りその他不正の手段により労災保険に係る保険給付を受けた者があり、事業主が虚偽の報告又は証明をしたためその保険給付が行われたものであるときは、政府は、その事業主に対し、保険給付を受けた者と連帯してその保険給付に要した費用に相当する金額の全部又は一部である徴収金を納付すべきことを命ずることができる。

○

テキスト▶①労働科目P179

そのとおり正しい（平17.9.22基発0922001号）。

○

テキスト▶①労働科目P179

そのとおり正しい（平17.9.22基発0922001号）。

○

テキスト▶①労働科目P180

そのとおり正しい。なお、本問の「保険給付を受けた者」とは、偽りその他不正の手段により、現実に、かつ、直接に保険給付を受けた者をいい、受給権を有する者に限られません（法12条の３第２項）。

8 社会復帰促進等事業

74 重要度 C [R元問7-C]

被災労働者の遺族の就学の援護は、政府が労災保険の適用事業に係る労働者及びその遺族について行う社会復帰促進等事業として、行われる。

75 重要度 C [R元問7-E]

業務災害の防止に関する活動に対する援助は、政府が労災保険の適用事業に係る労働者及びその遺族について行う社会復帰促進等事業として、行われる。

76  重要度 B [R元問6-イ]

傷病特別支給金の支給額は、傷病等級に応じて定額であり、傷病等級第１級の場合は、114万円である。

77  重要度 A [R元問6-オ]

特別支給金は、社会復帰促進等事業の一環として被災労働者等の福祉の増進を図るために行われるものであり、譲渡、差押えは禁止されている。

78  重要度 A [H28問7-B]

休業特別支給金の額は、１日につき算定基礎日額の100分の20に相当する額とされる。

○ テキスト▶①労働科目P182

そのとおり正しい（法29条１項２号）。

○ テキスト▶①労働科目P182

そのとおり正しい（法29条１項３号）。

○ テキスト▶①労働科目P184

そのとおり正しい（特別支給金支給規則別表１の２）。

× テキスト▶①労働科目P187

特別支給金の譲渡、差押えは禁止されていません（特別支給金支給規則20条ほか）。

× テキスト▶①労働科目P184

休業特別支給金の額は、１日につき**「給付基礎日額」の100分の20**に相当する額とされます（特別支給金支給規則３条）。算定基礎日額を用いるのは、ボーナス特別支給金です。

椛島のワンポイント

休業補償給付（休業給付）の額（給付基礎日額の60%）と併せると、通常の給与水準の80%が支給されることになります。

79

[H24問6-D]

遺族特別支給金の額は、300万円とされ、遺族特別支給金の支給を受ける遺族が２人以上ある場合には、それぞれに300万円が支給される。

80

[R2問7-E]

労災保険法による障害補償年金、傷病補償年金、遺族補償年金を受ける者が、同一の事由により厚生年金保険法の規定による障害厚生年金、遺族厚生年金等を受けることとなり、労災保険からの支給額が減額される場合でも、障害特別年金、傷病特別年金、遺族特別年金は減額されない。

81

[R2問7-C]

第三者の不法行為によって業務上負傷し、その第三者から同一の事由について損害賠償を受けていても、特別支給金は支給申請に基づき支給され、調整されることはない。

テキスト▶①労働科目P185

遺族特別支給金の額は、300万円とされていますが、当該遺族特別支給金の支給を受ける遺族が2人以上ある場合には、**300万円をその人数で除して得た額**とされます（特別支給金支給規則5条3項）。

ワンポイント

遺族補償年金（遺族年金）の若年支給停止の対象者であっても、遺族特別支給金の支給を申請することができます。

テキスト▶①労働科目P187

そのとおり正しい（法別表第1ほか）。なお、労災保険の年金たる保険給付は、同一の事由について国民年金や厚生年金保険の年金給付が支給されるときは、その額に政令で定める率を乗じて減額した額とされます。

テキスト▶①労働科目P187

そのとおり正しい（法12条の4ほか）。なお、年金たる特別支給金には、年金たる保険給付における法12条（年金の内払）及び法12条の2（過誤払による返還金債権への充当）と同様の規定があります（特別支給金支給規則14条、同則14条の2）。

9 特別加入

82 重要度 B [H26問2-オ]

労災保険は、労働者の業務又は通勤による災害に対して保険給付を行う制度であるが、業務の実態、災害の発生状況等に照らし、実質的に労働基準法適用労働者に準じて保護するにふさわしい者に対し、労災保険の適用を及ぼそうとする趣旨から、中小事業主等に特別加入の制度を設けている。

83 重要度 B [H24問5-E]

海外派遣者について、派遣先の海外の事業が厚生労働省令で定める数以下の労働者を使用する事業に該当する場合であっても、その事業の代表者は、労災保険の特別加入の対象とならない。

84 重要度 A [H22問4-E]

労災保険法第４章の２は、「常時300人の労働者を使用する保険業の事業主で、労働保険徴収法に定める労働保険事務組合に労働保険事務の処理を委託する者」について、申請に対し政府の承認があったときは、労災保険に特別に加入できるとしている。

テキスト▶①労働科目P188

そのとおり正しい（法33条、法34条ほか）。

椛島のワンポイント

【特別加入者の範囲】

事業	範囲
金融業 保険業 不動産業 小売業	常時**50人**以下の労働者を使用する事業主
卸売業 サービス業	常時**100人**以下の労働者を使用する事業主
その他の事業	常時**300人**以下の労働者を使用する事業主

テキスト▶①労働科目P190

海外派遣者について、派遣先の海外の事業が厚生労働省令で定める数以下の労働者を使用する事業に該当する場合には、その事業の代表者についても、実質的には労働者に準じて保護すべき状況にあることから、**労災保険の特別加入の対象**とされます（法33条７号）。

椛島のワンポイント

海外の事業一定の中小事業である場合には、労働者だけでなく、代表者として派遣される者についても、特別加入が認められます。

テキスト▶①労働科目P188

「保険業」の事業主が労災保険に特別加入をするためには、**常時使用する労働者の数が50人以下**であることが必要です（則46条の16）。したがって、本問の者は、特別加入を認められません。

85   [R4問3-D]

サービス業を主たる事業とする事業主については常時100人以下の労働者を使用する事業主で、労働保険徴収法第33条第３項の労働保険事務組合に同条第１項の労働保険事務の処理を委託するものである者（事業主が法人その他の団体であるときは、代表者）は労災保険に特別加入することができる。

86   [H26問7-A]

特別加入制度において、個人貨物運送業者については通勤災害に関する保険給付は支給されない。

テキスト▶①労働科目P188

そのとおり正しい（法33条１号、則46条の16)。なお、卸売業についてもサービス業と同様に、労働者100人以下で事務組合に事務委託がなされていれば、特別加入できます。

○

テキスト▶①労働科目P190

そのとおり正しい（法35条１項本文、則46条の22の２・46条の17第１号)。

⑩ その他の規定

87 ☑☑☑ 重要度B [H26問7-C]

国庫は、労災保険事業に要する費用の一部を補助することができる。

88 ☑☑☑ 重要度A [H23問4-B]

保険給付に関する決定についての審査請求に係る労働者災害補償保険審査官の決定に対して不服のある者は、再審査請求をした日から３か月を経過しても裁決がないときであっても、再審査請求に対する労働保険審査会の裁決を経ずに、処分の取消しの訴えを提起することはできない。

89 ☑☑☑ 
重要度A [R5問6-C]

保険給付に関する決定についての処分の取消しの訴えは、再審査請求に対する労働保険審査会の決定を経た後でなければ、提起することができない。

90 ☑☑☑ 
重要度B [R元問1-D]

行政庁は、保険給付に関して必要があると認めるときは、保険給付を受け、又は受けようとする者（遺族補償年金又は遺族年金の額の算定の基礎となる者を含む。）に対し、その指定する医師の診断を受けるべきことを命ずることができる。

91 

重要度B [H30問3-D]

行政庁は、労災保険法の施行に必要な限度において、当該職員に、適用事業の事業場に立ち入り、関係者に質問させ、又は帳簿書類その他の物件を検査させることができ、立入検査をする職員は、その身分を示す証明書を携帯し、関係者に提示しなければならない。

テキスト▶①労働科目P193

そのとおり正しい（法32条）。

テキスト▶①労働科目P196

保険給付に関する決定についての当該処分の取消しの訴えは、当該処分についての再審査請求に対する**労働保険審査会の裁決を経ずに提起することができます**（法40条）。

テキスト▶①労働科目P196

保険給付に関する決定についての処分の取消しの訴えは、当該処分についての審査請求に対する**労働者災害補償保険審査官の決定**を経た後でなければ、提起することができない（法40条）。

テキスト▶①労働科目P197

そのとおり正しい（法47条の２）。

テキスト▶①労働科目P198

そのとおり正しい（法48条）。

ワンポイント

本問の帳簿書類とは、賃金台帳、労働者名簿等、労災保険法上必要とされる一切の帳簿書類です。

92

[H27問6-オ]

障害補償給付、遺族補償給付、介護補償給付、障害給付、遺族給付及び介護給付を受ける権利は、これらを行使することができる時から５年を経過したときは、時効によって消滅する。

93

[R2問4-オ]

行政庁が労災保険法の施行に必要な限度において、当該職員に身分を示す証明書を提示しつつ事業場に立ち入り帳簿書類の検査をさせようとしたにもかかわらず、事業主が検査を拒んだ場合、６月以下の懲役又は30万円以下の罰金に処される。

テキスト▶①労働科目P197

介護補償給付及び介護給付を受ける権利は、これらを行使することができる時から**2年**を経過したときは時効によって消滅します（法42条）。

テキスト▶①労働科目P198

そのとおり正しい（法51条2号）。なお、本問の帳簿書類とは、賃金台帳及び労働者名簿などの労災保険法上必要と認められる一切の帳簿書類をいいます。

第4編

雇用保険法

項　目	問題番号
総則	問題 1 ～問題 16
給付の全体像	問題 17 ～問題 20
求職者給付	問題 21 ～問題 60
就職促進給付	問題 61 ～問題 62
教育訓練給付	問題 63 ～問題 67
雇用継続給付	問題 68 ～問題 73
育児休業給付	問題 74 ～問題 76
雇用保険二事業	問題 77
費用の負担等	問題 78・問題 79
不服申立て及び雑則	問題 80 ～問題 87

① 総則

1 ☑☑☑ 重要度 A [H30問7-ウ]

雇用保険法の適用を受けない労働者のみを雇用する事業主の事業（国、都道府県、市町村その他これらに準ずるものの事業及び法人である事業主の事業を除く。）は、その労働者の数が常時５人以下であれば、任意適用事業となる。

2 ☑☑☑ 重要度 A [H22問1-C]

船員法１条に規定する船員を雇用する水産の事業は、常時雇用される労働者の数が15名未満であれば、暫定任意適用事業となる。

3 ☑☑☑ 重要度 A [R4問2-D]

日本国内において事業を行う外国会社（日本法に準拠してその要求する組織を具備して法人格を与えられた会社以外の会社）は、労働者が雇用される事業である限り適用事業となる。

4 ☑☑☑ 重要度 A [H30問2-B]

一般被保険者たる労働者が長期欠勤している場合、雇用関係が存続する限り賃金の支払を受けていると否とを問わず被保険者となる。

5 ☑☑☑ 重要度 A [H30問2-C]

株式会社の取締役であって、同時に会社の部長としての身分を有する者は、報酬支払等の面からみて労働者的性格の強い者であって、雇用関係があると認められる場合、他の要件を満たす限り被保険者となる。

×

テキスト▶①労働科目P205

任意適用事業とされるのは、一定の**農林水産**の事業であって、**常時5人未満**の労働者を雇用する事業です（法附則2条、令附則2条、行政手引20105）。したがって、農林水産の事業以外の事業については、任意適用事業とはされません。

×

テキスト▶①労働科目P205

船員法1条に規定する船員を雇用する水産の事業は、暫定任意適用事業とされず、**強制適用事業**となります（法附則2条1項2号かっこ書）。

テキスト▶①労働科目P205

そのとおり正しい（行政手引20051）。

テキスト▶①労働科目P206

そのとおり正しい（行政手引20352）。

ワンポイント

本問の長期欠勤している期間は、基本手当の所定給付日数等を決定するための基礎となる算定基礎期間に算入されます。

テキスト▶①労働科目P206

そのとおり正しい（行政手引20351）。

ワンポイント

株式会社の代表取締役は、被保険者となりません。

6 ☑☑☑ 重要度A [H27問1-E]

生命保険会社の外務員、損害保険会社の外務員、証券会社の外務員は、その職務の内容、服務の態様、給与の算出方法等からみて雇用関係が明確でないので被保険者となることはない。

7 ☑☑☑ 重要度A [H25問1-E]

同時に2以上の雇用関係について被保険者となることはない。

8 ☑☑☑  [H24問1-B]

株式会社の代表取締役が被保険者になることはない。

9 ☑☑☑  [R3問1-E]

被保険者資格の有無の判断に係る所定労働時間の算定に関し、雇用契約書等における1週間の所定労働時間と実際の勤務時間に常態的に乖離がある場合であって、当該乖離に合理的な理由がない場合は、原則として実際の勤務時間により1週間の所定労働時間を算定する。

×

テキスト▶①労働科目P206

生命保険会社の外務員、損害保険会社の外務員、証券会社の外務員であっても、その職務の内容、服務の態様、給与の算出方法等の実態により判断して**雇用関係が明確である場合**は、被保険者となります（行政手引20351）。

テキスト▶①労働科目P206

そのとおり正しい（行政手引20352）。

椛島のワンポイント

同時に２以上の事業主の適用事業に雇用される者については、原則として、その者が生計を維持するに必要な**主たる賃金を受ける一の雇用関係**についてのみ被保険者となります。

テキスト▶①労働科目P206

そのとおり正しい（行政手引20351）。

椛島のワンポイント

株式会社の取締役は、原則として、被保険者となりませんが、報酬支払等の面からみて**労働者的性格の強い者**であって、**雇用関係があると認められる**ものに限り被保険者となります。もっとも、株式会社の取締役の中でも、**代表取締役**は、雇用関係ということはあり得ないので、**一律に被保険者とならない**ものとされています。

テキスト▶①労働科目P207

そのとおり正しい（行政手引20303）。

10

重要度 A　[H23問1-D]

海運会社に雇用される商船の船員で船員保険の被保険者である者は、雇用保険の被保険者とならない。

11

重要度 A　[H27問1-C]

学校教育法第1条、第124条又は第134条第1項の学校の学生又は生徒であっても、休学中の者は、他の要件を満たす限り雇用保険法の被保険者となる。

12

重要度 A　[H22問1-D]

短期大学の学生は、定時制ではなく昼間に開講される通常の課程に在学する者であっても、適用事業に雇用される場合はすべて被保険者となる。

13

重要度 B　[H28問1-A]

事業主は、その雇用する被保険者を当該事業主の一の事業所から他の事業所に転勤させたときは、当該事実のあった日の翌日から起算して10日以内に雇用保険被保険者転勤届を転勤前の事業所の所在地を管轄する公共職業安定所の長に提出しなければならない。

14

重要度 AA　[R4問3-C]

事業主は、その雇用する労働者が当該事業主の行う適用事業に係る被保険者でなくなったことについて、当該事実のあった日の属する月の翌月10日までに、雇用保険被保険者資格喪失届に必要に応じ所定の書類を添えて、その事業所の所在地を管轄する公共職業安定所の長に提出しなければならない。

×

テキスト▶①労働科目P205

船員法に規定する船員であって、「漁船」に乗り組むため雇用される一定の者は、雇用保険法が適用されませんが、本問の商船は**漁船ではない**ため、本問の者は、他の適用除外に該当しない限り、**雇用保険の被保険者となります**（法４条１項、法６条）。

テキスト▶①労働科目P207～208

そのとおり正しい（法６条、則３条の２）。

×

テキスト▶①労働科目P207～208

定時制ではなく昼間に開講される通常の課程に在学する短期大学の学生は、原則として、**適用除外**とされており、適用事業に雇用される場合であっても、被保険者となりません（法６条４号、則３条の２ほか）。

×

テキスト▶①労働科目P208

本問の場合、当該事実のあった日の翌日から起算して10日以内に雇用保険被保険者転勤届を**「転勤後」の事業所の所在地を管轄する公共職業安定所**の長に提出しなければなりません（則13条１項）。

×

テキスト▶①労働科目P208

事業主は、その雇用する労働者が当該事業主の行う適用事業に係る被保険者でなくなったことについて、当該「事実のあった日の翌日から起算して10日以内」に、雇用保険被保険者資格喪失届に必要に応じ所定の書類を添えて、その事業所の所在地を管轄する公共職業安定所の長に提出しなければなりません（則７条１項）。

15

重要度 A [H26問4-A]

事業主がその事業所の所在地を管轄する公共職業安定所長へ雇用保険被保険者資格喪失届を提出する場合、離職の日において59歳以上である被保険者については、当該被保険者が雇用保険被保険者離職票の交付を希望しないときでも離職証明書を添えなければならない。

16

[H29問3-A]

被保険者資格の確認に関し、公共職業安定所長は、短期雇用特例被保険者資格の取得の確認を職権で行うことができるが、喪失の確認は職権で行うことができない。

テキスト▶①労働科目P209

そのとおり正しい（則７条１項・３項）。

桜島のワンポイント

事業主は、被保険者が離職票の交付を希望する場合には、その者に基本手当、高年齢求職者給付金又は特例一時金の**受給資格がないときであっても**、離職証明書を提出しなければなりません。

テキスト▶①労働科目P209

公共職業安定所長は、短期雇用特例被保険者資格の喪失の確認を職権で行うことができます（法９条１項ほか）。

17 重要度 AA [H22問7-B]

失業等給付は、求職者給付、教育訓練給付及び雇用継続給付の３つである。

18 重要度 A [R3問2-A]

死亡した受給資格者に配偶者（婚姻の届出をしていないが、事実上婚姻関係と同様の事情にあった者を含む。）及び子がいないとき、死亡した受給資格者と死亡の当時生計を同じくしていた父母は未支給の失業等給付を請求することができる。

19 重要度 A [H29問1-B]

基本手当の受給資格者は、基本手当を受ける権利を契約により譲り渡すことができる。

20 重要度 A [H29問1-E]

政府は、基本手当の受給資格者が失業の認定に係る期間中に自己の労働によって収入を得た場合であっても、当該基本手当として支給された金銭を標準として租税を課することができない。

×

テキスト▶①労働科目P210

失業等給付は、本問の３つの給付に「**就職促進給付**」を加えた４つです（法10条１項）。

テキスト▶①労働科目P211

そのとおり正しい（法10条の３第１項・２項）。

テキスト▶①労働科目P211

失業等給付を受ける権利は、「**譲り渡し**」、**担保に供し**、**又は差し押えることが「できない**」。基本手当は失業等給付に該当するため、基本手当を受ける権利を譲り渡すことはできません（法11条）。

テキスト▶①労働科目P212

そのとおり正しい（法12条）。

21 ☑☑☑ 重要度 B [R元問2-オ]

失業の認定に係る期間中に得た収入によって基本手当が減額される自己の労働は、原則として1日の労働時間が4時間未満のもの（被保険者となる場合を除く。）をいう。

22 ☑☑☑ 重要度 A [R元問3-B]

公共職業安定所長の指示した公共職業訓練を受ける受給資格者に係る失業の認定は、当該受給資格者が離職後最初に出頭した日から起算して4週間に1回ずつ直前の28日の各日について行う。

23 ☑☑☑ 重要度 C [R2問2-B]

基本手当の受給資格者が求職活動等やむを得ない理由により公共職業安定所に出頭することができない場合、失業の認定を代理人に委任することができる。

24 ☑☑☑ 重要度 A [R元問3-C]

職業に就くためその他やむを得ない理由のため失業の認定日に管轄公共職業安定所に出頭することができない者は、管轄公共職業安定所長に対し、失業の認定日の変更を申し出ることができる。

25 ☑☑☑ 重要度 B [H29問2-E]

一般被保険者の基本手当に関し、一般被保険者が離職の日以前1か月において、報酬を受けて8日労働し、14日の年次有給休暇を取得した場合、賃金の支払の基礎となった日数が11日に満たないので、当該離職の日以前1か月は被保険者期間として算入されない。

○

テキスト▶①労働科目P221

そのとおり正しい（行政手引51652）。

×

テキスト▶①労働科目P218

公共職業安定所長の指示した公共職業訓練等を受ける受給資格者に係る失業の認定は、「**１月に１回、直前の月に属する各日**（既に失業の認定の対象となった日を除く）」について行われます（法15条３項ただし書、則24条１項）。

×

テキスト▶①労働科目P218

失業の認定は、受給権者本人の求職の申込みによって行われるものであるから、未支給失業等給付に係る失業の認定の場合を除き、代理人による失業の認定はできません（行政手引51252）。

○

テキスト▶①労働科目P219

そのとおり正しい（法15条３項ただし書、則23条１項）。

×

テキスト▶①労働科目P215

「年次有給休暇を取得した日は、**賃金支払基礎日数に含まれる**日である」ため、本問の場合、離職の日以前１か月は被保険者期間として算入されます（法14条１項ほか）。

26

[H27問2-B]

労働契約の締結に際し明示された労働条件が事実と著しく相違したことを理由に就職後１年以内に離職した者は、他の要件を満たす限り特定受給資格者に当たる。

27

重要度 AA

[H26問1-C]

被保険者であった者が、離職の日まで業務外の事由による傷病のため欠勤し引き続き６か月間賃金を受けていなかった場合、雇用保険法第13条第１項にいう「離職の日以前２年間」は、２年間にその６か月間を加算した期間となる。

28

[H26問1-D]

事業主の命により離職の日以前外国の子会社に出向していたため日本での賃金の支払いを引き続き５年間受けていなかった者は、基本手当の受給資格を有さない。

29

[H25問2-ア]

受給資格者は、失業の認定を受けようとするときは、失業の認定日に、管轄公共職業安定所に出頭し、正当な理由がある場合を除き離職票に所定の書類を添えて提出した上、職業の紹介を求めなければならない。

30

[H23問2-A]

被保険者が失業したとき、離職の日以前２年間に被保険者期間が通算して14か月ある者は、倒産・解雇等による離職者や特定理由離職者でなくても、基本手当の受給資格を有する。

テキスト▶①労働科目P223

そのとおり正しい（法23条２項、則36条ほか）。

テキスト▶①労働科目P224

そのとおり正しい（法13条１項）。

テキスト▶①労働科目P215

そのとおり正しい（法13条１項、則18条）。算定対象期間はどんなに延長しても**４年が限度**です。本問の記述より、直近５年間は被保険者期間がゼロなので、受給資格を取得し得ません。

×

テキスト▶①労働科目P218

受給資格者は、失業の認定を受けようとするときは、失業の認定日に、管轄公共職業安定所に出頭し、「**失業認定申告書**」に「**受給資格者証**」を添えて（当該受給資格者が受給資格通知の交付を受けた場合にあっては個人番号カードを提示して）提出した上、職業の紹介を求めなければなりません（則22条１項）。

テキスト▶①労働科目P214

そのとおり正しい（法13条１項・２項）。

椛島のワンポイント

基本手当の支給を受けるためには、原則として、被保険者が失業した場合において、**離職の日以前２年間に被保険者期間が通算して12か月以上**あることが必要とされており、本問の者は、当該要件を満たしているため、基本手当の受給資格を有することとなります。

31

[H22問2-C]

契約期間を1年とし、期間満了に当たり契約を更新する場合がある旨を定めた労働契約を、1回更新して2年間引き続き雇用された者が、再度の更新を希望したにもかかわらず、使用者が更新に同意しなかったため、契約期間の満了により離職した場合は、特定理由離職者に当たる。

32

[R元問2-イ]

基本手当の日額の算定に用いる賃金日額の計算に当たり算入される賃金は、原則として、算定対象期間において被保険者期間として計算された最後の3か月間に支払われたものに限られる。

33

[H30問4-イ]

算定基礎期間が1年未満の就職が困難な者に係る基本手当の所定給付日数は150日である。

34

[H30問5-C]

離職の日の属する月の前6月のうちいずれかの月において1月当たり80時間以上時間外労働をさせられたことを理由として離職した者は、特定受給資格者に該当する。

35

[H30問5-D]

事業所において、当該事業主に雇用される被保険者（短期雇用特例被保険者及び日雇い労働被保険者を除く。）の数を3で除して得た数を超える被保険者が離職したため離職した者は、特定受給資格者に該当する。

○

テキスト▶①労働科目P215

そのとおり正しい（法13条３項、則19条の２第１号、則36条７号・７号の２）。

ワンポイント

「期間の定めのある労働契約の締結に際し当該労働契約が**更新されることが明示**された場合において当該労働契約が**更新されないこととなったこと**」により離職した者については、**特定受給資格者**に該当します。本問の場合、「更新をする場合がある」としており、更新の**確約明示まではないため**、**特定受給資格者には該当しません**。

テキスト▶①労働科目P220

基本手当の日額の算定に用いる賃金日額の計算に当たり算入される賃金は、原則として、算定対象期間において被保険者期間として計算された**最後の「６か月間」**に支払われた賃金（臨時に支払われる賃金及び３か月を超える期間ごとに支払われる賃金を除く）とされています（法17条１項）。

テキスト▶①労働科目P222

そのとおり正しい（法22条２項）。

椛島のワンポイント

本問のケースにおける所定給付日数は、年齢によって異なることはありません。

テキスト▶①労働科目P223

離職の日の属する月前６月のうちいずれかの月において**１月当たり「100時間」以上**時間外労働及び休日労働が行われたことを理由として離職した者は、特定受給資格者に該当します（法23条２項２号、則36条５号ロ）。

テキスト▶①労働科目P223

そのとおり正しい（法23条２項１号、則35条２号）。

36  重要度 A [H30問5-E]

期間の定めのある労働契約の更新により3年以上引き続き雇用されるに至った場合において、当該労働契約が更新されないこととなったことを理由として離職した者は、特定受給資格者に該当する。

37  重要度 A [H26問3-イ]

賃金日額の最高限度額は45歳以上60歳未満が最も高いが、最低限度額は年齢に関わりなく一律である。

38  重要度 A [H23問3-C]

算定基礎期間が1年未満である特定受給資格者の場合、基準日における年齢が満25歳であっても満62歳であっても、所定給付日数は90日である。なお、本問の受給資格者は特定理由離職者ではなく、また、雇用保険法第22条第2項に規定する「厚生労働省令で定める理由により就職が困難なもの」に当たらないものとする。

39  重要度 A [R3問3-E]

特例一時金の支給を受け、その特例受給資格に係る離職の日以前の被保険者であった期間は、当該支給を受けた日後に離職して基本手当又は特例一時金の支給を受けようとする際に、算定基礎期間に含まれる。

40  重要度 A [H22問4-E]

基準日における受給資格者の年齢に関わらず、基本手当の日額は、その者の賃金日額に100分の80を乗じて得た額を超えることはない。なお、本問においては、短期雇用特例被保険者、日雇労働被保険者及び船員法1条に規定する船員である被保険者は含めないものとする。

テキスト▶①労働科目P223

そのとおり正しい（法23条２項２号、則36条７号）。

テキスト▶①労働科目P220

そのとおり正しい（法17条４項）。

○

テキスト▶①労働科目P222

そのとおり正しい（法23条１項・22条１項）。

椛島のワンポイント

算定基礎期間が**１年未満の特定受給資格者**（就職困難者を除く）に係る所定給付日数は、基準日における**年齢にかかわらず、90日**です。

テキスト▶①労働科目P222

特例一時金の支給を受け、その特例受給資格者に係る離職の日以前の被保険者であった期間は、本問の算定基礎期間に含まれません（法22条３項２号）。

○

テキスト▶①労働科目P221

そのとおり正しい（法16条）。

椛島のワンポイント

基本手当の日額を計算する際に用いるべき給付率の上限は、基準日における受給資格者の**年齢にかかわらず**、「**100分の80**」とされています（法16条１項）。

41 重要度A [H28問4-D]

定年に達したことで基本手当の受給期間の延長が認められた場合、疾病又は負傷等の理由により引き続き30日以上職業に就くことができない日があるときでも受給期間はさらに延長されることはない。

42 重要度AA [H26問2-エ]

基本手当の受給資格に係る離職の日において55歳であって算定基礎期間が25年である者が特定受給資格者である場合、基本手当の受給期間は基準日の翌日から起算して１年に30日を加えた期間となる。なお、「算定基礎期間」とは雇用保険法第22条第３項に規定する算定基礎期間のことである。

43 重要度B [R5問4-C]

公共職業安定所長がその指示した公共職業訓練等を受け終わってもなお就職が相当程度に困難であると認めた者は、30日から当該公共職業訓練等を受け終わる日における基本手当の支給残日数（30日に満たない場合に限る。）を差し引いた日数の訓練延長給付を受給することができる。

44  [H27問3-A]

全国延長給付の限度は90日であり、なお失業の状況が改善されない場合には当初の期間を延長することができるが、その限度は60日とされている。

テキスト▶①労働科目P225

定年に達したことで基本手当の受給期間の延長が認められた場合において、**疾病又は負傷等の理由により引き続き30日以上職業に就くことができない**日があるときには、さらに受給期間の**延長が認められます**（行政手引50286）。

テキスト▶①労働科目P224

そのとおり正しい（法20条１項３号）。

テキスト▶①労働科目P226

そのとおり正しい（法24条、令４条、令５条）。よって、設問の訓練延長給付は、当該訓練終了日において、基本手当の支給残日数が30日以上の者には支給されないことになります。

×

テキスト▶①労働科目P226

全国延長給付は、厚生労働大臣の指定する期間内に限り**90日を限度**に行われるものです。

ワンポイント

失業の状況が改善されない場合には、当該「**厚生労働大臣の指定する期間**」を延長することができ、当該延長される指定期間については特に**上限は定められていません**（法27条１項、令８条）。

45

☑☑☑ 重要度 A [H27問3-D]

広域延長給付を受けている受給資格者について訓練延長給付が行われることとなったときは、訓練延長給付が終わった後でなければ、広域延長給付は行われない。

46

☑☑☑ 重要度 A [H25問3-D]

全国延長給付は、連続する4月間の各月における基本手当の支給を受けた受給資格者の数を、当該受給資格者の数に当該各月の末日における被保険者の数を加えた数で除して得た率が、それぞれ100分の3となる場合には、支給されることがある。

47

☑☑☑ 重要度 A [H29問4-A]

公共職業安定所長が認定した被保険者の離職理由に基づく給付制限に関し、事業所に係る事業活動が停止し、再開される見込みがないために当該事業所から退職した場合、退職に正当な理由がないものとして給付制限を受ける。

48

☑☑☑ 重要度 A [H26問7-D]

全国延長給付を受けている受給資格者が、正当な理由がなく公共職業安定所長の指示した公共職業訓練等を受けることを拒んだときであっても、当該拒んだ日の翌日から起算して1か月を経過した日から基本手当が支給される。

49

☑☑☑ 重要度 A [H25問6-B]

偽りその他不正の行為により基本手当の支給を受けようとした者には、やむを得ない理由がある場合を除き、当該基本手当の支給を受けようとした日から起算して1か月に限り、基本手当を支給しない。

×

テキスト▶①労働科目P226

広域延長給付を受けている受給資格者について訓練延長給付が行われることとなったときであっても、広域延長給付は行われます（法28条1項）。延長給付の優先度は、高い方から順に、①**個別**延長給付・地域延長給付、②**広域**延長給付、③**全国**延長給付、④**訓練**延長給付となっています。

×

テキスト▶①労働科目P226

全国延長給付は、連続する4月間の各月における基本手当の支給を受けた受給資格者の数を、当該受給資格者の数に当該各月の末日における被保険者の数を加えた数で除して得た額が、それぞれ「**100分の4**」**を超える**場合に、支給されることがあります（令7条1項1号）。

×

テキスト▶①労働科目P227

本問の退職は、「**正当な理由がある退職**」とされるため、離職理由による給付制限は行われません（行政手引52203）。

×

テキスト▶①労働科目P227～228

全国延長給付を受けている受給資格者が、正当な理由なく公共職業安定所長の指示した公共職業訓練を受けることを拒んだときは、その**拒んだ日以後基本手当は支給されません**（法29条1項）。

×

テキスト▶①労働科目P227

偽りその他不正の行為により基本手当の支給を受けようとした者には、当該基本手当の「**支給を受けようとした日以後**」、基本手当を支給しません（法34条1項）。本問のように1か月間に限られているわけではありません。

50  重要度 C [R2問5-B]

不正な行為により基本手当の支給を受けようとしたことを理由として基本手当の支給停止処分を受けた場合であっても、その後再就職し新たに受給資格を取得したときには、当該新たに取得した受給資格に基づく基本手当を受けることができる。

51  重要度 A [H29問5-B]

疾病又は負傷のため労務に服することができない高年齢被保険者は、傷病手当を受給することができる。

52  重要度 C [R2問4-A]

疾病又は負傷のため職業に就くことができない状態が当該受給資格に係る離職前から継続している場合には、他の要件を満たす限り傷病手当が支給される。

53  重要度 AA [H28問2-イ]

求職の申込後に疾病又は負傷のために公共職業安定所に出頭することができない場合において、その期間が継続して15日未満のときは、証明書により失業の認定を受け、基本手当の支給を受けることができるので、傷病手当は支給されない。

○

テキスト▶①労働科目P227

そのとおり正しい（法34条２項）。なお、本来求職者給付又は就職促進給付の支給を受けるべき正当な権利を有する者がその正当な権利に基づいてこれらの給付の支給を受けるに際し、たとえ公共職業安定所に対する届出義務違反行為をなしたとしても、その違反行為の内容がこれらの給付の支給を受ける権利に何ら影響を及ぼさないものである場合には、法34条２項における「偽りその他不正の行為」には該当しないものと解されます（昭30.3.11審査決定昭30第２号）。

×

テキスト▶①労働科目P229

高年齢受給資格者に対しては、**傷病手当は支給されません**（行政手引54201）。

ワンポイント

傷病手当が支給されたときは、その日数分の基本手当が支給されたものとみなされます。

×

テキスト▶①労働科目P229

疾病又は負傷のため職業に就くことができない状態が当該受給資格に係る離職前から継続している場合には、傷病手当は支給されません（行政手引53002）。傷病手当は、疾病又は負傷のため職業に就くことができない状態が「公共職業安定所に出頭し求職の申込みをした後において生じたもの」でなければ、支給されません。

○

テキスト▶①労働科目P229

そのとおり正しい（法37条ほか）。

54 ☑☑☑ 

[H28問2-エ]

傷病手当の日額は、雇用保険法第16条の規定による基本手当の日額に100分の80を乗じて得た額である。

55 ☑☑☑ 重要度 B

[H22問5-E]

受給資格者が、離職後公共職業安定所に出頭して求職の申込みを行う前に、疾病又は負傷によって職業に就くことができない状態になった場合でも、そのような状態が30日以上継続したことについて公共職業安定所長の認定を受ければ、傷病手当を受給することができる。

56 ☑☑☑ 

[H29問5-D]

高年齢求職者給付金の支給を受けようとする高年齢受給資格者は、公共職業安定所において、離職後最初に出頭した日から起算して４週間に１回ずつ直前の28日の各日について、失業の認定を受けなければならない。

57 ☑☑☑ 

[H26問5-B]

特例一時金は、短期雇用特例被保険者が失業した場合において原則として離職の日以前１年間に被保険者期間が通算して６か月以上であったときに支給される。

58 ☑☑☑ 

[R3問5-A]

特例一時金の支給を受けようとする特例受給資格者は、離職の日の翌日から起算して６か月を経過する日までに、公共職業安定所に出頭し、求職の申込みをした上、失業の認定を受けなければならない。

×

テキスト▶①労働科目P229

傷病手当の日額は、「**基本手当の日額に相当する額**」です（法37条３項）。

×

テキスト▶①労働科目P229

受給資格者が公共職業安定所に出頭し、求職の申込みを行う**以前から引き続き傷病**により職業に就くことができない状態にある場合には、**傷病手当の支給の対象となりません**（法37条１項、行政手引53002）。

×

テキスト▶①労働科目P230

高年齢求職者給付金は、失業している日数に対応して支給されるものではないため、高年齢求職者給付金の支給に係る失業の認定は、「失業の認定の日に対して行われ、その日に失業の状態にあればよい」とされており、高年齢求職者給付金は一時金として支給され、**失業の認定は１回に限り**行われます（行政手引54201ほか）。

○

テキスト▶①労働科目P231

そのとおり正しい（法39条１項）。

○

テキスト▶①労働科目P231

そのとおり正しい（法40条３項）。

59 ☑☑☑ 重要度 A [H25問6-A]

日雇労働休職者給付金の支給を受けることができる者が公共職業安定所の紹介する業務に就くことを拒んだときは、正当な理由がある場合を除き、その拒んだ日から起算して１か月間に限り、日雇労働求職者給付金を支給しない。

60 ☑☑☑ 重要度 A [H24問6-C]

日雇労働求職者給付金の日額は、日雇労働求職者給付金のいわゆる普通給付も、いわゆる特例給付も、現状では7,500円、6,200円及び4,100円の３種類である。

×

テキスト▶①労働科目P233

日雇労働求職者給付金の支給を受けることができる者が公共職業安定所の紹介する業務に就くことを拒んだときは、その**拒んだ日から起算して「7日間」**は、日雇労働求職者給付金を**支給しません**（法52条1項）。

テキスト▶①労働科目P233

そのとおり正しい（法48条）。

④ 就職促進給付

61 ☑☑☑ 重要度 A [H30問1-ア]

基本手当の受給資格者が離職前の事業主に再び雇用されたときは、就業促進手当を受給することができない。

62 ☑☑☑ 重要度 C [H30問1-オ]

基本手当の受給資格者が職業訓練の実施等による特定求職者の就職の支援に関する法律第4条第2項に規定する認定職業訓練を受講する場合には、求職活動関係役務利用費を受給することができない。

○

テキスト▶①労働科目P234

そのとおり正しい（法56条の３第１項、則82条）。就業促進手当（再就職手当、就業促進定着手当及び常用就職支度手当）は、受給資格者が**離職前の事業主に再び雇用されたときは、受給することができません。**

テキスト▶①労働科目P238

求職活動関係役務利用費は、受給資格者等が求人者との面接等をし、又は求職活動関係役務利用費対象訓練を受講するため、その子に関して、法21条の規定による**待期期間が経過した後に保育等サービスを利用する場合**に支給されます（法59条１項、則100条の６）。この「求職活動関係役務利用費対象訓練」には、職業訓練の実施等による特定求職者の就職の支援に関する法律４条２項に規定する認定職業訓練が含まれており、本問の受給資格者は、他の要件を満たす限り、求職活動関係役務利用費を受給することが**できます。**

椛島のワンポイント

【求職活動関係役務利用費対象訓練】

教育訓練給付金の支給に係る教育訓練若しくは短期訓練受講費の支給に係る教育訓練、公共職業訓練等若しくは職業訓練の実施等による特定求職者の就職の支援に関する法律に規定する認定職業訓練をいいます。

5 教育訓練給付

63 ☑☑☑ 重要度 A [H28問6-A]

教育訓練給付対象者であって専門実践教育訓練に係る教育訓練給付金の支給を受けようとする者は、当該専門実践教育訓練を開始する日の14日前までに、教育訓練給付金及び教育訓練支援給付金受給資格確認票その他必要な書類を管轄公共職業安定所の長に提出しなければならない。

64 ☑☑☑ 重要度 A [H27問4-ア]

一般教育訓練に係る教育訓練給付金の支給を受けようとする者は、当該教育訓練給付金の支給に係る一般教育訓練を修了した日の翌日から起算して３か月以内に申請しなければならない。

65 ☑☑☑ 重要度 A [H27問4-エ]

一般教育訓練給付金の支給の対象となる費用の範囲は、入学料、一定の受講料、一定のキャリアコンサルティングを受けた費用及び交通費である。

66 ☑☑☑ 重要度 A [H27問4-オ]

適用事業Ａで一般被保険者として２年間雇用されていた者が、Ａの離職後傷病手当を受給し、その後適用事業Ｂに２年間一般被保険者として雇用された場合、当該離職期間が１年以内であり過去に教育訓練給付金の支給を受けていないときには、当該一般被保険者は教育訓練給付金の対象となる。

67 ☑☑☑ 重要度 A [R5問7-A]

特定一般教育訓練期間中に被保険者資格を喪失した場合であっても、対象特定一般教育訓練開始日において支給要件期間を満たす者については、対象特定一般教育訓練に係る修了の要件を満たす限り、特定一般教育訓練給付金の支給対象となる。

○

テキスト▶①労働科目P242

そのとおり正しい（則101条の２の12）。

×

テキスト▶①労働科目P240

一般教育訓練に係る教育訓練給付金の支給を受けようとする者は、一般教育訓練を修了した日の翌日から起算して「**１か月以内**」に申請しなければなりません（則101条の２の11）。

×

テキスト▶①労働科目P240

教育訓練給付金の支給の対象となる費用の範囲には、交通費は含まれていません（則101条の２の６、行政手引58014）。

○

テキスト▶①労働科目P239～240

そのとおり正しい（法60条の２第１項～３項）。

○

テキスト▶①労働科目P241

そのとおり正しい（法60条の２第１項）。教育訓練開始の時点で一般被保険者または高年齢被保険者の資格を有していれば問題ありません。

⑥ 雇用継続給付

68

重要度 A　[H22問6-C]

高年齢雇用継続基本給付金に関し、ある支給対象月に支払われた賃金の額が、みなし賃金日額に30を乗じて得た額の100分の50に相当する場合、同月における給付金の額は、当該賃金の額に100分の10を乗じて得た額（ただし、その額に当該賃金の額を加えて得た額が支給限度額を超えるときは、支給限度額から当該賃金の額を減じて得た額。）となる。なお、本問においては、短期雇用特例被保険者、日雇労働被保険者及び船員法第１条に規定する船員である被保険者は含めないものとする。

69

重要度 AA　[R4問5-E]

高年齢再就職給付金の受給資格者が、被保険者資格喪失後、基本手当の支給を受け、その支給残日数が80日であった場合、その後被保険者資格の再取得があったとしても高年齢再就職給付金は支給されない。

70

重要度 B　[R元問6-E]

再就職の日が月の途中である場合、その月の高年齢再就職給付金は支給しない。

71

重要度 A　[椛島オリジナル]

62歳到達月に安定した職業に再就職した場合であって、所定の要件を満たせば、65歳到達月までのおおよそ３年間、高年齢再就職給付金が支給される。

テキスト▶①労働科目P245

そのとおり正しい（法61条５項）。１支給対象月に支払われた賃金の額が、**みなし賃金日額に30を乗じて得た額の100分の61に相当する額未満**であるときは、高年齢雇用継続基本給付金の額は、原則として、当該賃金の額に**100分の10**を乗じて得た額となります。

椛島のワンポイント

「みなし賃金日額に30を乗じて得た額」とは、言い換えれば「60歳到達時の賃金」のことです。当時の賃金の75％未満の水準に賃金が下落することが条件のひとつだということです。

テキスト▶①労働科目P246

そのとおり正しい（法61条の２第１項）。高年齢再就職給付金の支給要件の１つに「就職日の前日における当該基本手当の支給残日数が、100日以上であること」があります。

テキスト▶①労働科目P246

そのとおり正しい（法61条の２第２項）。高年齢再就職給付金の支給対象月の要件のひとつに「**その月の初日から末日まで引き続いて、被保険者であること**」があります。

テキスト▶①労働科目P248

高年齢再就職給付金の支給期間は、**最大でも「２年」**（再就職時における基本手当の残日数が200日以上の場合）です（法61条の２第２項）。

椛島のワンポイント

支給残日数	支給期間
200日以上	**2年**
100日以上200日未満	**1年**

72　☑☑☑　重要度 A　[H30問6-C]

被保険者が介護休業給付金の支給を受けたことがある場合、同一の対象家族について当該被保険者がした介護休業ごとに、当該介護休業を開始した日から当該介護休業を終了した日までの日数を合算して得た日数が60日に達した日後の介護休業については、介護休業給付金を支給しない。なお、本問の被保険者には、短期雇用特例被保険者及び日雇労働被保険者を含めないものとする。

73　☑☑☑　　[H23問6-B]

被保険者の配偶者の祖父母は、当該被保険者が同居し、かつ、扶養している場合であっても、介護休業給付の支給に関して対象家族に含まれない。

×

テキスト▶①労働科目P250

被保険者が介護休業給付金を受けたことがある場合、同一の対象家族について当該被保険者がした介護休業ごとに、当該介護休業を開始した日から当該介護休業を終了した日までの日数を合算した日数が「**93日**」に達した日後の介護休業については、介護休業給付金は支給されません（法61条の４第６項）。

テキスト▶①労働科目P249

そのとおり正しい（法61条の４第１項、則101条の17）。

⑦ 育児休業給付

74 ☑☑☑ 重要度 A [H29問6-A]

期間を定めて雇用される者が、その養育する子が1歳6か月に達する日までに、その労働契約（契約が更新される場合にあっては、更新後のもの）が満了することが明らかでない場合は、他の要件を満たす限り育児休業給付金を受給することができる。

75 ☑☑☑ 重要度 A [R4問6-ア]

保育所等における保育が行われない等の理由により育児休業に係る子が1歳6か月に達した日後の期間について、休業することが雇用の継続のために特に必要と認められる場合、延長後の対象育児休業（育児休業給付金の支給対象となる育児休業）の期間はその子が1歳9か月に達する日の前日までとする。

76 ☑☑☑ 重要度 A [H29問6-E]

育児休業給付金の受給資格者が休業中に事業主から賃金の支払を受けた場合において、当該賃金の額が休業開始時賃金日額に支給日数を乗じて得た額の80%に相当する額以上であるときは、当該賃金が支払われた支給単位期間について、育児休業給付金を受給することができない。

テキスト▶①労働科目P251

そのとおり正しい（則101条の22第１項４号）。

テキスト▶①労働科目P251

１歳９か月ではなく、「２歳」が正しいです（則101条の22など）。

テキスト▶①労働科目P252

そのとおり正しい（法61条の７第７項）。

椛島のワンポイント

休業期間中に、会社から賃金が支給される場合には、その賃金と介護休業給付金の額の合計額が休業開始時賃金日額に支給日数を乗じて得た額の80%を超えないように調整が行われます。よって、本問のように賃金だけで80%水準に達する場合には、育児休業給付金は支給されません。

77 ☑☑☑ 重要度 B [R元問7-C]

雇用調整助成金は、労働保険料の納付の状況が著しく不適切である事業主に対しては、支給しない。

○

テキスト▶①労働科目P255

そのとおり正しい（則120条の２第１項）。

9 費用の負担等

78  重要度 A　[H29問5-E]

雇用保険法によると、高年齢求職者給付金の支給に要する費用は、国庫の負担の対象とはならない。

79  　[H23問7-E]

雇用保険事業の事務の執行に要する経費については、国庫が、毎年度、予算の範囲内において負担するものとされている。

テキスト ▶ ①労働科目P256

そのとおり正しい（法66条１項）。

ワンポイント

本問のほか、就職促進給付、教育訓練給付、高年齢雇用継続基本給付金並びに高年齢再就職給付金についても、国庫負担は行われません。

○

テキスト ▶ ①労働科目P256

そのとおり正しい（法66条６項）。

ワンポイント

国庫は、毎年度、予算の範囲内において、就職支援法事業に要する費用（職業訓練受講給付金に係るものを除く）についても負担することとされています（法66条６項）。

⑩ 不服申立て及び雑則

80

重要度A　[H30問7-オ]

雇用安定事業について不服がある事業主は、雇用保険審査官に対して審査請求をすることができる。

81

重要度A　[R2問6-D]

失業等給付等に関する処分について審査請求をしている者は、審査請求をした日の翌日から起算して3か月を経過しても審査請求についての決定がないときは、雇用保険審査官が審査請求を棄却したものとみなすことができる。

82

重要度A　[H28問7-オ]

失業等給付等を受け、又はその返還を受ける権利は、これらを行使することができる時から2年を経過したときは、時効によって消滅する。

83

重要度B　[R2問6-C]

失業等給付等の支給を受け、又はその返還を受ける権利及び雇用保険法第10条の4に規定する不正受給による失業等給付等の返還命令又は納付命令により納付をすべきことを命ぜられた金額を徴収する権利は、この権利を行使することができることを知った時から2年を経過したときは、時効によって消滅する。

84

重要度B　[R2問6-B]

公共職業安定所長は、雇用保険法の施行のため必要があると認めるときは、当該職員に、被保険者を雇用し、若しくは雇用していたと認められる事業主の事業所に立ち入り、関係者に対して質問させ、又は帳簿書類の検査をさせることができる。

×

テキスト▶①労働科目P259

雇用安定事業について不服がある事業主は、雇用保険審査官に対して審査請求をすることは**できません**（法69条１項）。

○

テキスト▶該当ページなし

そのとおり正しい（法69条２項）。なお、雇用保険審査官は、各都道府県労働局に置かれます（労働保険審査官及び労働保険審査会法２条の２）。

○

テキスト▶①労働科目P259

そのとおり正しい（法74条１項）。

×

テキスト▶①労働科目P259

本問の権利は、「これらの権利を行使することができる時から」２年を経過したときは、時効によって消滅します（法74条１項）。

○

テキスト▶①労働科目P259

そのとおり正しい（法79条１項）。なお、本問の規定により、立入検査をする職員は、その身分を示す証明書を携帯し、関係者に提示しなければなりません（同条２項）。

85 ☑☑☑ 重要度B

[H25問7-A]

行政庁は、雇用保険法の施行のため必要があると認めるときは、当該職員に、被保険者を雇用していた事業主の事務所に立ち入らせることができるが、この権限は、犯罪捜査のために認められたものと解釈してはならない。

86 ☑☑☑ 

[R2問1-A]

法人（法人でない労働保険事務組合を含む。）の代表者又は法人若しくは人の代理人、使用人その他の従業者が、その法人又は人の業務に関して、雇用保険法第７条に規定する届出の義務に違反する行為をしたときは、その法人又は人に対して罰金刑を科すが、行為者を罰することはない。

87  

[R4問7-E]

事業主は、雇用保険に関する書類（雇用安定事業又は能力開発事業に関する書類及び労働保険徴収法又は同法施行規則による書類を除く。）のうち被保険者に関する書類を４年間保管しなければならない。

テキスト▶①労働科目P259

そのとおり正しい（法79条１項・３項）。

ワンポイント

立入検査をする職員は、その身分を示す証明書を携帯し、関係者に提示しなければなりません。

テキスト▶該当ページなし

本問の場合、「行為者を罰する」ほか、その法人又は人に対しても当該違反に係る罰金刑を科します（法86条）。

テキスト▶該当ページなし

そのとおり正しい（則143条）。基本手当の算定対象期間の通算限度期間（４年）に対応できるようにするためです。

第5編

労働保険の保険料の徴収等に関する法律

項　目	問題番号
総則	問題 1 ～問題 5
保険関係	問題 6 ～問題 29
労働保険料の納付	問題 30～問題 64
メリット制	問題 65～問題 72
印紙保険料	問題 73～問題 75
特例納付保険料	問題 76
労働保険料の負担及び徴収金の徴収等	問題 77～問題 84
労働保険事務組合	問題 85～問題 92
不服申立て及び雑則	問題 93～問題 100

 総則

1 ☑☑☑ 重要度 B [R2雇問8-D]

労働保険徴収法は、労働保険の事業の効率的な運営を図るため、労働保険の保険関係の成立及び消滅、労働保険料の納付の手続、労働保険事務組合等に関し必要な事項を定めている。

2 ☑☑☑ 重要度 C [H29災問8-C]

労働保険徴収法第2条に定める賃金に関し、労働者が賃金締切日前に死亡したため支払われていない賃金に対する保険料は、徴収しない。

3 ☑☑☑ 重要度 B [H29災問8-D]

労働保険徴収法第2条に定める賃金に関し、労働者の退職後の生活保障や在職中の死亡保障を行うことを目的として事業主が労働者を被保険者として保険会社と生命保険等厚生保険の契約をし、会社が当該保険の保険料を全額負担した場合の当該保険料は、賃金とは認められない。

4  重要度 A [H26災問8-E]

慶弔見舞金は、就業規則に支給に関する規定があり、その規定に基づいて支払われたものであっても労働保険料の算定基礎となる賃金総額に含めない。

○

テキスト▶①労働科目P266

そのとおり正しい（法１条）。なお、労働保険とは労働者災害補償保険及び雇用保険を総称したものです（法２条１項）。

テキスト▶①労働科目P266

労働者の賃金債権は、債務の履行としての労働の提供を行ったときに発生するものであり、労働者が死亡した場合、**死亡前の労働の対償**としての賃金の支払義務は死亡時に確立しているから、本問の場合、当該賃金に対する保険料を「徴収する」ものとされています（昭32.12.27失保収652号）。

テキスト▶①労働科目P267

そのとおり正しい（昭30.3.31基災収1239号）。

テキスト▶①労働科目P267

そのとおり正しい（昭25.2.16基発127号）。労働基準法とは異なるので、注意が必要です。

椛島のワンポイント

労働保険徴収法上、祝金、見舞金等については、労働基準法上の賃金の取扱いとは異なり、労働協約等によって事業主にその支給が義務付けられていても、賃金としては取り扱いません。

5   [H24災問8-B]

退職を事由として支払われる退職金であって、退職時に支払われるものについては、一般保険料の算定基礎となる賃金総額に算入しない。

○

テキスト▶①労働科目P267

そのとおり正しい（平15.10.1基徴発1001001号ほか）。

ワンポイント

労働者の在職中に、退職金相当額の全部又は一部を給与や賞与に上乗せするなどして前払いされる、いわゆる**前払い退職金**については、一般保険料の算定基礎となる**賃金総額に算入**されます。

6 ☑☑☑ 重要度 B [R元災問10-イ]

建設の事業に係る事業主は、労災保険に係る保険関係が成立するに至ったときは労災保険関係成立票を見やすい場所に掲げなければならないが、当該事業を一時的に休止するときは、当該労災保険関係成立票を見やすい場所から外さなければならない。

7 ☑☑☑ 重要度 A [R元災問10-ウ]

労災保険暫定任意適用事業の事業主が、その事業に使用される労働者の同意を得ずに労災保険に任意加入の申請をした場合、当該申請は有効である。

8 ☑☑☑ 重要度 A [H28雇問8-A]

一元適用事業であって労働保険事務組合に労働保険事務の処理を委託しないもの（雇用保険にかかる保険関係のみが成立している事業を除く。）に関する保険関係成立届の提出先は、所轄労働基準監督署長である。

9 ☑☑☑ 重要度 B [H27災問8-C]

農業の事業で、民間の個人事業主が労災保険の任意加入の申請を行った場合、所轄都道府県労働局長の認可があった日の翌日に、その事業につき労災保険に係る労働保険の保険関係が成立する。

10 ☑☑☑ 重要度 A [H25災問9-B]

労働保険の保険関係は、適用事業の事業主が、その事業が開始された日から10日以内に保険関係成立届を所轄労働基準監督署長又は所轄公共職業安定所長に提出することによって成立する。

×

テキスト▶①労働科目P272

労災保険に係る保険関係が成立している事業のうち建設の事業に係る事業主は、労災保険関係成立票を見やすい場所に掲げなければならないものとされていますが、**当該事業を一時的に休止する場合に当該成立票を外さなければならないという規定は設けられていません**（則77条）。

テキスト▶①労働科目P273

そのとおり正しい（整備法５条１項）。労災保険暫定任意適用事業についての労災保険に係る保険関係の成立の要件に、**労働者の同意は必要とされていません。**

テキスト▶①労働科目P273

そのとおり正しい（則４条２項ほか）。

×

テキスト▶①労働科目P273

労災保険の任意加入の申請を行った場合、**所轄都道府県労働局長の認可があった日**に、その事業につき労災保険に係る保険関係が成立します（整備法５条２項、整備法８条の２）。

×

テキスト▶①労働科目P271

労働保険の保険関係は、労災保険、雇用保険のいずれについても、「**事業が開始された日**」**に成立**し、保険関係成立届を提出することによって成立するのではありません（法３条、法４条ほか）。

11

重要度 A [H24災問8-E]

労働保険徴収法第39条第１項においては、「国、都道府県及び市町村の行う事業その他厚生労働省令で定める事業については、当該事業を労災保険に係る保険関係及び雇用保険に係る保険関係ごとに別個の事業とみなしてこの法律を適用する。」とされている。

12

重要度 A [H23雇問9-E]

労災保険の保険関係が成立している事業が、その使用する労働者の数の減少により労災保険暫定任意適用事業に該当するに至ったときには、遅滞なく、任意加入申請書を所轄都道府県労働局長に提出し、その認可を受けなければならない。

13

重要度 B [R4雇問10-B]

雇用保険の適用事業に該当する事業が、事業内容の変更、使用労働者の減少、経営組織の変更等により、雇用保険暫定任意適用事業に該当するに至ったときは、その翌日に、自動的に雇用保険の任意加入の認可があったものとみなされ、事業主は雇用保険の任意加入に係る申請書を所轄公共職業安定所長を経由して所轄都道府県労働局長に改めて提出することとされている。

×

テキスト▶①労働科目P269

労働保険徴収法39条１項においては、「**都道府県及び市町村**の行う事業その他厚生労働省令で定める事業については、当該事業を労災保険に係る保険関係及び雇用保険に係る保険関係ごとに別個の事業とみなしてこの法律を適用する」とされており、「国の行う事業」については記述されていません。国の行う事業については、**労災保険に係る保険関係が成立する余地がない**（労災保険の適用除外とされている）ため、あえて二元適用事業とはされていません（法39条１項、則70条）。

×

テキスト▶①労働科目P273

労災保険の保険関係が成立している事業が、その使用する労働者の数の減少により労災保険暫定任意適用事業に該当するに至ったときには、その**翌日に、自動的に保険加入の認可があったものとみなす**こととされているため、任意加入申請書を所轄都道府県労働局長に提出し、その**認可を受ける必要はありません**（整備法５条３項）。

ワンポイント

適用事業に使用される労働者の雇用保険被保険者資格も継続することになります。

×

テキスト▶①労働科目P273

本問のケース（擬制的任意適用）において、都道府県労働局長への任意加入申請書の提出は不要です（整備法５条３項、法附則２条４項）。

14

[R元災問10-エ]

労災保険に係る保険関係が成立している労災保険暫定任意適用事業の事業主が、労災保険に係る保険関係の消滅を申請する場合、保険関係消滅申請書に労働者の同意を得たことを証明することができる書類を添付する必要はない。

15

[R3災問8-E]

労災保険暫定任意適用事業の事業者がなした保険関係の消滅申請に対して厚生労働大臣の認可があったとき、当該保険関係の消滅に同意しなかった者については労災保険に係る保険関係は消滅しない。

16

[H29災問9-A]

労働保険の保険関係が成立している事業の事業主は、当該事業を廃止したときは、当該事業に係る保険関係廃止届を所轄労働基準監督署長又は所轄公共職業安定所長に提出しなければならず、この保険関係廃止届が受理された日の翌日に、当該事業に係る労働保険の保険関係が消滅する。

17

[H23災問9-A]

雇用保険暫定任意適用事業の事業主は、当該事業に係る保険関係を消滅させようとする場合、当該事業の保険関係が成立した後1年を経過していることに加え、当該事業の労働者の過半数の同意があれば、保険関係の消滅の申請をして所轄都道府県労働局長の認可を受けた上で、当該事業に係る保険関係を消滅させることができる。

×

テキスト▶①労働科目P274

労災保険暫定任意適用事業の労災保険に係る保険関係の**消滅の申請**は、当該事業に使用される**労働者の過半数の同意**を得なければ行うことができないものとされており、当該労災保険に係る保険関係消滅申請書には、当該労働者の同意を得たことを証明することができる書類を添付しなければなりません（整備法8条1項・2項、整備省令3条）。

テキスト▶①労働科目P274

労災保険に係る保険関係の消滅についての厚生労働大臣の認可があった場合、その認可があった日の翌日に労災保険に係る保険関係は消滅し、当該事業に使用される労働者については、保険関係の消滅に同意しなかった者も含めて労災保険は適用されなくなります（整備法8条1項）。

テキスト▶①労働科目P274

労働保険の保険関係が成立している事業が廃止された場合において、「保険関係廃止届を提出する必要はなく」、当該事業に係る労働保険の保険関係は、当該事業が**「廃止された日の翌日」に**、**「法律上当然に消滅」**します（法5条）。

ワンポイント

事業主は、確定保険料申告書を提出して、労働保険料の確定精算の手続を行わなければなりません。

テキスト▶①労働科目P274

雇用保険に係る保険関係が成立している雇用保険暫定任意適用事業の事業主が、当該保険関係の消滅の申請をするための要件には、「保険関係が成立した後1年を経過していること」、というものはありません。また、その消滅の申請をするためには、その事業に使用される労働者の過半数ではなく、**「4分の3以上」の同意**を得なければなりません（法附則4条、則附則1条の3）。

18

[H23災問9-C]

労災保険暫定任意適用事業の事業主は、その事業を廃止した場合に、既に納付した概算保険料の額と確定保険料の額が同一で、納付すべき確定保険料がないときは、確定保険料申告書を提出する必要はないが、保険関係消滅申請書を所轄都道府県労働局長に提出しなければならない。

19

[H30災問8-A]

継続事業の一括について都道府県労働局長の認可があったときは、都道府県労働局長が指定する一の事業（指定事業）以外の事業に係る保険関係は、消滅する。

20

[H30災問8-B]

継続事業の一括について都道府県労働局長の認可があったときは、被一括事業の労働者に係る労災保険給付（二次健康診断等給付を除く。）の事務や雇用保険の被保険者資格の確認の事務等は、その労働者の所属する被一括事業の所在地を管轄する労働基準監督署長又は公共職業安定所長がそれぞれの事務所掌に応じて行う。

21

[R3災問10-B]

有期事業の一括が行われる要件の一つとして、それぞれの事業が、労災保険に係る保険関係が成立している事業であり、かつ建設の事業又は立木の伐採の事業であることが定められている。

×

テキスト▶①労働科目P274

労災保険暫定任意適用事業の事業主が、その事業を廃止した場合において、既に納付した概算保険料の額と確定保険料の額が同一で、**納付すべき確定保険料がないときであっても、確定保険料申告書は提出しなければなりません**（則38条ほか）。また、本問の場合、事業の廃止により保険関係が**法律上当然に消滅**していることから、**保険関係消滅申請書を提出する必要はありません**（法５条、整備法８条１項・２項、整備省令３条）。

テキスト▶①労働科目P278

そのとおり正しい（法９条、則76条）。

テキスト▶①労働科目P279

そのとおり正しい（法９条、昭40.7.31基発901号ほか）。

桜島のワンポイント

雇用保険の**被保険者に関する事務**並びに**労災保険及び雇用保険の給付に関する事務**については、法９条の**継続事業の一括の規定は適用されない**ので、それぞれの事業ごとに行わなければならず、被一括事業（指定事業に一括される事業）それぞれの事業所の所在地を管轄する労働基準監督署長又は公共職業安定所長（二次健康診断等給付の支給に関する事務は都道府県労働局長）が、それぞれの事務所掌に応じて、これらの事務を行います。

テキスト▶①労働科目P275

そのとおり正しい（則６条２項）。なお、有期事業の一括が行われる要件の一つとして、本問のほかに、それぞれの事業が有期事業であることが定められています（法７条２号）。

22 ☑☑☑  [H28災問8-A]

有期事業の一括の対象は、それぞれの事業が、労災保険に係る保険関係が成立している事業のうち、建設の事業であり、又は土地の耕作若しくは開墾又は植物の栽植、栽培、採取若しくは伐採の事業その他農林の事業とされている。

23 ☑☑☑ 重要度A [H28災問8-B]

有期事業の一括の対象となる事業に共通する要件として、それぞれの事業の規模が、労働保険徴収法による概算保険料を算定することとした場合における当該保険料の額が160万円未満であり、かつ期間中に使用する労働者数が常態として30人未満であることとされている。

24 ☑☑☑ 重要度B [H28災問8-D]

当初、独立の有期事業として保険関係が成立した事業が、その後、事業の規模が変動し有期事業の一括のための要件を満たすに至った場合は、その時点から有期事業の一括の対象事業とされる。

25 ☑☑☑  [H27災問10-A]

厚生労働省令で定める事業が数次の請負によって行われる場合の元請負人及び下請負人が、下請負事業の分離の認可を受けようとするときは、保険関係が成立した日の翌日から起算して10日以内であれば、そのいずれかが単独で、当該下請負人を事業主とする認可申請書を所轄都道府県労働局長に提出して、認可を受けることができる。なお、本問において、「下請負事業の分離」とは、労働保険徴収法第８条第２項の規定に基づき、元請負人の請負に係る事業から下請負部分を分離し、独立の保険関係を成立させることをいう。

×

テキスト ▶ ①労働科目P275

有期事業の一括の対象は、それぞれの事業が、労災保険に係る保険関係が成立している事業のうち、**建設の事業**であり、又は「**立木の伐採の事業**」であることとされています（法７条、則６条１項）。

×

テキスト ▶ ①労働科目P275

有期事業の一括の対象となる事業に共通する要件として、それぞれの事業の規模が厚生労働省令で定める規模以下であることとされていますが、当該規模要件には**人数要件は規定されていません**（法７条、則６条）。

当該規模要件は、概算保険料の額が**160万円未満**であり、**かつ**、立木の伐採の事業にあっては素材の見込生産量が**1,000立方メートル未満**であること、建設の事業にあっては、請負金額が**１億8,000万円未満**であることとされています。

×

テキスト ▶ ①労働科目P275

当初、独立の有期事業として保険関係が成立した事業は、その後、**事業規模の縮小等による変更**があった場合でも、有期事業の**一括の対象とはされません**（昭40.7.31基発901号ほか）。

×

テキスト ▶ ①労働科目P277

下請負事業の分離の認可申請は、「当該元請負人及び下請負人が共同で」行わなければなりません（則８条）。なお、下請負事業の分離に係る厚生労働大臣の認可は、所轄都道府県労働局長に委任されています（法45条、則76条）。

26

[H27災問10-B]

厚生労働省令で定める事業が数次の請負によって行われる場合の元請負人及び下請負人が、下請負事業の分離の認可を受けるためには、当該下請負人の請負に係る事業が建設の事業である場合は、その事業の規模が、概算保険料を算定することとした場合における概算保険料の額に相当する額が160万円未満、かつ、請負金額が1億8,000万円未満でなければならない。なお、本問において、「下請負事業の分離」とは、労働保険徴収法第8条第2項の規定に基づき、元請負人の請負に係る事業から下請負部分を分離し、独立の保険関係を成立させることをいう。

27

重要度 A

[H26災問9-A]

立木の伐採の事業が数次の請負によって行われる場合には、労働保険徴収法の規定の適用については、それらの事業は一の事業とみなされ、元請負人のみが当該事業の事業主とされる。

28

[R2災問8-A]

請負事業の一括は、労災保険に係る保険関係が成立している事業のうち、建設の事業又は立木の伐採の事業が数次の請負によって行われるものについて適用される。

29

[R2災問8-B]

請負事業の一括は、元請負人が、請負事業の一括を受けることにつき所轄労働基準監督署長に届け出ることによって行われる。

×

テキスト▶①労働科目P277

厚生労働省令で定める事業が数次の請負によって行われる場合の元請負人及び下請負人が、下請負事業の分離の認可を受けるためには、当該下請負人の請負に係る事業が建設の事業である場合は、その事業の規模が、概算保険料を算定することとした場合における概算保険料の額に相当する額が**160万円「以上」**、**「又は」**、**請負金額が1億8,000万円「以上」**でなければなりません（則9条・6条1項）。

×

テキスト▶①労働科目P277

立木の伐採の事業が数次の請負によって行われる場合であっても、労働保険徴収法の規定の適用については、それらの事業が**一の事業とみなされることはありません**。数次の請負によって行われる事業のうち、労働保険徴収法の規定の適用に当たって、それらの事業が一の事業とみなされ、元請負人のみが当該事業の事業主とされるのは、**「建設の事業」のみ**です（法8条、則7条）。

×

テキスト▶①労働科目P277

請負事業の一括は、労災保険に係る保険関係が成立している事業のうち「建設の事業」が数次の請負によって行われるものについて適用されます（法8条1項、則7条）。したがって、立木の伐採の事業については請負事業の一括は行われません。

×

テキスト▶①労働科目P277

請負事業の一括は、所定の要件を満たせば、「法律上当然に行われる」ものであり、届出をすることによって行われるものではありません（法8条1項）。

③ 労働保険料の納付

[R元災問8-A]

労働保険徴収法第10条において政府が徴収する労働保険料として定められているものは、一般保険料、第1種特別加入保険料、第2種特別加入保険料、第3種特別加入保険料及び印紙保険料の計5種類である。

31

[R元災問8-B]

一般保険料の額は、原則として、賃金総額に一般保険料率を乗じて算出されるが、労災保険及び雇用保険に係る保険関係が成立している事業にあっては、労災保険率、雇用保険率及び事務経費率を加えた率がこの一般保険料率になる。

32

[H30雇問8-C]

請負による建設の事業に係る賃金総額については、常に厚生労働省令で定めるところにより算定した額を当該事業の賃金総額とすることとしている。

33

[R4災問10-C]

労災保険に係る保険関係が成立している請負による建設の事業であって、労働保険徴収法第11条第1項、第2項に規定する賃金総額を正確に算定することが困難なものについては、その事業の種類に従い、請負金額に同法施行規則別表第2に掲げる労務費率を乗じて得た額を賃金総額とするが、その賃金総額の算定に当たっては、消費税等相当額を含まない請負金額を用いる。

×

テキスト▶①労働科目P281

本問の労働保険料として定められているものは、**一般**保険料、**第1種特別**加入保険料、**第2種特別**加入保険料、**第3種特別**加入保険料、**印紙**保険料及び「**特例納付**保険料」の**計**「**6種類**」です（法10条2項）。

テキスト▶①労働科目P282

労災保険及び雇用保険に係る保険関係が成立している事業の一般保険料率は、「**労災保険率と雇用保険率とを加えた率**」です（法11条1項、法12条1項）。

×

テキスト▶①労働科目P282

労災保険関係が成立している請負による建設の事業のうち、「賃金総額を正確に**算定**することが**困難**なもの」については、**厚生労働省令で定めるところにより算定した額**を当該事業の賃金総額とすることとされています（法11条3項、則12条）。

○

テキスト▶①労働科目P282

そのとおり正しい（則13条）。

34

[H30雇問8-E]

労災保険率は、労災保険法の適用を受けるすべての事業の過去5年間の業務災害、複数業務要因災害及び通勤災害に係る災害率並びに二次健康診断等給付に要した費用の額、社会復帰促進等事業として行う事業の種類及び内容その他の事情を考慮して厚生労働大臣が定める。

35

[H26災問8-ウ]

雇用保険料その他社会保険料の労働者負担分を、事業主が、労働協約等の定めによって義務づけられて負担した場合、その負担額は賃金と解することとされており、労働保険料等の算定基礎となる賃金総額に含める。

36

[R2災問10-A]

第1種特別加入保険料率は、中小事業主等が行う事業に係る労災保険率と同一の率から、労災保険法の適用を受けるすべての事業の過去3年間の二次健康診断等給付に要した費用の額を考慮して厚生労働大臣の定める率を減じた率である。

×

テキスト▶①労働科目P283

労災保険率は、労災保険法の規定による保険給付及び社会復帰促進等事業に要する費用の予想額に照らし、将来にわたって、労災保険の事業に係る財政の均衡を保つことができるものでなければならないものとし、政令で定めるところにより、労災保険法の適用を受ける**すべての事業の過去「3年間」の業務災害、複数業務要因災害及び通勤災害に係る災害率並びに二次健康診断等給付に要した費用の額、社会復帰促進等事業として行う事業の種類及び内容**その他の事情を考慮して**厚生労働大臣**が定めます（法12条2項）。

テキスト▶①労働科目P267

そのとおり正しい（昭51.3.31労徴発12号）。

テキスト▶①労働科目P284

そのとおり正しい（法13条）。なお、本問の「厚生労働大臣の定める率」は、現在のところ、「0」とされています（則21条の2）。

37

[H26災問10-E]

第1種特別加入保険料率は、特別加入の承認を受けた中小事業主等が行う事業に適用される労災保険率から、労災保険法の適用を受けるすべての事業の過去3年間に発生した通勤災害に係る災害率を考慮して厚生労働大臣の定める率を減じた率とされている。

38

[R2災問10-D]

第2種特別加入保険料率は、事業又は作業の種類にかかわらず、労働保険徴収法施行規則によって同一の率に定められている。

39

[H26災問10-E改題]

第3種特別加入保険料率は、海外派遣者が海外において従事している事業と同種又は類似の日本国内で行われている事業についての業務災害及び通勤災害に係る災害率、社会復帰促進等事業として行う事業の種類及び内容その他の事情を考慮して厚生労働大臣が定めるとされ、令和5年度の厚生労働大臣の定める率は、事業の種類にかかわらず一律に1,000分の5とされている。

40

[R2災問10-B]

継続事業の場合で、保険年度の中途に第1種特別加入者でなくなった者の特別加入保険料算定基礎額は、特別加入保険料算定基礎額を12で除して得た額に、その者が当該保険年度中に第1種特別加入者とされた期間の月数を乗じて得た額とする。当該月数に1月未満の端数があるときはその月数を切り捨てる。

×

テキスト▶①労働科目P284

第１種特別加入保険料率は、特別加入の承認を受けた中小事業主等が行う事業に適用される労災保険率と同一の率から、労災保険法の適用を受けるすべての事業の**過去３年間の「二次健康診断等給付に要した費用」**の額を考慮して**厚生労働大臣の定める率（現在は「０」とされている）を減じた率**とされています（法13条）。

椛島のワンポイント

現在「労災保険法の適用を受けるすべての事業の過去３年間の二次健康診断等給付に要した費用の額を考慮して厚生労働大臣の定める率」はゼロ（0）とされています。したがって、現在の第１種特別加入保険料率は、同じ事業で働く労働者の労災保険率と同率ということになります。

×

テキスト▶①労働科目P284

第２種特別加入保険料率は、事業又は作業の種類に応じて定められています（則23条、則別表５）。

×

テキスト▶①労働科目P284

第３種特別加入保険料率は、**一律「1,000分の３」**です（法14条の２、則23条の３）。

×

テキスト▶該当ページなし

本問の月数に１月未満の端数があるときはこれを１に切り上げます（則21条１項）。その他の記述は正しい。

41

重要度 A　[H24災問9-ア]

労災保険率は、労働保険徴収法施行規則で定める事業の種類ごとに定められており、その最高は、1,000分の100を超えている。

42

重要度 AA　[R5雇問10-E]

一般の事業について、雇用保険率が1,000分の15.5であり、二事業率が1,000分の3.5のとき、事業主負担は1,000分の9.5、被保険者負担は1,000分の 6 となる。

43

[H30災問9-ア]

政府が、保険年度の中途に、一般保険料率、第 1 種特別加入保険料率、第 2 種特別加入保険料率又は第 3 種特別加入保険料率の引上げを行ったときは、増加した保険料の額の多少にかかわらず、法律上、当該保険料の額について追加徴収が行われることとなっている。

44

[H30災問9-イ]

政府が、保険年度の中途に、一般保険料率、第 1 種特別加入保険料率、第 2 種特別加入保険料率又は第 3 種特別加入保険料率の引下げを行ったときは、法律上、引き下げられた保険料の額に相当する額の保険料の額について、未納の労働保険料その他この法律による徴収金の有無にかかわらず還付が行われることとなっている。

45

重要度 A　[H30災問9-ウ]

追加徴収される概算保険料については、所轄都道府県労働局歳入徴収官が当該概算保険料の額の通知を行うが、その納付は納付書により行われる。

×

テキスト▶①労働科目P282

労災保険率の**最高は、1,000分の88**（**金属**鉱業、非金属鉱業（石灰石鉱業又はドロマイト鉱業を除く）又は石灰鉱業）であり、1,000分の100は超えていません（則16条、則別表１）。

○

テキスト▶①労働科目P283

そのとおり正しい（法12条４項ほか）。

○

テキスト▶①労働科目P287

そのとおり正しい（法17条１項）。

×

テキスト▶①労働科目P287

本問のような規定は設けられていないため、政府が、**保険年度の中途に**、一般保険料率、第１種特別加入保険料率、第２種特別加入保険料率又は第３種特別加入保険料率の**引下げ**を行ったときであっても、保険年度の中途においては、引き下げられた保険料の額に相当する保険料の額は、**還付されません**（法17条１項ほか）。

○

テキスト▶①労働科目P288

そのとおり正しい（則26条、則38条４項・５項）。労働保険料（印紙保険料を除く）その他徴収法の規定による徴収金の納付は、納入告知書に係るものを除き、**納付書**によって行わなければなりません。

46   ［H30雇問9-ウ］

継続事業（一括有期事業を含む。）について、前保険年度から保険関係が引き続く事業に係る労働保険料は保険年度の６月１日から起算して40日以内の７月10日までに納付しなければならないが、保険年度の中途で保険関係が成立した事業に係る労働保険料は保険関係が成立した日の翌日から起算して50日以内に納付しなければならない。

47 重要度B ［H30雇問9-オ］

雇用保険に係る保険関係のみが成立している事業の一般保険料については、所轄公共職業安定所は当該一般保険料の納付に関する事務を行うことはできない。

48  ［H29雇問8-ウ］

都道府県労働局歳入徴収官により認定決定された概算保険料の額及び確定保険料の額の通知は、納入告知書によって行われる。

49  ［R4雇問9-C］

事業主は、保険年度又は事業期間の中途に、一般保険料の算定の基礎となる賃金総額の見込額が増加した場合に、労働保険徴収法施行規則に定める要件に該当するに至ったとき、既に納付した概算保険料と増加を見込んだ賃金総額の見込額に基づいて算定した概算保険料との差額（以下「増加概算保険料」という。）を納期限までに増加概算保険料に係る申告書に添えて申告・納付しなければならないが、その申告書の記載に誤りがあると認められるときは、所轄都道府県労働局歳入徴収官は正しい増加概算保険料の額を決定し、これを事業主に通知することとされている。

○

テキスト▶①労働科目P292

そのとおり正しい（法15条1項）。

テキスト▶該当ページなし

そのとおり正しい（則38条3項ほか）。

ワンポイント

本問の事業にかかわらず、公共職業安定所は、概算保険料及び確定保険料に係る申告及び納付の事務は取り扱いません。

テキスト▶①労働科目P287

概算保険料の認定決定に係る通知は、「**納付書**」によって行われます（則38条4項・5項）。

×

テキスト▶①労働科目P288

本問の最後に「その申告書の記載に誤りがあると認められるときは、所轄都道府県労働局歳入徴収官は正しい増加概算保険料の額を決定し、これを事業主に通知」（＝認定決定の通知）とありますが、増加概算保険料においては認定決定は「行われない」ので、本問は誤りです（法16条）。

50

重要度 A　[H27災問9-B]

建設の有期事業を行う事業主は、当該事業に係る労災保険の保険関係が成立した場合には、その成立した日の翌日から起算して20日以内に、概算保険料を概算保険料申告書に添えて、申告・納付しなければならない。なお、本問において、「建設の有期事業」とは、労働保険徴収法第7条の規定により一括有期事業として一括される個々の有期事業を除いたものをいう。

51

重要度 B　[H23災問8-D]

継続事業の事業主は、労働者数の増加等により、概算保険料の算定に用いる賃金総額の見込額が、既に納付した概算保険料の算定基礎とした賃金総額の見込額に比べて増加することとなったが、増加概算保険料の納付の要件に該当するに至らなかった場合には、確定保険料の申告・納付の際に精算する必要がある。

52

重要度 A　[R元災問8-E]

政府は、厚生労働省令で定めるところにより、事業主の申請に基づき、その者が労働保険徴収法第15条の規定により納付すべき概算保険料を延納させることができるが、有期事業以外の事業にあっては、当該保険年度において9月1日以降に保険関係が成立した事業はその対象から除かれる。

53

重要度 A　[H29災問10-オ]

労働保険料の延納に関し、労働保険事務の処理が労働保険事務組合に委託されている事業についての事業主は、納付すべき概算保険料の額が20万円（労災保険に係る保険関係又は雇用保険に係る保険関係のみが成立している事業については、10万円）以上（当該保険年度において10月1日以降に保険関係が成立したものを除く。）となる場合であれば、労働保険徴収法に定める申請をすることにより、その概算保険料を延納することができる。

テキスト▶①労働科目P286

そのとおり正しい（法15条２項）。

テキスト▶①労働科目P292

そのとおり正しい（法19条１項・３項）。

テキスト▶①労働科目P289

有期事業以外の事業にあっては、当該保険年度において**「10月１日」以降に保険関係が成立**した事業は、当該保険年度において概算保険料の**延納の対象から除かれます**（則27条１項）。

テキスト▶①労働科目P289

労働保険事務の処理が労働保険事務組合に委託されている事業については、**「概算保険料の額の如何にかかわらず」**、その他の要件を満たしていれば、事業主が延納の申請をすることにより、その概算保険料を**延納することができます**（則27条、則28条ほか）。

54

[R2雇問8-A]

概算保険料について延納できる要件を満たす継続事業の事業主が、7月1日に保険関係が成立した事業について保険料の延納を希望する場合、2回に分けて納付することができ、最初の期分の納付期限は8月20日となる。

55

[H27雇問9-E]

概算保険料について延納が認められている有期事業（一括有期事業を除く。）の事業主の4月1日から7月31日までの期分の概算保険料の納期限は、労働保険事務組合に労働保険事務の処理を委託している場合であっても、3月31日とされている。

56

[R3災問9-B]

有期事業（一括有期事業を除く。）の事業主は、概算保険料を、当該事業をした日の翌日から起算して20日以内に納付しなければならないが、当該事業の全期間が200日であり概算保険料の額が80万円の場合には、概算保険料申告書を提出する際に延納の申請をすることにより、当該概算保険料を分割納付することができる。

57

[H22災問8-C]

保険関係が7月1日に成立し、事業の全期間が6か月を超え、また当該保険年度の納付すべき概算保険料の額が75万円以上である有期事業の事業主が、概算保険料の延納の申請をした場合は、当該保険関係成立の日から11月30日までの期間が最初の期となり、当該最初の期分の概算保険料については、7月21日が納期限となる。なお、本問において、保険料の納付等に関する期限は、日曜日、国民の祝日に関する法律に規定する休日その他一般の休日又は土曜日に当たらないものとする。

テキスト▶①労働科目P289

そのとおり正しい（則27条）。保険年度の中途に保険関係が成立した継続事業の最初の期分の概算保険料の納期限は、保険関係が成立した日の翌日から起算して50日以内です。

テキスト▶①労働科目P291

そのとおり正しい（則28条２項）。

椛島のワンポイント

４月１日～７月31日の期分の概算保険料の納期限は、継続事業（一括有期事業を含む）と有期事業では異なりますので、注意が必要です。

テキスト▶①労働科目P289

そのとおり正しい（法15条２項、則28条１項）。本問の有期事業の全期間は６月を超えており、かつ、概算保険料の額が75万円を超えているため、概算保険料を延納することができます。

テキスト▶①労働科目P290

そのとおり正しい（法18条、則28条）。

58

[R2雇問8-B]

概算保険料について延納できる要件を満たす有期事業（一括有期事業を除く。）の事業主が、6月1日に保険関係が成立した事業について保険料の延納を希望する場合、11月30日までが第1期となり、最初の期分の納付期限は6月21日となる。

59

[R元災問9-E]

事業主が提出した確定保険料申告書の記載に誤りがあり、労働保険料の額が不足していた場合、所轄都道府県労働局歳入徴収官は労働保険料の額を決定し、これを事業主に通知する。このとき事業主は、通知を受けた日の翌日から起算して30日以内にその不足額を納付しなければならない。

60

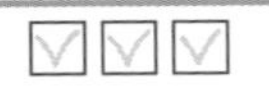

[H26雇問9-ア改題]

令和2年6月30日に事業を廃止すれば、その年の8月19日までに確定保険料申告書を所轄都道府県労働局歳入徴収官に提出しなければならない。

61

[H26雇問9-イ]

請負金額50億円、事業期間5年の建設の事業について成立した保険関係に係る確定保険料の申告書は、事業が終了するまでの間、保険年度ごとに、毎年、7月10日までに提出しなければならない。

テキスト▶①労働科目P290

そのとおり正しい（則28条）。本問の場合、保険関係成立の日（6月1日）からその日の属する期の末日（7月31日）までの期間が2月以内であるため、保険関係成立の日（6月1日）からその日の属する期の次の期の末日（11月30日）までが最初の期となります。また、最初の期分の概算保険料の納期限は、保険関係成立の日の翌日から起算して20日以内です。

テキスト▶①労働科目P292

確定保険料の認定決定による労働保険料の不足額の納付は、所轄都道府県労働局歳入徴収官から**通知を受けた日の翌日から起算**して「**15日以内**」に行わなければなりません（法19条4項・5項ほか）。

○

テキスト▶①労働科目P291～292

そのとおり正しい（法19条1項）。労働保険の保険関係は、**事業を廃止した日**（本問の場合、6月30日）**の翌日**（同、7月1日）**に消滅**し、確定保険料申告書は、その**消滅した日**（同、7月1日）**から起算して50日以内**（8月19日まで）**に提出**しなければなりません。

椛島のワンポイント

既に納付している概算保険料の額が確定保険料額より不足している場合には、その不足額を払わなければなりません。

テキスト▶①労働科目P291

本問の建設の事業については、労働保険徴収法7条の規定によるいわゆる有期事業の一括の対象とはならず、いわゆる**単独有期事業**に該当します。単独有期事業の事業主は、本問のように保険年度ごとに確定保険料申告書を提出するのではなく、当該有期事業に係る保険関係が**消滅した日から50日以内**に確定保険料申告書を提出しなければなりません（法19条2項）。

62

[H26雇問9-エ]

継続事業（一括有期事業を含む。）の労働保険料（印紙保険料を除く。）は、当該保険料の算定の対象となる期間が終わってから確定額で申告し、当該確定額と申告・納付済みの概算保険料額との差額（納付した概算保険料がないときは当該確定額）を納付する仕組みをとっており、この確定額で申告する労働保険料を確定保険料という。

63

[H30災問10-A]

口座振替により納付することができる労働保険料は、納付書により行われる概算保険料（延納する場合を除く。）と確定保険料である。

64

[H30災問10-C]

労働保険徴収法第16条の規定による増加概算保険料の納付については、口座振替による納付の対象となる。

○

テキスト▶①労働科目P285

そのとおり正しい（法19条１項ほか）。

テキスト▶①労働科目P293

口座振替により納付することができる労働保険料は、**納付書によって行われる概算保険料**（延納する場合を「**含む**」）と**確定保険料**です（法21条の２第１項、則38条の４）。

テキスト▶①労働科目P293

増加概算保険料の納付については、口座振替による納付の対象と**なりません**（法21条の２第１項、則38条の４）。

❹ メリット制

65 ☑☑☑ 重要度 B [H28災問10-イ]

メリット制とは、一定期間における業務災害に関する給付の額と業務災害に係る保険料の額の収支の割合（収支率）に応じて、有期事業を含め一定の範囲内で労災保険率を上下させる制度である。

66 ☑☑☑ 重要度 A [R2災問9-A]

メリット制においては、個々の事業の災害率の高低等に応じ、事業の種類ごとに定められた労災保険率を一定の範囲内で引き上げ又は引き下げた率を労災保険率とするが、雇用保険率についてはそのような引上げや引下げは行われない。

67 ☑☑☑ 重要度 B [H25災問10-A]

特別支給金規則に定める特別支給金は、業務災害に係るものであっても全て、メリット収支率の算出においてその計算に含めない。

68 ☑☑☑ 重要度 B [R2災問9-B]

労災保険率を継続事業のメリット制によって引き上げ又は引き下げた率は、当該事業についての基準日の属する保険年度の次の次の保険年度の労災保険率となる。

69 ☑☑☑ 重要度 B [H25災問10-B改題]

令和2年度から令和4年度までの連続する3保険年度の各保険年度における確定保険料の額が100万円以上であった有期事業の一括の適用を受けている建設の事業には、その3保険年度におけるメリット収支率により算出された労災保険率が令和5年度の保険料に適用される。

×

テキスト▶①労働科目P296

有期事業のメリット制では、労災保険率ではなく、「**確定保険料の額**」を一定の範囲内で引き上げ又は引き下げます（法20条、則35条ほか）。

○

テキスト▶①労働科目P294

そのとおり正しい（法12条３項）。継続事業のメリット制は、労災保険率を所定の範囲で上げ下げする制度であり、雇用保険率についてはメリット制の適用はありません。

×

テキスト▶該当ページなし

メリット収支率の算定においては、業務災害に係る特別支給金の額（一定のものを除く）も含まれます（法12条３項ほか）。

○

テキスト▶①労働科目P295

そのとおり正しい（法12条３項）。なお、本問の基準日とは、「連続する３保険年度中の最後の保険年度に属する３月31日」をいいます。

×

テキスト▶①労働科目P295

メリット収支率は、基準日（連続する３保険年度中の最後の保険年度に属する３月31日）の属する年度の「**次の次の年度**」について適用されます（法12条３項）。したがって、本問の場合、「令和６年度」の保険料に適用されます。

70

[H25災問10-E]

継続事業に対する労働保険徴収法第12条による労災保険率は、メリット制適用要件に該当する事業のいわゆるメリット収支率が100％を超え、又は75％以下である場合に、厚生労働大臣は一定の範囲内で、当該事業のメリット制適用年度における労災保険率を引き上げ又は引き下げることができる。

71

☑☑☑ 重要度B

[R4災問9-C]

有期事業の一括の適用を受けていない立木の伐採の有期事業であって、その事業の素材の見込生産量が1,000立方メートル以上のとき、労災保険のいわゆるメリット制の適用対象となるものとされている。

72

☑☑☑ 重要度B

[H22災問10-D]

労働保険徴収法第20条に規定する有期事業のメリット制の適用により、確定保険料の額を引き下げた場合には、所轄都道府県労働局歳入徴収官は、当該引き下げられた確定保険料の額を事業主に通知するが、この場合、当該事業主が既に申告・納付した確定保険料の額と当該引き下げられた額との差額の還付を受けるためには、当該通知を受けた日の翌日から起算して10日以内に、官署支出官又は所轄都道府県労働局資金前渡官吏に労働保険料還付請求書を提出する必要がある。

×

テキスト▶①労働科目P294～295

いわゆるメリット収支率が「**85%**」**を超え**、**75%以下**である場合に、厚生労働大臣は、一定の範囲内で、メリット制適用年度における労災保険率を引き上げ又は引き下げることができます（法12条３項）。

椛島のワンポイント

収支率＝$\frac{政府の支出}{政府の収入}$＝$\left(\frac{保険給付の額＋特別支給金の額}{保険料の額×所定の率}\right)$

テキスト▶①労働科目P296

見込生産量ではなく、「生産量」なら正しいです（法20条、則35条）。立木の伐採の事業の場合、確定保険料が40万円以上であるか、素材の生産量が1,000立方メートル以上であることがメリット制適用の要件となります。

テキスト▶①労働科目P296

そのとおり正しい（法20条１項・３項、則36条１項後段・２項）。

ワンポイント

本問の事業主による還付請求がない場合には、所轄都道府県労働局歳入徴収官は、既に納付された確定保険料の額と引き下げられた確定保険料の額との差額について、未納の労働保険料その他徴収法の規定による徴収金又は未納の一般拠出金等に充当します（法20条３項、則37条）。

【継続事業のメリット制と有期事業のメリット制の違い】

継続事業のメリット制は、翌々年度から「労災保険率」を上下動させる制度です。
有期事業のメリット制は、「確定保険料」の額を改定する制度です。
有期事業には年度更新という概念がないからこその違いといえます。

73 ☑☑☑ 重要度 B [R2雇問10-D]

日雇労働被保険者は、労働保険徴収法第31条第１項の規定によるその者の負担すべき額のほか、印紙保険料の額が176円のときは88円を負担するものとする。

74 ☑☑☑ 重要度 A [H24雇問9-B]

印紙保険料の納付は、日雇労働被保険者に交付された日雇労働被保険者手帳に雇用保険印紙をはり、これに消印して行い、又は、あらかじめ所轄都道府県労働局歳入徴収官の承認を受けて、納入告知書に当該印紙保険料額を添えて直接金融機関に納付することによって行うことができる。

75 ☑☑☑ 重要度 A [H23雇問9-B]

事業主は、雇用保険印紙を購入しようとするときは、あらかじめ、雇用保険印紙の購入申込書を所轄公共職業安定所長に提出して、雇用保険印紙購入通帳の交付を受けなければならない。

○

テキスト▶①労働科目P297

そのとおり正しい（法22条１項、法31条２項）。日雇労働被保険者は、法31条１項の規定によるその者の負担すべき額のほか、印紙保険料の額の２分の１の額（その額に１円未満の端数があるときは、その端数は、切り捨てる）を負担するものとします。

テキスト▶①労働科目P297

印紙保険料の納付の方法は、雇用保険印紙を貼り、これに**消印する方法（原則）**と、印紙保険料納付計器により、**納付印を押す方法（例外）**とが規定されていますが、本問のような「所轄都道府県労働局歳入徴収官の承認を受けて、納入告知書に当該印紙保険料額を添えて直接金融機関に納付する」という方法は規定されていません（法23条２項・３項）。

テキスト▶①労働科目P298

事業主は、雇用保険印紙を購入しようとするときは、あらかじめ、「雇用保険印紙購入通帳交付申請書」を**所轄公共職業安定所長**に提出して、**雇用保険印紙購入通帳の交付**を受けなければなりません（則42条１項）。

6 特例納付保険料

76 重要度 B [H27雇問10-C]

特例納付保険料は、その基本額のほか、その額に100分の10を乗じて得た額を加算したものとされている。

テキスト▶①労働科目P300

そのとおり正しい（法26条１項、則57条）。

椛島のワンポイント

【特例納付保険料の対象事業主】
保険関係成立届を出していなければ政府側から保険料の納付勧奨のしようがありません。しかも特例対象者を雇っているわけですから、簡単に言えば、特例納付保険料の対象事業主とは、「**２年を超えて**労働保険料を納めていない事業主」です。

7 労働保険料の負担及び徴収金の徴収等

77 ☑☑☑ 重要度 B [R元雇問8-C]

労働保険徴収法第27条第２項により政府が発する督促状で指定すべき期限は、「督促状を発する日から起算して10日以上経過した日でなければならない。」とされているが、督促状に記載した指定期限経過後に督促状が交付され、又は公示送達されたとしても、その督促は無効であり、これに基づいて行った滞納処分は違法となる。

78 ☑☑☑ 重要度 A [R元雇問8-E]

政府は、労働保険料の督促をしたときは、労働保険料の額につき年14.6％の割合で、督促状で指定した期限の翌日からその完納又は財産差押えの日の前日までの期間の日数により計算した延滞金を徴収する。

79 ☑☑☑ 重要度 A [H29雇問9-C]

認定決定された確定保険料に対しては追徴金が徴収されるが、滞納した場合には、この追徴金を含めた額に対して延滞金が徴収される。

80 ☑☑☑ 重要度 B [H22雇問10-C]

事業主が正当な理由なく印紙保険料の納付を怠ったときは、所轄都道府県労働局歳入徴収官は、その納付すべき印紙保険料の額を決定し、これを事業主に通知するとともに、所定の額の追徴金を徴収する。ただし、納付を怠った印紙保険料の額が1,000円未満であるときは、この限りでない。

○

テキスト▶①労働科目P303

そのとおり正しい（法27条２項ほか）。

ワンポイント

実務上、督促状に指定する期限は、**督促状を発する日から起算して10日以上経過した休日でない日**とすることとされています（昭62.3.26労徴発19号）。

テキスト▶①労働科目P303

政府は、労働保険料の納付を督促したときは、労働保険料の額に、「**（本来の）納期限の翌日から**」その完納又は財産差押えの日の前日までの期間の日数に応じ、原則として、**年14.6%**（当該納期限の翌日から**２月を経過**する日までの期間については、**年7.3%**）の割合を乗じて計算した延滞金を徴収します（法28条１項）。

テキスト▶①労働科目P302

追徴金に対して延滞金は徴収されません（法21条１項ほか）。

テキスト▶①労働科目P302

そのとおり正しい（法25条１項・２項ほか）。

81   [R元雇問10-A]

事業主は、被保険者が負担すべき労働保険料相当額を被保険者に支払う賃金から控除できるが、日雇労働被保険者の賃金から控除できるのは、当該日雇労働被保険者が負担すべき一般保険料の額に限られており、印紙保険料に係る額については部分的にも控除してはならない。

82   [H25雇問10-D]

事業主は、雇用保険の被保険者が負担すべき労働保険料相当額を被保険者の賃金から控除することが認められているが、この控除は、被保険者に賃金を支払う都度、当該賃金に応ずる額についてのみ行うことができるものとされているので、例えば、月給制で毎月賃金を支払う場合に、1年間分の被保険者負担保険料額全額をまとめて控除することはできない。

83   [H22雇問8-B]

労災保険及び雇用保険に係る保険関係が成立している場合、雇用保険の被保険者は、一般保険料の額のうち雇用保険率に応ずる部分の額から、その額に二事業率を乗じて得た額を減じた額の2分の1を負担することとされている。

84   [H22雇問8-C]

一般保険料の額のうち労災保険率に応ずる部分の額については、事業主及び労働者が2分の1ずつを負担することとされている。

×

テキスト▶①労働科目P301

日雇労働被保険者は、一般保険料の被保険者負担分のほか、印紙保険料の２分の１の額についても負担するものとされており、日雇労働被保険者が負担すべき一般保険料の額のみならず、**日雇労働被保険者が負担すべき印紙保険料の額についても、事業主は、日雇労働被保険者に支払う賃金から控除することができます**（法31条２項、法32条１項）。

テキスト▶①労働科目P301

そのとおり正しい（法32条１項、則60条１項）。

テキスト▶①労働科目P301

そのとおり正しい（法31条１項）。

テキスト▶①労働科目P301

一般保険料の額のうち**労災保険率**に応ずる部分の額については、**全額事業主が負担**することとされています（法31条３項）。

8 労働保険事務組合

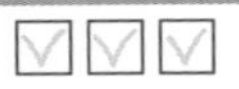  [R元雇問9-A]

金融業を主たる事業とする事業主であり、常時使用する労働者が50人を超える場合、労働保険事務組合に労働保険事務の処理を委託することはできない。

86

  [H25雇問8-B]

公共職業安定所長が雇用保険法第9条第1項の規定による労働者が被保険者となったこと又は被保険者でなくなったことの確認をしたときの、委託事業主に対してする通知が、労働保険事務組合に対してなされたときは、当該通知は当該委託事業主に対してなされたものとみなされる。

87

  [H25雇問8-C]

労働保険料の納付義務者である委託事業主に係る督促状を労働保険事務組合が受けたが、当該労働保険事務組合が当該委託事業主に対して督促があった旨の通知をしないため、当該委託事業主が督促状の指定期限までに納付できず、延滞金を徴収される場合、当該委託事業主のみが延滞金の納付の責任を負う。なお、本問において「委託事業主」とは、労働保険事務組合に労働保険事務の処理を委託した事業主をいう。なお、本問において「委託事業主」とは、労働保険事務組合に労働保険事務の処理を委託した事業主をいう。

テキスト▶①労働科目P306～307

そのとおり正しい（法33条１項、則62条２項）。

椛島のワンポイント

常時300人（金融業若しくは保険業、不動産業又は小売業を主たる事業とする事業主については50人、卸売業又はサービス業を主たる事業とする事業主については100人）**を超える**数の労働者を使用する事業主は、**労働保険事務組合に労働保険事務の処理を委託することはできません。**

テキスト▶①労働科目P307

そのとおり正しい（法34条ほか）。

×

テキスト▶①労働科目P308

本問の場合、**労働保険事務組合が延滞金の納付の責任を負います**（法35条２項）。労働保険関係法令の規定により政府が追徴金又は延滞金を徴収する場合において、その徴収について労働保険事務組合の責めに帰すべき理由があるときは、その限度で、労働保険事務組合は、政府に対して当該徴収金の納付の責めに任ずるものとされています。

88   [R5災問9-D]

労働保険事務組合事務処理規約に規定する期限までに、確定保険料申告書を作成するための事実を事業主が報告したにもかかわらず、労働保険事務組合が労働保険徴収法の定める申告期限までに確定保険料申告書を提出しなかったため、所轄都道府県労働局歳入徴収官が確定保険料の額を認定決定し、追徴金を徴収することとした場合、当該事業主が当該追徴金を納付するための金銭を当該労働保険事務組合に交付しなかったときは、当該労働保険事務組合は政府に対して当該追徴金の納付責任を負うことはない。

89   [H23雇問8-A]

「雇用保険被保険者資格取得届を所轄公共職業安定所長に提出する事務」は、労働保険徴収法第33条第１項の規定により、事業主が労働保険事務組合に委託して処理させることができると定められている労働保険事務である。

90   [R3雇問9-C]

保険給付に関する請求書等の事務手続及びその代行、雇用保険二事業に係る事務手続及びその代行、印紙保険料に関する事項などは、事業主が労働保険事務組合に処理を委託できる労働保険事務の範囲に含まれない。

91   [H23雇問8-B]

「印紙保険料納付状況報告書を所轄都道府県労働局歳入徴収官に提出する事務」は、労働保険徴収法第33条第１項の規定により、事業主が労働保険事務組合に委託して処理させることができると定められている労働保険事務である。

×

テキスト▶①労働科目P308

労働保険関係法令の規定により政府が追徴金を徴収する場合において、その徴収について**労働保険事務組合の責めに帰すべき理由がある**ときは、**その限度で、労働保険事務組合は、政府に対して当該徴収金の納付の責任を負う**（法35条２項）。

テキスト▶①労働科目P307

そのとおり正しい（平12.3.31発労徴31号）。

テキスト▶①労働科目P307

そのとおり正しい（平25.3.29基発0329第７号）。なお、労災保険の特別加入の申請については、事業主が労働保険事務組合に処理を委託できる労働保険事務の範囲に含まれます。

テキスト▶①労働科目P307

「印紙保険料**納付状況報告書を**所轄都道府県労働局歳入**徴収官に提出する事務**」は、労働保険事務**組合に委託**して処理させることは**できない事務**です（法33条１項、平12.3.31発労徴31号）。

92  重要度 B [H23災問9-D]

労働保険事務組合が、労働保険事務の処理に係る業務を廃止しようとするときは、60日前までに、労働保険事務等処理委託解除届を当該労働保険事務組合の主たる事務所の所在地を管轄する都道府県労働局長に提出することによって行わなければならない。

テキスト▶①労働科目P306

労働保険事務組合が、労働保険事務の処理に係る業務を廃止しようとするときは、**60日前まで**に、「**労働保険事務組合業務廃止届**」を当該労働保険事務組合の主たる事務所の所在地を**管轄する都道府県労働局長に提出**することによって行わなければなりません（法33条３項、則66条、則76条３号）。

9 不服申立て及び雑則

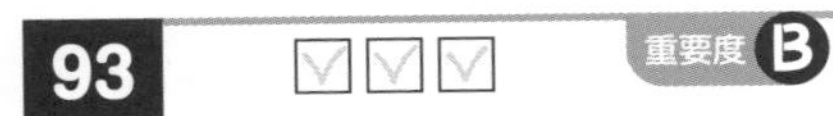

93 重要度B [H28災問9-ア]

概算保険料に係る認定決定に不服のある事業主は、当該認定決定について、その処分庁である都道府県労働局歳入徴収官に対し、異議申立てを行うことができる。

94 重要度B [H28災問9-A]

概算保険料に係る認定決定に不服のある事業主は、当該認定決定について、直ちにその取消しの訴えを提起することができる。

95  [H25災問8-A]

労働保険徴収法第19条第６項の規定による納付済概算保険料の額が確定保険料の額を超える場合の充当の決定の処分について不服があるときは、当該決定処分の処分庁たる都道府県労働局歳入徴収官に対して異議申立てをすることができる。

96   [H28雇問10-ア]

労働保険料その他労働保険徴収法の規定による徴収金を徴収する権利は、国税通則法第72条第１項の規定により、これらを行使することができる時から５年を経過したときは時効によって消滅する。

×

テキスト▶①労働科目P310

概算保険料に係る認定決定に関する処分に不服がある場合、事業主は、「**厚生労働大臣**」に対して「**審査請求**」をすることができます（行政不服審査法２条、同法４条）。

椛島のワンポイント

【徴収法の不服申立て】
徴収法には行政庁の処分に対する不服申立ての独自の規定が定められていません。よって行政庁の処分に不服がある場合には、行政不服審査法の規定に基づき審査請求をすることとなります。

テキスト▶①労働科目P309

そのとおり正しい（行政不服審査法２条、同法４条ほか）。

×

テキスト▶①労働科目P309

本問の場合、「**厚生労働大臣**」に対して「**審査請求**」をすることができます。

×

テキスト▶①労働科目P310

労働保険料その他労働保険徴収法の規定による徴収金を徴収し、又はその還付を受ける権利は、労働保険徴収法41条１項の規定により、「**これらを行使することができる時から２年**」を経過したときは、**時効によって消滅**します（法41条１項）。

97 ☑☑☑ 重要度 B [H28雇問10-ウ]

政府が行う労働保険料その他労働保険徴収法の規定による徴収金の徴収の告知は、時効更新の効力を生ずるので、納入告知書に指定された納期限の翌日から、新たな時効が進行することとなる。

98 ☑☑☑ 重要度 A [H28雇問10-エ]

事業主若しくは事業主であった者又は労働保険事務組合若しくは労働保険事務組合であった団体は、労働保険徴収法又は労働保険徴収法施行規則の規定による書類をその完結の日から３年間（雇用保険被保険者関係届出事務等処理簿にあっては、４年間）保存しなければならない。

99 ☑☑☑ 重要度 B [H28雇問10-オ]

厚生労働大臣、都道府県労働局長、労働基準監督署長又は公共職業安定所長が労働保険徴収法の施行のため必要があると認めるときに、その職員に行わせる検査の対象となる帳簿書類は、労働保険徴収法及び労働保険徴収法施行規則の規定による帳簿書類に限られず、賃金台帳、労働者名簿等も含む。

100 ☑☑☑  [R元雇問10-B]

行政庁の職員が、確定保険料の申告内容に疑いがある事業主に対して立入検査を行う際に、当該事業主が立入検査を拒み、これを妨害した場合、30万円以下の罰金刑に処せられるが懲役刑に処せられることはない。

○

テキスト▶①労働科目P310

そのとおり正しい（法41条２項ほか）。

テキスト▶①労働科目P311

そのとおり正しい（則72条）。

テキスト▶①労働科目P311

そのとおり正しい（法43条ほか）。

テキスト▶①労働科目P311

本問の場合、事業主は、**６月以下の懲役又は30万円以下の罰金**に処せられます（法46条）。したがって、罰金刑のみならず、**懲役刑に処せられることもあります。**

MEMO

MEMO

合格の
れっく
LEC
東京リーガルマインド

問題集①

分野別セパレート本の使い方

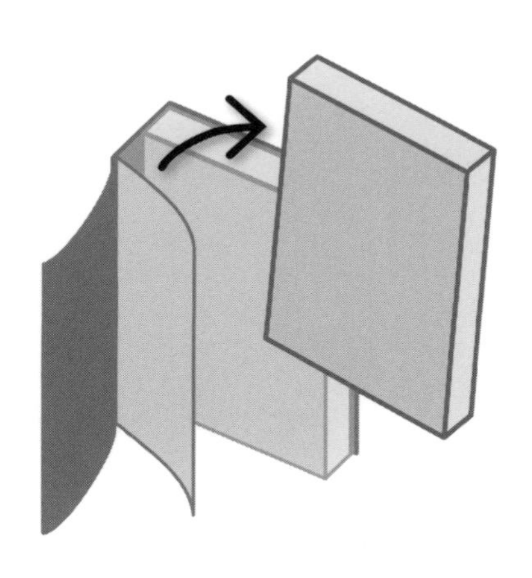

各分冊を取り外して、
手軽に持ち運びできます！

①白い厚紙を本体に残し、
　色紙のついた冊子だけを
　手でつかんでください。
②冊子をしっかりとつかん
　だまま手前に引っ張って、
　取り外してください。

※この白い厚紙と色紙のついた冊子は、のりで接着されていますので、
　丁寧に取り外してください。
　なお、取り外しの際の破損等による返品・交換には応じられませんの
　でご注意ください。

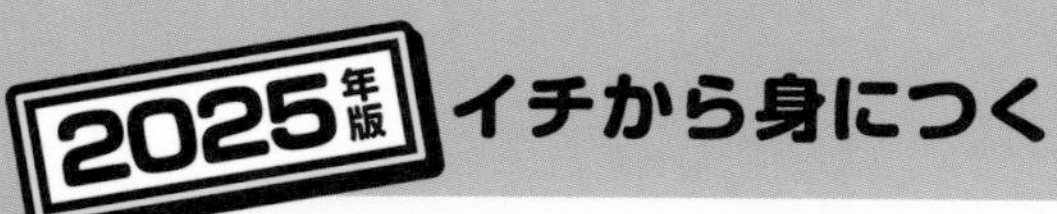

第2分冊

社会保険科目
一般常識科目

LEC東京リーガルマインド

第6編

健康保険法

項　目	問題番号
総則・保険者	問題 1 ～問題 14
被保険者・被扶養者	問題 15～問題 39
標準報酬月額及び標準賞与額	問題 40～問題 52
届出等	問題 53～問題 63
傷病に関する保険給付	問題 64～問題 96
死亡・出産に関する保険給付	問題 97～問題 103
資格喪失後の保険給付	問題 104～問題 112
保険給付の通則	問題 113～問題 125
費用の負担	問題 126～問題 143
不服申立て等	問題 144～問題 151

① 総則・保険者

1 ☑☑☑ 重要度A [H29問1-C]

任意継続被保険者の保険料の徴収に係る業務は、保険者が全国健康保険協会の場合は厚生労働大臣が行い、保険者が健康保険組合の場合は健康保険組合が行う。

2 ☑☑☑ 重要度B [R元問1-D]

全国健康保険協会の理事長、理事及び監事の任期は３年、全国健康保険協会の運営委員会の委員の任期は２年とされている。

3 ☑☑☑ 重要度A [R元問1-E]

全国健康保険協会は、毎事業年度、財務諸表を作成し、これに当該事業年度の事業報告書及び決算報告書を添え、監事及び厚生労働大臣が選任する会計監査人の意見を付けて、決算完結後２か月以内に厚生労働大臣に提出し、その承認を受けなければならない。

4 ☑☑☑ 重要度B [H30問1-ア]

全国健康保険協会の運営委員会の委員は、９人以内とし、事業主、被保険者及び全国健康保険協会の業務の適正な運営に必要な学識経験を有する者のうちから、厚生労働大臣が各同数を任命することとされており、運営委員会は委員の総数の３分の２以上又は事業主、被保険者及び学識経験を有する者である委員の各３分の１以上が出席しなければ、議事を開くことができないとされている。

5 ☑☑☑ 重要度A [H29問1-D]

健康保険組合が解散により消滅した場合、全国健康保険協会が消滅した健康保険組合の権利義務を承継する。

テキスト▶②社会保険科目P7

任意継続被保険者の保険料の徴収に係る業務は、保険者が全国健康保険協会の場合は「**全国健康保険協会**」が行い、保険者が健康保険組合の場合は「**健康保険組合**」行います（法５条、法６条、法７条の２）。

テキスト▶②社会保険科目P8

そのとおり正しい（法７条の12第１項、法７条の18第３項）。

テキスト▶②社会保険科目P9

そのとおり正しい（法７条の28第２項）。

テキスト▶②社会保険科目P8

そのとおり正しい（法７条の18第２項、則２条の４第５項）。

椛島のワンポイント

全国健康保険協会の運営委員会の委員の任期は、原則として、**2年**とされています。ただし、補欠の委員の任期は、前任者の残任期間とされています（法７条の18第３項・４項）。

テキスト▶②社会保険科目P12

そのとおり正しい（法26条４項）。

6

☑☑☑ 重要度 A [H26問1-D]

全国健康保険協会は、都道府県ごとの実情に応じた業務の適正な運営に資するため、支部ごとに運営委員会を設け、当該支部における業務の実施について運営委員会の意見を聴くものとする。

7

☑☑☑ 重要度 B [H23問7-E]

全国健康保険協会の理事長は全国健康保険協会の業績について事業年度ごとに評価を行い、当該評価の結果を遅滞なく、厚生労働大臣に対して通知するとともに、これを公表しなければならない。

8

☑☑☑ 重要度 A [H30問1-エ]

健康保険組合は、分割しようとするときは、当該健康保険組合に係る適用事業所に使用される被保険者の4分の3以上の多数により議決し、厚生労働大臣の認可を受けなければならない。

9

☑☑☑ 重要度 A [H28問1-ア]

健康保険組合がその設立事業所を増加させ、又は減少させようとするときは、その増加又は減少に係る適用事業所の事業主の全部の同意を得なければならないが、併せて、その適用事業所に使用される被保険者の2分の1以上の同意も得なければならない。

10

☑☑☑ 重要度 B [R3問2-B]

健康保険組合がその設立事業所を増加させ、又は減少させようとするときは、その増加又は減少に係る適用事業所の事業主の全部及びその適用事業所に使用される被保険者の2分の1以上の同意を得なければならない。

×

テキスト▶②社会保険科目P9

全国健康保険協会は、都道府県ごとの実情に応じた業務の適正な運営に資するため、**支部ごとに「評議会」**を設け、当該支部における業務の実施について、「評議会」の意見を聴くものとされています（法７条の21）。

×

テキスト▶②社会保険科目P9

全国健康保険協会の事業年度ごとの業績について、**評価を行うのは、「厚生労働大臣」**です（法７条の30）。また、厚生労働大臣は、当該評価を行ったときは、遅滞なく、「全国健康保険協会」に対し、当該評価の結果を**通知**するとともに、これを**公表**しなければなりません。

×

テキスト▶②社会保険科目P11

健康保険組合は、分割しようとするときは、組合会において**「組合会議員の定数」の４分の３以上**の多数により議決し、厚生労働大臣の認可を受けなければなりません（法24条１項）。

○

テキスト▶②社会保険科目P11

そのとおり正しい（法25条１項）。

○

テキスト▶②社会保険科目P11

そのとおり正しい（法25条１項）。なお、本問の規定により健康保険組合が設立事業所を減少させるときは、健康保険組合の被保険者である組合員の数が設立事業所を減少させた後においても、700人（健康保険組合を共同して設立している場合にあっては、3,000人）以上でなければなりません（同条３項、令１条の３）。

11  重要度 A [H28問1-オ]

全国健康保険協会は、毎事業年度において、当該事業年度及びその直前の２事業年度内において行った保険給付に要した費用の額の１事業年度当たりの平均額の３分の１に相当する額までは、当該事業年度の剰余金の額を準備金として積み立てなければならない。なお、保険給付に要した費用の額は、前期高齢者納付金（前期高齢者交付金がある場合には、これを控除した額）を含み、国庫補助の額を除くものとする。

12  重要度 A [H24問4-イ]

健康保険組合は、毎年度、事業計画及び予算を作成し、当該年度の開始前に、厚生労働大臣の認可を受けなければならない。

13  重要度 A [H24問4-オ]

健康保険組合は、毎年度終了後６か月以内に、厚生労働省令に定めるところにより、事業及び決算に関する報告書を作成し、厚生労働大臣に提出しなければならない。

14  重要度 A [H23問6-A]

健康保険組合は、①組合会議員の定数の２分の１以上の組合会の議決、②健康保険組合の事業の継続の不能、③厚生労働大臣による解散の命令、のいずれかの理由により解散する。

×

テキスト▶②社会保険科目P9

全国健康保険協会は、毎事業年度末において、当該事業年度及びその直前の２事業年度内において行った保険給付に要した費用の額（前期高齢者納付金等、後期高齢者支援金等及び日雇拠出金並びに介護納付金の納付に要した費用の額（前期高齢者交付金がある場合には、これを控除した額）を含み、国庫補助の額を除く）の１事業年度当たりの平均額の「**12分の１**」に相当する額に達するまでは、当該事業年度の剰余金の額を準備金として積み立てなければなりません（令46条１項）。

×

テキスト▶②社会保険科目P10

健康保険組合は、毎年度、「収入支出の予算」を作成し、当該年度の開始前に、厚生労働大臣に「**届け出る**」ことで足り、認可を受けることは要しません（令16条１項）。

○

テキスト▶②社会保険科目P10

そのとおり正しい（令24条１項）。

×

テキスト▶②社会保険科目P11

健康保険組合は、①組合会議員の定数の「**４分の３以上**」の多数による組合会の議決、②健康保険組合の事業の継続の不能、③厚生労働大臣による解散の命令、のいずれかの理由により解散します（法26条１項）。

❷ 被保険者・被扶養者

15 ☑☑☑ 重要度 B [R元問3-A]

国に使用される被保険者であって、健康保険法の給付の種類及び程度以上である共済組合の組合員であるものに対しては、同法による保険給付を行わない。

16 ☑☑☑ 重要度 A [H29問5-B]

従業員が３人の任意適用事業所で従業員と同じような仕事に従事している個人事業所の事業主は、健康保険の被保険者となることができる。

17 ☑☑☑ 重要度 A [H24問2-E]

日本にある外国公館が雇用する日本人職員に対する健康保険の適用は、外国公館が事業主として保険料の納付、資格の得喪に係る届出の提出等の諸義務を遵守する旨の覚書が取り交わされていることを条件として任意適用が認められる。派遣国の官吏又は武官ではない外国人（当該派遣国において社会保障の適用を受ける者を除く。）も同様とする。

18 ☑☑☑ 重要度 AA [R2問9-E]

適用事業所に期間の定めなく採用された者は、採用当初の２か月が試用期間として定められていた場合であっても、当該試用期間を経過した日から被保険者となるのではなく、採用日に被保険者となる。

19 ☑☑☑ 重要度 A [H23問1-C]

常時10人の従業員を使用している個人経営の飲食業の事業所は強制適用事業所とはならないが、常時３人の従業員を使用している法人である土木、建築等の事業所は強制適用事業所となる。

○

テキスト▶②社会保険科目P15

そのとおり正しい（法200条）。

×

テキスト▶②社会保険科目P15

個人事業所の事業主は、適用事業所に使用される者でないため、被保険者となりません（法３条１項）。

○

テキスト▶②社会保険科目P15

そのとおり正しい（法３条、昭30.7.25省発保123号の２）。

○

テキスト▶②社会保険科目P16

そのとおり正しい（昭13.10.22社庶229号）。なお、被保険者（任意継続被保険者を除く）は、適用事業所に使用されるに至った日若しくはその使用される事業所が適用事業所となった日又は適用除外の規定に該当しなくなった日から、被保険者の資格を取得します（法35条）。

○

テキスト▶②社会保険科目P14

そのとおり正しい（法３条３項）。

20 重要度C [R5問1-A]

適用業種である事業の事業所であって、常時５人以上の従業員を使用する事業所は適用事業所とされるが、事業所における従業員の員数の算定においては、適用除外の規定によって被保険者とすることができない者であっても、当該事業所に常時使用されている者は含まれる。

21 重要度B [R5問8-A]

令和４年10月１日より、弁護士、公認会計士その他政令で定める者が法令の規定に基づき行うこととされている法律又は会計に係る業務を行う事業に該当する個人事業所のうち、常時５人以上の従業員を雇用している事業所は、健康保険の適用事業所となったが、外国法事務弁護士はこの適用の対象となる事業に含まれない。

22  [R2問5-ウ]

季節的業務に使用される者について、当初４か月以内の期間において使用される予定であったが業務の都合その他の事情により、継続して４か月を超えて使用された場合には使用された当初から一般の被保険者となる。

23   [H22問6-B]

法人の理事、監事、取締役、代表社員等の法人役員は、事業主であり、法人に使用される者としての被保険者の資格はない。

テキスト▶該当ページなし

そのとおり正しい。この「5人」には、「健康保険の適用除外の者であって常時使用される者」も含まれます（昭18.4.5保発905号）。

テキスト▶該当ページなし

外国法事務弁護士も含まれます（令1条）。

≪適用対象とされる事業≫公証人、司法書士、土地家屋調査士、行政書士、海事代理士、税理士、社会保険労務士、沖縄弁護士、外国法事務弁護士、弁理士

椛島のワンポイント

「法律又は会計に係る業務を行う事業」（いわゆる法務系士業）は、個人事業所であっても、労働者数が5人以上であれば強制適用事業所です。

テキスト▶②社会保険科目P16

本問の季節的業務に使用される者は、当初4か月以内の期間において使用される予定であったため、一般の被保険者とはなりません（法3条1項ただし書）。なお、季節的業務に使用される者であっても、当初から継続して4か月を超えて使用されるべき場合は、使用された当初から一般の被保険者となります。

テキスト▶②社会保険科目P15

法人の理事、監事、取締役、代表社員等であっても、法人から、**労働の対償**として報酬を受けている者は、その法人に使用される者として被保険者の資格を取得します（昭24.7.28保発74号）。

24

☑☑☑ 重要度 A [H22問7-C改題]

適用事業所には強制適用事業所と任意適用事業所があり、前者は法定17業種の事業所であって、常時５人以上の従業員を使用するもの、もしくは国、地方公共団体または法人の事業所であって、常時従業員を使用するものである。後者については、適用事業所以外の事業所の事業主は、厚生労働大臣の認可を受けて、当該事業所を適用事業所とすることができ、認可を受けようとするときは、当該事業所の事業主は、当該事業所に使用される者（被保険者となるべき者に限る。）の３分の１以上の同意を得て、厚生労働大臣に申請しなければならない。

25

☑☑☑ 重要度 A [R2問10-C]

任意適用事業所において被保険者の４分の３以上の申出があった場合、事業主は当該事業所を適用事業所でなくするための認可の申請をしなければならない。

26

☑☑☑ 重要度 A [H22問10-C]

被保険者（任意継続被保険者を除く。）は、①適用事業所に使用されるに至った日、②その使用される事業所が適用事業所となった日、③適用除外に該当しなくなった日のいずれかに該当した日から、被保険者の資格を取得するが、①の場合、試みに使用される者については適用されない。

27

☑☑☑ 重要度 C [R2問4-E]

新たに適用事業所に使用されることになった者が、当初から自宅待機とされた場合の被保険者資格については、雇用契約が成立しており、かつ、休業手当が支払われているときは、その休業手当の支払いの対象となった日の初日に被保険者の資格を取得するものとされる。

×

テキスト▶②社会保険科目P14

適用事業所となるための認可申請に当たっては、事業主は、当該事業所に使用される者（被保険者となるべき者に限る）の「**2分の1**」**以上の同意**を得て、厚生労働大臣に申請しなければなりません（法3条3項、法31条）。

×

テキスト▶②社会保険科目P14

任意適用事業所において被保険者の4分の3以上の申出があった場合であっても、事業主は、当該事業所を適用事業所でなくするための認可の申請をする必要はありません（法33条）。

×

テキスト▶②社会保険科目P16

試みに使用される者であっても、**適用事業所に使用されるに至った日**に被保険者の資格を取得します（法35条ほか）。

○

テキスト▶該当ページなし

そのとおり正しい（昭50.3.29保険発25号・庁保険発8号）。なお、一時帰休中の被保険者については、労働基準法26条の規定に基づく休業手当又は労働協約等に基づく報酬が支払われるときは、被保険者の資格は存続します。

28

☑☑☑ 重要度 B [R元問9-E改題]

任意継続被保険者が、健康保険の被保険者である家族の被扶養者となる要件を満たした場合であっても、任意継続被保険者の資格を、その申出により喪失させることはできない。

29

☑☑☑ 重要度 A [H30問10-E]

任意継続被保険者が75歳に達し、後期高齢者医療の被保険者になる要件を満たしたとしても、任意継続被保険者となった日から起算して２年を経過していない場合は、任意継続被保険者の資格が継続するため、後期高齢者医療の被保険者になることはできない。

30

☑☑☑ 重要度 B [H27問5-E]

任意継続被保険者が、保険料（初めて納付すべき保険料を除く。）を納付期日までに納付しなかったときは、納付の遅延について正当な理由があると保険者が認めた場合を除き、督促状により指定する期限の翌日にその資格を喪失する。

31

☑☑☑ 重要度 A [H22問9-A]

任意継続被保険者になるためには、①適用事業所に使用されなくなったため、または適用除外に該当するに至ったため被保険者の資格を喪失した者であること、②喪失の日の前日まで継続して２か月以上被保険者であったこと、③被保険者の資格を喪失した日から２週間以内に保険者に申し出なければならないこと、④船員保険の被保険者または後期高齢者医療の被保険者等でない者であること、以上の要件を満たさなければならない。

テキスト▶②社会保険科目P17～18

任意継続被保険者の資格は、その**申出により喪失させることが「できる」**(法38条7号)。

テキスト▶②社会保険科目P17～18

任意継続被保険者は、後期高齢者医療の被保険者等となったときは、その日に**任意継続被保険者の資格を喪失します**(法38条6号)。

テキスト▶②社会保険科目P17～18

本問の場合、当該「**保険料の納付期日の翌日**」に、被保険者の資格を喪失します(法38条)。

椛島のワンポイント

初めて納付すべき保険料を滞納した場合には、そもそも任意継続被保険者にならなかったものと扱われます。

テキスト▶②社会保険科目P17

任意継続被保険者になるためには、被保険者の資格を喪失した日から「**20日以内**」に保険者に申し出なければなりません(法3条4項、法37条1項)。

32

☑☑☑ 重要度 A [R2問5-イ]

任意継続被保険者の申出は、被保険者の資格を喪失した日から20日以内にしなければならず、保険者は、いかなる理由がある場合においても、この期間を経過した後の申出は受理することができない。

33

☑☑☑ 重要度 A [H22問7-E]

被保険者が被保険者資格の取得及び喪失について確認したいときは、いつでも保険者等にその確認を請求することができる。保険者等は、その請求があった場合において、その請求に係る事実がないと認めるときは、その請求を却下しなければならない。

34

☑☑☑ 重要度 B [H30問3-E]

被保険者の配偶者で届出をしていないが事実上婚姻関係と同様の事情にあるものの父母及び子であって、その被保険者と同一の世帯に属し、主として被保険者により生計を維持されてきたものについて、その配偶者で届出をしていないが事実上婚姻関係と同様の事情にあるものが死亡した場合、引き続きその被保険者と同一世帯に属し、主としてその被保険者によって生計を維持される当該父母及び子は、その他の要件を満たす限り、被扶養者に認定される。

35

☑☑☑ 重要度 A [H29問2-D]

被保険者の兄姉は、国内居住等要件のほか、主として被保険者により生計を維持している場合であっても、被保険者と同一世帯でなければ被扶養者とはならない。

テキスト▶②社会保険科目P17

任意継続被保険者の資格取得の申出は、原則として、被保険者の資格を喪失した日から20日以内にしなければなりませんが、保険者は、正当な理由があると認めるときは、この期間を経過した後の申出であっても、受理することができます。(法37条)

テキスト▶②社会保険科目P18

そのとおり正しい（法51条）。

椛島のワンポイント

本問における保険者等とは、**厚生労働大臣**（被保険者が協会が管掌する健康保険の被保険者である場合）**及び健康保険組合**（被保険者が健康保険組合が管掌する健康保険の被保険者である場合）をいいます。

テキスト▶②社会保険科目P19

そのとおり正しい（法３条７項）。

椛島のワンポイント

本問の「被保険者と同一の世帯に属し」とは、被保険者と**住居及び家計を共同**にすることをいい、同一戸籍内にあるか否かを問わず、被保険者が世帯主であることを要しません（昭15.6.26社発７号）。

テキスト▶②社会保険科目P19

被保険者の兄姉は、国内居住等要件のほか、主として被保険者により生計を維持していれば、「**被保険者と世帯を同じくしていなくても**」、原則として、被扶養者となります（法３条７項）。

36

[H28問2-A]

養子縁組をして養父母を被扶養者としている被保険者が、生家において実父が死亡したため実母を扶養することとなった。この場合、実母について被扶養者認定の申請があっても、養父母とあわせての被扶養者認定はされない。

37

重要度 AA

[R2問3-オ]

被保険者（外国に赴任したことがない被保険者とする。）の被扶養者である配偶者に日本国外に居住し日本国籍を有しない父がいる場合、当該被保険者により生計を維持している事実があると認められるときは、当該父は被扶養者として認定される。

38

[H26問5-イ]

被保険者と同一世帯に属しておらず、年間収入が150万円である被保険者の父（65歳）が、被保険者から援助を受けている場合、原則としてその援助の額にかかわらず、その他の要件を満たす限り、被扶養者に該当する。

39

[H23問1-D]

被保険者の配偶者で届出をしていないが事実上婚姻関係と同様の事情にある者の父母及び子は、被保険者と同一世帯に属し、主としてその被保険者により生計を維持されていれば、その他の要件を満たす限り、被扶養者となるが、その配偶者が死亡した後は、引き続きその被保険者と同一世帯に属し、主としてその被保険者により生計を維持されている場合であっても被扶養者となることはできない。

×

テキスト▶②社会保険科目P19

本問の場合、実母は直系尊属に該当するため、養父母とあわせて実母についても所定の要件を満たす限り、**被扶養者となります**（法３条７項）。

×

テキスト▶②社会保険科目P19

本問の被保険者の配偶者の父（３親等内の親族で、被保険者の直系尊属、配偶者、子、孫及び兄弟姉妹に該当しないもの）は、生計維持要件は満たしていますが、「同一世帯要件」及び「国内居住等要件」を満たしていないため、被扶養者として認定されません（法３条７項）。

×

テキスト▶②社会保険科目P21

認定対象者が被保険者と**同一世帯に属していない**場合、認定対象者の年間収入が**130万円未満**（**60歳以上の者**及び障害厚生年金の受給要件に該当する程度の障害者については**180万円未満**）であって、**かつ**、被保険者からの「**援助による収入額より少ない**」場合は、その他の要件を満たす限り、原則として、被扶養者として認定することとされています（法３条７項、平5.3.5保発15号・庁保発４号）。

×

テキスト▶②社会保険科目P19

本問の配偶者が死亡した後においても、当該配偶者の父母及び子が引き続き被保険者と同一世帯に属し、主としてその被保険者により生計を維持されている場合、当該配偶者の父母及び子は**引き続き被扶養者とされます**（法３条７項）。

③ 標準報酬月額及び標準賞与額

40 ☑☑☑ 重要度 B [R元問3-B]

保険料徴収の対象となる賞与とは、いかなる名称であるかを問わず、労働者が、労働の対償として3か月を超える期間ごとに支給されるものをいうが、6か月ごとに支給される通勤手当は、賞与ではなく報酬とされる。

41 ☑☑☑ 重要度 A [R元問2-A]

被保険者の資格を取得した際に決定された標準報酬月額は、その年の6月1日から12月31日までの間に被保険者の資格を取得した者については、翌年の9月までの各月の標準報酬月額とする。

42 ☑☑☑ 重要度 A [R元問10-D]

全国健康保険協会管掌健康保険における同一の事業所において、賞与が7月150万円、12月250万円、翌年3月200万円であった場合の被保険者の標準賞与額は、7月150万円、12月250万円、3月173万円となる。一方、全国健康保険協会管掌健康保険の事業所において賞与が7月150万円であり、11月に健康保険組合管掌健康保険の事業所へ転職し、賞与が12月250万円、翌年3月200万円であった場合の被保険者の標準賞与額は、7月150万円、12月250万円、3月200万円となる。

43 ☑☑☑ 重要度 A [R3問1-D]

前月から引き続き被保険者であり、12月10日に賞与を50万円支給された者が、同月20日に退職した場合、事業主は当該賞与に係る保険料を納付する義務はないが、標準賞与額として決定され、その年度における標準賞与額の累計額に含まれる。

テキスト ▶ ②社会保険科目P27

そのとおり正しい（法３条６項）。

テキスト ▶ ②社会保険科目P25

被保険者の資格を取得した際に決定された標準報酬月額は、**その年の６月１日から12月31日**までの間に被保険者の資格を取得した者については、**翌年の「８月」まで**の各月の標準報酬月額とします（法42条２項）。

テキスト ▶ ②社会保険科目P27

そのとおり正しい（法45条１項）。

椛島のワンポイント

ポイントは２つ。①標準賞与額の上限は、**年度累計573万円**です。②上限規定は**保険者ごと**に適用します。

テキスト ▶ ②社会保険科目P27

そのとおり正しい（法45条１項、法156条３項、平19.5.1庁保険発0501001号）。なお、保険料徴収の必要がない被保険者資格の喪失月であっても、被保険者期間中に支払われる賞与に基づき決定される標準賞与額は、標準賞与額の年度の累計額の上限である573万円に算入されます。

44 重要度 B [H29問9-A]

特定適用事業所において被保険者である短時間労働者の標準報酬月額の定時決定は、報酬支払いの基礎となった日数が11日未満である月があるときは、その月を除いて行う。また、標準報酬月額の随時改定は、継続した３か月間において、各月とも報酬支払いの基礎となった日数が11日以上でなければ、その対象とはならない。なお、本問における短時間労働者とは、１週間の所定労働時間が同一の事業所に使用される通常の労働者の１週間の所定労働時間の４分の３未満である者又は１か月間の所定労働日数が同一の事業所に使用される通常の労働者の１か月間の所定労働日数の４分の３未満である者のことをいう。

45   [H29問10-B]

任意継続被保険者の標準報酬月額は、原則として当該任意継続被保険者が被保険者の資格を喪失したときの標準報酬月額、又は前年（１月から３月までの標準報酬月額については、前々年）の９月30日における当該任意継続被保険者の属する保険者が管掌する全被保険者の標準報酬月額を平均した額を標準報酬月額の基礎となる報酬月額とみなしたときの標準報酬月額のいずれか少ない額とされるが、その保険者が健康保険組合の場合、当該平均した額の範囲内においてその規約で定めた額があるときは、当該任意継続被保険者が被保険者の資格を喪失したときの標準報酬月額又は当該規約で定めた額を標準報酬月額の基礎となる報酬月額とみなしたときの標準報酬月額のいずれか少ない額とすることができる。

○

テキスト▶②社会保険科目P24

そのとおり正しい（法41条１項、法43条１項）。

テキスト▶②社会保険科目P26

そのとおり正しい（法47条）。

46

重要度 A　[H28問2-C]

毎年３月31日における標準報酬月額等級の最高等級に該当する被保険者数の被保険者総数に占める割合が100分の1.5を超える場合において、その状態が継続すると認められるときは、その年の９月１日から、政令で、当該最高等級の上に更に等級を加える標準報酬月額の等級区分の改定を行うことができるが、その年の３月31日において、改定後の標準報酬月額等級の最高等級に該当する被保険者数の同日における被保険者総数に占める割合が100分の１を下回ってはならない。

47

重要度 B　[H28問10-E]

産前産後休業を終了した際の改定は、固定的賃金に変動がなく残業手当の減少によって報酬月額が変動した場合も、その対象となる。

48

重要度 B　[H25問2-E]

育児休業等終了時の標準報酬月額の改定は、標準報酬月額に２等級以上の差が生じていなくても行うことができるが、育児休業等終了日の翌日が属する月以後３か月間のいずれかの月に報酬支払の基礎となった日数が17日未満の月がある場合は、当該改定を行うことができない。なお、本問においては健康保険法施行規則第24条に規定する「短時間労働者」は考慮しないものとする。

49

重要度 A　[椛島オリジナル]

定時決定とは、全社員を対象とした標準報酬月額の見直し制度のことであるが、その実施時期については、就業規則によって社員に周知されている限り、いつおこなってもかまわない。

テキスト▶②社会保険科目P24

本問の場合、その年の３月31日において、改定後の標準報酬月額等級の最高等級に該当する被保険者数の同日における被保険者総数に占める割合が「**100分の0.5**」を下回ってはなりません（法40条２項）。

テキスト▶②社会保険科目P26

そのとおり正しい（法43条の３第１項）。

テキスト▶②社会保険科目P26

育児休業等を終了した際の標準報酬月額の改定を行う場合において、育児休業等終了日の翌日が属する月以後３月間に、報酬支払基礎日数が17日未満の月があるときは、「**その月を除いて**」報酬月額を算定します（法43条の２第１項）。したがって、報酬支払基礎日数が17日未満の月がある場合、育児休業等を終了した際の標準報酬月額の改定を行うことができないわけではありません。

テキスト▶②社会保険科目P24

定時決定とは、「**７月１日**」現在の社員を対象に、４～６月に支払われる報酬をベースに行うので（法41条１項）、いつでもいいわけではありません。

50

☑☑☑ 

[椛島オリジナル]

随時改定を行う場合には、必ず、連続３か月の報酬を合計したものを３で除して得た額を報酬月額とすることとなる。

51

☑☑☑ 

[椛島オリジナル]

要件を満たして随時改定を行う場合、その改定時期は、昇給月（または降給月）の翌月となる。

52

☑☑☑ 重要度 B

[R3問1-C]

その年の１月から６月までのいずれかの月に随時改定された標準報酬月額は、再度随時改定、育児休業等を終了した際の標準報酬月額の改定又は産前産後休業を終了した際の標準報酬月額の改定を受けない限り、その年の８月までの標準報酬月額となり、７月から12月までのいずれかの月に改定された標準報酬月額は、再度随時改定、育児休業等を終了した際の標準報酬月額の改定又は産前産後休業を終了した際の標準報酬月額の改定を受けない限り、翌年の８月までの標準報酬月額となる。

テキスト▶②社会保険科目P25

そのとおり正しい。

桜島のワンポイント

随時改定の要件のひとつには、「**継続した3月間のいずれの月も報酬支払基礎日数が17日以上**（短時間労働者である被保険者にあっては、11日以上）であること」があります。

テキスト▶②社会保険科目P25

改定時期は、昇給月（または降給月）から数えて**4か月目**です。

テキスト▶②社会保険科目P25

そのとおり正しい（法43条2項）。なお、随時改定後、再び随時改定の要件に該当したときは、随時改定された標準報酬月額の有効期限内であっても、随時改定は行われます。

53

☑☑☑ 

[R3問5-C]

毎年7月1日現に使用する被保険者の標準報酬月額の定時決定の届出は、同月末日までに、健康保険被保険者報酬月額算定基礎届を日本年金機構又は健康保険組合に提出することによって行う。

54

☑☑☑ 重要度B

[R4問1-C]

事業主は、被保険者が資格を喪失したときは、遅滞なく被保険者証を回収して、これを保険者に返納しなければならないが、テレワークの普及等に対応した事務手続きの簡素化を図るため、被保険者は、被保険者証を事業主を経由せずに直接保険者に返納することが可能になった。

55

☑☑☑ 

[R元問8-C]

保険者は、毎年一定の期日を定め、被保険者証の検認又は更新をすることができるが、この検認又は更新を行った場合において、その検認又は更新を受けない被保険者証は無効である。

56

☑☑☑ 

[H30問3-C]

全国健康保険協会管掌健康保険の適用事業所の事業主は、被保険者に賞与を支払った場合は、支払った日から5日以内に、健康保険被保険者賞与支払届を日本年金機構に提出しなければならないとされている。

57

☑☑☑ 

[H28問4-D]

保険医個人が開設する診療所は、病床の有無に関わらず、保険医療機関の指定を受けた日から、その指定の効力を失う日前6か月から同日前3か月までの間に、別段の申出がないときは、保険医療機関の指定の申出があったものとみなされる。

テキスト▶②社会保険科目P28

健康保険被保険者報酬月額算定基礎届の提出は「7月10日」までに行わなければなりません（則25条1項）。その他の記述は正しい。

テキスト▶②社会保険科目P30

任意継続被保険者以外の被保険者の被保険者証については、交付時や再交付時等には、保険者が支障がないと認めるときは、事業主を経由せず、保険者が直接当該被保険者に被保険者証を送付することができることとされていますが、「被保険者証の返納時は、事業主が回収してこれを保険者に返納しなければなりません」（令3.8.13事務連絡ほか）。

テキスト▶②社会保険科目P30

そのとおり正しい（則50条1項・9項）。

○

テキスト▶②社会保険科目P28

そのとおり正しい（則27条1項）。

椛島のワンポイント

事業主が、正当な理由がなく本問の届出をせず、又は虚偽の届出をしたときは、**6月以下の懲役又は50万円以下の罰金**に処せられます（法208条1号）。

テキスト▶②社会保険科目P31

保険医個人が開設する診療所であって、「**病床を有さないもの**」は、保険医療機関の指定を受けた日から、その指定の効力を失う日前6か月から同日前3か月までの間に、別段の申出がないときは、保険医療機関の指定の申請があったものとみなされます（法68条2項ほか）。

58   [H25問9-C]

事業主は、健康保険に関する書類を、その完結の日より３年間、保存しなければならない。

59   [H24問10-C]

初めて適用事業所となった事業主は、当該事実のあった日から10日以内に新規の適用に関する届書を提出しなければならないが、事業の廃止、休止その他の事情により適用事業所に該当しなくなったとき（任意適用事業所の取消に係る申請の場合を除く。）の届出は、当該事実があった後、速やかに提出すればよい。

60   [H29問3-E]

保険医療機関又は保険薬局の指定は、病院若しくは診療所又は薬局の開設者の申請により、厚生労働大臣が行い、指定の日から起算して６年を経過したときは、その効力を失う。

61   [H29問5-E]

厚生労働大臣は、保険医療機関若しくは保険薬局の指定を行おうとするとき、若しくはその指定を取り消そうとするとき、又は保険医若しくは保険薬剤師の登録を取り消そうとするときは、政令で定めるところにより、地方社会保険医療協議会に諮問するものとされている。

62   [H29問7-B]

保険医療機関又は保険薬局は、14日以上の予告期間を設けて、その指定を辞退することができ、保険医又は保険薬剤師は、14日以上の予告期間を設けて、その登録の抹消を求めることができる。

×

テキスト▶②社会保険科目P29

事業主は、健康保険に関する書類を、その完結の日より「**2年間**」、保存しなければなりません（則34条）。

テキスト▶②社会保険科目P28

本問前段の新規適用事業所の届出及び後段の適用事業所に該当しなくなった場合の届出は、いずれも当該事実のあった日から「**5日以内**」に提出しなければなりません（則19条1項、則20条1項）。

テキスト▶②社会保険科目P31

そのとおり正しい（法65条1項、法68条1項）。

テキスト▶②社会保険科目P32

そのとおり正しい（法82条2項）。

×

テキスト▶②社会保険科目P31

保険医療機関又は保険薬局は、「**1月以上**」の予告期間を設けて、その指定を辞退することができ、保険医又は保険薬剤師は、「**1月以上**」の予告期間を設けて、その登録の抹消を求めることができます（法79条）。

[H23問8-D]

厚生労働大臣は、療養の給付に要する費用の算定方法、評価療養（高度の医療技術に係るものを除く。）又は選定療養の定めをしようとするときは、社会保障審議会に諮問するものとされている。

×

テキスト▶②社会保険科目P32

厚生労働大臣は、療養の給付に要する費用の算定方法、評価療養（高度の医療技術に係るものを除く）又は選定療養の定めをしようとするときは、「**中央社会保険医療協議会**」に諮問するものとされています（法82条１項）。

5 傷病に関する保険給付

[H28問3-B]

定期的健康診査の結果、疾病の疑いがあると診断された被保険者が精密検査を行った場合、その精密検査が定期的健康診査の一環として予め計画されたものでなくとも、当該精密検査は療養の給付の対象とはならない。

65

[H22問4-A]

被保険者の資格取得が適正である場合、その資格取得前の疾病または負傷については、6か月以内のものに限り保険給付を行う。

66

[R2問4-B]

定期健康診断によって初めて結核症と診断された患者について、その時のツベルクリン反応、血沈検査、エックス線検査等の費用は保険給付の対象とはならない。

67

[H22問9-E]

被保険者の疾病または負傷については、①診察、②薬剤または治療材料の支給、③処置、手術その他の治療、④居宅における療養上の管理及びその療養に伴う世話その他の看護、⑤病院または診療所への入院及びその療養に伴う世話その他の看護、以上の療養の給付を行う。

68

[H25問5-B]

60歳の被保険者が、保険医療機関の療養病床に入院した場合、入院に係る療養の給付と併せて受けた生活療養に要した費用について、入院時生活療養費が支給される。

×

テキスト▶②社会保険科目P36

定期的健康診査の結果、疾病の疑いがあると診断された被保険者が精密検査を受けた場合、その精密検査が定期的健康診査の一環としてあらかじめ予定されたものでなければ当該精密検査は**療養の給付の対象となります**（昭39.3.18保文発176号ほか）。

×

テキスト▶②社会保険科目P36

被保険者の資格取得が適正である限り、6か月以内のものに限らずその資格取得前の疾病又は負傷に対して保険給付はなされます（昭26.10.16保文発4111号）。

○

テキスト▶②社会保険科目P36

そのとおり正しい（昭28.4.3保険発59号ほか）。

○

テキスト▶②社会保険科目P34

そのとおり正しい（法63条1項）。

×

テキスト▶②社会保険科目P37

本問の被保険者は、**特定長期入院被保険者**（療養病床への入院及びその療養に伴う世話その他の看護である療養を受ける際、65歳に達する日の属する月の翌月以後である被保険者をいう）ではないため、入院時生活療養費は支給されません（法85条の2第1項）。

69  重要度 B [H28問3-D]

患者申出療養とは、高度の医療技術を用いた療養であって、当該療養を受けようとする者の申出に基づき、療養の給付の対象とすべきものであるか否かについて、適正な医療の効率的な提供を図る観点から評価を行うことが必要な療養として厚生労働大臣が定めるものをいい、被保険者が厚生労働省令で定めるところにより、保険医療機関のうち、自己の選定するものから患者申出療養を受けたときは、療養の給付の対象とはならず、その療養に要した費用について保険外併用療養費が支給される。

70 重要度 B [R2問1-C]

患者申出療養の申出は、厚生労働大臣が定めるところにより、厚生労働大臣に対し、当該申出に係る療養を行う医療法第４条の３に規定する臨床研究中核病院（保険医療機関であるものに限る。）の開設者の意見書その他必要な書類を添えて行う。

71 重要度 B [H28問7-C]

被保険者が予約診察制をとっている病院で予約診察を受けた場合には、保険外併用療養費制度における選定療養の対象となり、その特別料金は、全額自己負担となる。

72 重要度 B [H26問1-E]

被保険者が病床数100床以上の病院で、他の病院や診療所の文書による紹介なしに初診を受けたとき、当該病院はその者から選定療養として特別の料金を徴収することができる。ただし、緊急その他やむを得ない事情がある場合に受けたものを除く。

テキスト▶②社会保険科目P39

そのとおり正しい（法63条２項４号、法86条１項）。

テキスト▶②社会保険科目P39

そのとおり正しい（法63条４項）。なお、厚生労働大臣は、患者申出療養に係る当該療養を受けようとする者の申出を受けた場合は、当該申出について速やかに検討を加え、当該申出に係る療養が、療養の給付の対象とすべきものであるか否かについて、適正な医療の効率的な提供を図る観点から評価を行うことが必要な療養と認められる場合には、当該療養を患者申出療養として定めるものとします（同条５項）。

テキスト▶②社会保険科目P39

そのとおり正しい（法86条１項、平18.9.12厚労告495号）。

×

テキスト▶②社会保険科目P39

被保険者が病床数「**200床**」**以上**の病院で、他の病院や診療所の文書による紹介なしに初診を受けたときは、当該療養は、原則として、選定療養となり、病院は特別の料金を徴収できます（法63条２項５号、平18.9.12厚労告495号ほか）。

73

重要度 A　[H24問6-B]

被保険者が療養の給付若しくは入院時食事療養費、入院時生活療養費若しくは保険外併用療養費の支給に代えて療養費の支給を受けることを希望した場合、保険者は療養の給付等に代えて療養費を支給しなければならない。

74

重要度 AA　[H24問9-B]

事業主が被保険者資格取得届の届出を怠った場合においては、その間に保険医療機関で受診しても被保険者の身分を証明し得ない状態であるので、療養費の対象となる。

75

重要度 A　[H24問3-C]

訪問看護は、医師、歯科医師又は看護師のほか、保健師、助産師、准看護師、理学療法士、作業療法士及び言語聴覚士が行う。

76

重要度 B　[R3問1-E]

訪問看護事業とは、疾病又は負傷により、居宅において継続して療養を受ける状態にある者（主治の医師がその治療の必要の程度につき厚生労働省令で定める基準に適合していると認めたものに限る。）に対し、その者の居宅において看護師その他厚生労働省令で定める者が行う療養上の世話又は必要な診療の補助（保険医療機関等又は介護保険法第８条第28項に規定する介護老人保健施設若しくは同条第29項に規定する介護医療院によるものを除く。）を行う事業のことである。

×

テキスト▶②社会保険科目P40

療養費は、療養の給付等を行うことが困難であると**保険者が認めるとき**、又は被保険者が保険医療機関等以外の病院等から診療を受けた場合において**保険者がやむを得ないものと認めるとき**に、療養の給付等に代えて「支給することができる」ものであり、「被保険者の希望」によって療養の給付等に代えて療養費の支給が行われるわけではありません（法87条１項）。

〇

テキスト▶②社会保険科目P40

そのとおり正しい（法87条１項、昭3.4.30保理1089号）。

×

テキスト▶②社会保険科目P41

訪問看護を行う者に「**医師**」、「**歯科医師**」**は含まれません**（則68条）。

〇

テキスト▶②社会保険科目P41

そのとおり正しい（法88条１項）。なお、本問の看護師その他厚生労働省令で定める者は、看護師、保健師、助産師、准看護師、理学療法士、作業療法士及び言語聴覚士とされています（則68条）。

77

重要度 A　[H24問6-C]

被保険者が療養の給付（保険外併用療養費に係る療養を含む。）を受けるため、病院又は診療所に移送されたときは、保険者が必要であると認める場合に限り、移送費が支給される。この金額は、最も経済的な通常の経路及び方法により移送された場合の費用により算定した金額となるが、現に移送に要した費用の金額を超えることができない。

78

重要度 A　[R3問9-D]

傷病手当金の支給要件に係る療養は、一般の被保険者の場合、保険医から療養の給付を受けることを要件としており、自費診療による療養は該当しない。

79

重要度 A　[H28問3-C]

被保険者が就業中の午後４時頃になって虫垂炎を発症し、そのまま入院した場合、その翌日が傷病手当金の待期期間の起算日となり、当該起算日以後の３日間連続して労務不能であれば待期期間を満たすことになる。

80

重要度 B　[R5問10-B]

傷病手当金の待期期間について、疾病又は負傷につき最初に療養のため労務不能となった場合のみ待期が適用され、その後労務に服し同じ疾病又は負傷につき再度労務不能になった場合は、待期の適用がない。

81

重要度 AA　[R2問2-E]

被保険者資格を取得する前に初診日がある傷病のため労務に服することができず休職したとき、療養の給付は受けられるが、傷病手当金は支給されない。

テキスト▶②社会保険科目P41

そのとおり正しい（法97条、則80条）。

テキスト▶②社会保険科目P42

傷病手当金の支給に当たって、保険医から療養の給付を受けることは要件とされていません（法99条１項、昭2.2.26保発345号）。

テキスト▶②社会保険科目P42

待期期間は、労務に服することができない状態になった日（その状態になった時が、業務終了後である場合においては翌日）から起算します（法99条１項、昭5.10.13保発52号）。本問の場合、**就業中**に虫垂炎を発症し、そのまま入院しているため、その**発症した日が待期期間の起算日となります。**

テキスト▶該当ページなし

そのとおり正しい（昭2.3.11保理1085号）。なお、待期は、労務に服することのできない日が３日間連続して初めて完成します（昭32.1.31保発２号の２ほか）。

テキスト▶②社会保険科目P42

被保険者の資格取得が適正である限り、その資格取得前の疾病又は負傷に対しても保険給付をなすものであるとされており、被保険者資格取得前にかかった疾病又は受けた負傷についても、所定の要件を満たせば、療養の給付のみならず、傷病手当金についても支給されます（昭26.5.1保文発1346号、昭26.10.16保文発4111号）。

82

重要度 A　[H26問10-A]

被保険者が、業務外の事由による疾病で労務に服することができなくなり、4月25日から休業し、傷病手当金を請求したが、同年5月末日までは年次有給休暇を取得したため、同年6月1日から傷病手当金が支給された。この傷病手当金の支給期間は、同年4月28日から起算して1年6か月である。

83

重要度 A　[H26問10-B]

被保険者が、業務外の事由による疾病で労務に服することができなくなり、6月4日から欠勤し、同年6月7日から傷病手当金が支給された。その後病状は快方に向かい、同年9月1日から職場復帰したが、同年12月1日から再び同一疾病により労務に服することができなくなり欠勤したため、傷病手当金の請求を行った。この傷病手当金の支給期間は、同年6月7日から通算して1年6か月間である。

84

[H25問9-B]

被保険者（任意継続被保険者又は特例退職被保険者を除く。）が療養のため労務に服することができないときは、その労務に服することができなくなった日から起算して5日を経過した日から労務に服することができない期間、傷病手当金として、1日につき、標準報酬日額の5分の2に相当する金額を支給する。

テキスト▶②社会保険科目P42

傷病手当金の支給は、同一の疾病又は負傷及びこれにより発した疾病に関しては、その**「支給を始めた日から」起算して通算1年6月間**行われます（法99条4項ほか）。本問において傷病手当金の支給が開始した日は6月1日であるため、傷病手当金の支給期間は「6月1日」から通算1年6月間です。

テキスト▶②社会保険科目P43

そのとおり正しい(法99条4項)。本問における傷病手当金の支給が開始した日は、6月7日であるため、傷病手当金の支給期間は6月7日から通算して1年6月間です。

椛島のワンポイント

本問のように支給期間中に傷病手当金の支給が中断しても、支給を受けられる期間はトータル1年6か月で変わりません。

テキスト▶②社会保険科目P42

被保険者（任意継続被保険者又は特例退職被保険者を除く）が療養のため労務に服することができないときは、その労務に服することができなくなった日から起算して「**3日**」を経過した日から労務に服することができない期間、傷病手当金として、1日につき、原則として、傷病手当金の支給を始める日の属する月以前の直近の継続した12月間の各月の標準報酬月額を平均した額の**30分の1に相当する額の「3分の2」**に相当する金額を支給します（法99条1項・2項）。

椛島のワンポイント

傷病手当金を受給している期間中に給料が減額された場合であっても、傷病手当金の支給額を変更することは適当でない、とされています。

85

重要度 B　[R元問2-B]

67歳の被扶養者が保険医療機関である病院の療養病床に入院し、療養の給付と併せて生活療養を受けた場合、被保険者に対して入院時生活療養費が支給される。

86

重要度 B　[H26問5-ウ]

被扶養者が保険医療機関等において、評価療養又は選定療養を受けたときは、その療養に要した費用について、被保険者に対して家族療養費が支給される。

87

重要度 A　[H30問2-B]

高額療養費の算定における世帯合算は、被保険者及びその被扶養者を単位として行われるものであり、夫婦がともに被保険者である場合は、原則としてその夫婦間では行われないが、夫婦がともに70歳以上の被保険者であれば、世帯合算が行われる。

88

重要度 A　[H28問3-A]

70歳未満の被保険者又は被扶養者の受けた療養について、高額療養費を算定する場合には、同一医療機関で同一月内の一部負担金等の額が21,000円未満のものは算定対象から除かれるが、高額介護合算療養費を算定する場合には、それらの費用も算定の対象となる。

89

重要度 B　[H27問3-E]

同一の月に同一の保険医療機関において内科及び歯科をそれぞれ通院で受診したとき、高額療養費の算定上、１つの病院で受けた療養とみなされる。

×

テキスト▶②社会保険科目P44

本問の場合、被保険者に対して「**家族療養費**」が支給されます（法110条１項）。

テキスト▶②社会保険科目P44

そのとおり正しい（法110条１項）。

テキスト▶②社会保険科目P46

世帯合算の対象となるのは被保険者及びその被保険者の被扶養者に係る一部負担金等であり、被保険者同士の一部負担金等は、**その年齢にかかわらず、世帯合算の対象となりません**（令41条ほか）。

×

テキスト▶②社会保険科目P45

70歳未満の被保険者又は被扶養者について、高額介護合算療養費を算定する場合においても、一部負担金等の額が**21,000円未満**のものは、その算定対象から**除かれます**（令43条の２第１項ほか）。

テキスト▶②社会保険科目P46

内科と歯科を併せ有する医療機関にあっては、内科と歯科それぞれの単位で高額療養費の支給要件に該当するか否かが判定されるため、本問の場合、高額療養費の算定上、１つの病院で受けた療養とは**みなされません**（昭48.10.17保険発95号・庁保険発18号）。

90

[H27問4-イ]

高額療養費の支給要件、支給額等は、療養に必要な費用の負担の家計に与える影響及び療養に要した費用の額を考慮して政令で定められているが、入院時生活療養費に係る生活療養標準負担額は高額療養費の算定対象とならない。

91

[H26問1-A]

高額療養費多数回該当の場合とは、療養のあった月以前の12か月以内に既に高額療養費が支給されている月数が2か月以上ある場合をいい、3か月目からは一部負担金等の額が多数回該当の高額療養費算定基準額を超えたときに、その超えた分が高額療養費として支給される。

92

[H25問2-A]

標準報酬月額560,000円の被保険者（50歳）の被扶養者（45歳）が、同一の月における入院療養（食事療養及び生活療養を除き、同一の医療機関における入院である。）に係る1か月の一部負担金の額として210,000円を支払った場合、高額療養費算定基準額は84,430円である。なお、当該世帯は、入院療養があった月以前12か月以内に高額療養費の支給を受けたことはない。

テキスト ▶ ②社会保険科目P46

そのとおり正しい（法115条）。

テキスト ▶ ②社会保険科目P46～47

高額療養費多数回該当の場合とは、療養のあった月以前の12か月以内に既に高額療養費が支給されている月数が「**3か月**」**以上ある**場合をいい、「**4か月目**」**から**は一部負担金等の額が多数回該当の高額療養費算定基準額を超えたときに、その超えた分が高額療養費として支給されます（令42条1項各号ただし書ほか）。

テキスト ▶ ②社会保険科目P46

本問の被保険者の標準報酬月額は53万円以上83万円未満であり、また、高額療養費多数回該当にはあたらないため、**高額療養費算定基準額は「167,400円＋（医療費－558,000円）×1％**」となります。
本問の被保険者及び被扶養者の一部負担金等の割合はいずれも3割であるから、医療費は700,000円（＝210,000円÷0.3）となります。
以上より、高額療養費算定基準額は、167,400円＋（700,000円－558,000円）×1％＝168,820円となります（令42条1項3号）。

椛島のワンポイント

所得区分	高額療養費算定基準額
①標準報酬月額83万円以上	252,600円＋（医療費－842,000円）×1%
②標準報酬月額53万円以上83万円未満	167,400円＋（医療費－558,000円）×1%
③標準報酬月額28万円以上53万円未満	80,100円＋（医療費－267,000円）×1%
④標準報酬月額28万円未満	57,600円
⑤低所得者	35,400円

93

[H24問1-C]

高額な薬剤費等がかかる患者の負担を軽減するため、同一医療機関での同一月の窓口負担が自己負担限度額を超える場合は、患者が高額療養費を事後に申請して受給する手続きに代えて、保険者から医療機関に支給することで、窓口での支払を自己負担限度額までにとどめるという現物給付化の対象となっているのは、入院医療に限られている。

94

[H24問3-E]

被保険者が３月15日から４月10日まで同一の医療機関で入院療養を受けた場合は、高額療養費は３月15日から３月31日までの療養に係るものと、４月１日から４月10日までの療養に係るものに区分される。

95

[H23問8-C]

高額療養費の支給要件の取扱いでは、同一の医療機関であっても入院診療分と通院診療分はそれぞれ区別される。

96

[R2問4-D]

標準報酬月額が56万円である60歳の被保険者が、慢性腎不全で１つの病院から人工腎臓を実施する療養を受けている場合において、当該療養に係る高額療養費算定基準額は10,000円とされている。

テキスト▶②社会保険科目P45

高額療養費の現物給付は、入院医療のみならず**「外来診療」**についても行われています（令43条ほか）。

テキスト▶②社会保険科目P46

そのとおり正しい（令41条１項ほか）。

椛島のワンポイント

高額療養費は、**暦月単位（同一の月）**で算定されます。また、同一の月に複数の病院等から療養を受けた場合は、それぞれの**病院ごとに区分**して算定されます。

テキスト▶②社会保険科目P46

そのとおり正しい（令43条10項ほか）。

×

テキスト▶②社会保険科目P47

本問の者は、標準報酬月額が53万円以上であり、人工腎臓を実施している慢性腎不全に係る療養を受ける70歳未満の者であることから、高額療養費算定基準額は「２万円」とされています（令42条９項）。

97

☑☑☑ 重要度 B [R元問2-E]

被保険者が死亡したときは、埋葬を行う者に対して、埋葬料として５万円を支給するが、その対象者は当該被保険者と同一世帯であった者に限られる。

98

☑☑☑ 重要度 A [H25問7-D]

死亡した被保険者により生計を維持されていなかった兄弟姉妹は、実際に埋葬を行った場合であっても、埋葬費の支給を受ける埋葬を行った者に含まれない。

99

☑☑☑ 重要度 A [H28問8-B]

被保険者が妊娠４か月以上で出産をし、それが死産であった場合、家族埋葬料は支給されないが、出産育児一時金は支給の対象となる。

100

☑☑☑  [H27問6-A]

出産育児一時金の額は、公益財団法人日本医療機能評価機構が運営する産科医療補償制度に加入する医療機関等の医学的管理下における在胎週数22週に達した日以後の出産（死産を含む。）であると保険者が認めたときには50万円、それ以外のときには48万８千円である。

101

☑☑☑  [R5問4-E]

令和５年４月１日以降、被保険者の被扶養者が産科医療補償制度に加入する医療機関等で医学的管理の下、妊娠週数22週以降に双子を出産した場合、家族出産育児一時金として、被保険者に対し100万円が支給される。

×

テキスト▶②社会保険科目P49

被保険者が死亡したときは、「その者により生計を維持していた者であって」、埋葬を行うものに対し、埋葬料として、５万円が支給されます（法100条１項、令35条、昭7.4.25保規129号）。この「生計を維持していた者」については、**被保険者と同一世帯にあったか否かは問われません。**

×

テキスト▶②社会保険科目P49

埋葬に要した費用に相当する金額（埋葬費）は、埋葬料の支給を受けるべき者がない場合において、**埋葬を行った者**に対して支給されるものであるため、死亡した被保険者により生計を維持されていなかった兄弟姉妹であって実際に埋葬を行ったものは、埋葬費の支給を受けることができます（法100条２項ほか）。

○

テキスト▶②社会保険科目P50

そのとおり正しい（法101条、法113条、昭27.6.16保文発2427号、昭23.12.2保文発898号）。

○

テキスト▶②社会保険科目P50

そのとおり正しい（令36条、平20.12.17保保発1217007号、平26.11.27保保発1127第１号）。

○

テキスト▶②社会保険科目P50

そのとおり正しい。双児等の出産の場合は、胎盤数にかかわらず１産児排出を１出産と認め、胎児数に応じて出産育児一時金を支給します（昭16.7.23社発991号）。

102

重要度 B

[H25問1-E]

引き続き１年以上の被保険者期間（任意継続被保険者期間、特例退職被保険者期間又は共済組合の組合員である期間を除く。）を有し、資格喪失後６か月以内に出産した者が、健康保険の被扶養者になっている場合、請求者の選択により被保険者本人としての出産育児一時金、又は被扶養者としての家族出産育児一時金のいずれかを受給することとなる。

103

重要度 A

[H24問7-A]

被保険者（任意継続被保険者を除く。）が出産したときは、出産の日（出産の日が出産の予定日後であるときは、出産の予定日）以前42日（多胎妊娠の場合においては、98日）から出産の日後56日までの間において労務に服さなかった期間、出産手当金として、一日につき、原則として出産手当金の支給を始める日の属する月以前の直近の継続した12月間の各月の標準報酬月額を平均した額の30分の１に相当する額の３分の２に相当する金額が支給される。

テキスト ▶ ②社会保険科目P51

そのとおり正しい（法106条、法114条、昭48.11.7保険発99号・庁保険発21号ほか）。

テキスト ▶ ②社会保険科目P50

そのとおり正しい（法102条）。

⑦ 資格喪失後の保険給付

104 ☑☑☑ 重要度 B [H30問9-A]

被保険者の資格を喪失した日の前日まで引き続き１年以上被保険者（任意継続被保険者又は共済組合の組合員である被保険者を除く。）であった者であって、その資格を喪失した際、その資格を喪失した日の前日以前から傷病手当金の支給を受けている者は、その資格を喪失した日から１年６か月間、継続して同一の保険者から当該傷病手当金を受給することができる。

105 ☑☑☑ 重要度 B [R3問9-B]

１年以上の継続した被保険者期間（任意継続被保険者であった期間、特例退職被保険者であった期間及び共済組合の組合員であった期間を除く。）を有する者であって、出産予定日から起算して40日前の日に退職した者が、退職日において通常勤務していた場合、退職日の翌日から被保険者として受けることができるはずであった期間、資格喪失後の出産手当金を受けることができる。

106 ☑☑☑ 重要度 A [H29問8-E]

資格喪失後の継続給付として傷病手当金の支給を受けていた者が、被保険者資格の喪失から３か月を経過した後に死亡したときは、死亡日が当該傷病手当金を受けなくなった日後３か月以内であっても、被保険者であった者により生計を維持していた者であって、埋葬を行うものが埋葬料の支給を受けることはできない。

107 ☑☑☑ 重要度 C [R3問6-D]

傷病手当金又は出産手当金の継続給付を受ける者が死亡したとき、当該継続給付を受けていた者がその給付を受けなくなった日後３か月以内に死亡したとき、又はその他の被保険者であった者が資格喪失後３か月以内に死亡したときは、埋葬を行う者は誰でもその被保険者の最後の保険者から埋葬料の支給を受けることができる。

×

テキスト▶②社会保険科目P52

継続給付たる傷病手当金の支給期間は、「**その支給を始めた日**」から1年6月間です（法99条4項、法104条）。

×

テキスト▶②社会保険科目P52

資格喪失後の出産手当金の継続給付は、「その資格を喪失した際に出産手当金の支給を受けている」場合に「継続して」同一の保険者から受けるものです（法104条）。したがって、退職日に通常勤務した本問の場合には、資格喪失後の出産手当金は支給されません。

×

テキスト▶②社会保険科目P53

資格喪失後の継続給付としての傷病手当金を受けなくなった日後3か月以内に死亡した場合、その死亡日が被保険者資格の喪失から3か月を経過した後であっても、被保険者であった者により生計を維持していた者であって、埋葬を行うものは、その被保険者の最後の保険者から埋葬料の支給を**受けることができます**（法105条1項）。

×

テキスト▶②社会保険科目P53

本問の場合、「被保険者であった者により生計を維持していた者」であって、埋葬を行うものは、その被保険者の最後の保険者から埋葬料の支給を受けることができます（法105条1項）。

108

[H28問7-B]

被保険者の資格を喪失した日の前日まで引き続き１年以上被保険者（任意継続被保険者、特例退職被保険者又は共済組合の組合員である被保険者を除く。）であった者が傷病により労務不能となり、当該労務不能となった日から３日目に退職した場合には、資格喪失後の継続給付としての傷病手当金の支給を受けることはできない。

109

重要度 B　[H24問9-C]

一定の要件を満たした者が、被保険者の資格を喪失した際に傷病手当金の支給を受けている場合、被保険者として受けることができるはずであった期間、継続して同一の保険者から傷病手当金を受給することができるが、退職日まで有給扱いで全額賃金が支給されていても、資格喪失後の傷病手当金は受給することができる。

110

重要度 A　[H23問2-C]

継続して１年以上被保険者（任意継続被保険者、特例退職被保険者及び共済組合の組合員である被保険者を除く。）であった者であって、被保険者の資格を喪失した際に傷病手当金の支給を受けている者は、被保険者として受けることができるはずであった期間、継続して同一の保険者から傷病手当金を受けることができる。ただし、資格喪失後に任意継続被保険者になった場合は、その傷病手当金を受けることはできない。

111

重要度 B　[H23問2-D]

被保険者資格を喪失後に傷病手当金の継続給付を受給している者が、老齢又は退職を支給事由とする年金である給付であって政令で定めるもの（以下「老齢退職年金給付」という。）の支給を受けることができるとき、老齢退職年金給付は支給されない。

テキスト▶②社会保険科目P52

そのとおり正しい（昭32.1.31保発２号の２）。

桜島のワンポイント

資格喪失の日前療養のため労務に服することのできない状態が３日間連続しているのみでは、いまだ現に傷病手当金の支給を受けているわけではなく、また、支給を受け得る状態にもないため、資格喪失後の継続給付としての傷病手当金の支給を受けることはできません。

テキスト▶②社会保険科目P52

そのとおり正しい（法104条、昭27.6.12保文発3367号）。

桜島のワンポイント

事業主から報酬を受けているため傷病手当金又は出産手当金の支給が停止されている者は、その者が資格を喪失し、事業主より報酬を受けなくなれば当然にその日より傷病手当金又は出産手当金は支給されます。

テキスト▶②社会保険科目P52

任意継続被保険者であっても、当該任意継続被保険者の資格を取得した日の前日まで**引き続き１年以上当然被保険者**であり、**かつ**、当該当然被保険者の資格を喪失した際に**傷病手当金の支給を受けていた**者は、傷病手当金の**継続給付を受けることができます**（法104条）。

テキスト▶②社会保険科目P53

本問の場合、老齢退職年金給付が支給され、**原則として、傷病手当金は支給されません**（法108条５項ほか）。ただし、老齢退職年金給付の額を360で除して得た額が傷病手当金の額より少ないときは、その**差額が傷病手当金**として支給されることになります。

112   [R4問5-D]

被保険者の資格を喪失した日の前日まで引き続き１年以上被保険者（任意継続被保険者、特例退職被保険者又は共済組合の組合員である被保険者ではないものとする。）であった者が、被保険者の資格を喪失した日より６か月後に出産したときに、被保険者が当該出産に伴う出産手当金の支給の申請をした場合は、被保険者として受けることができるはずであった出産手当金の支給を最後の保険者から受けることができる。

×

テキスト▶②社会保険科目P54

出産手当金ではなく、「出産育児一時金」なら正しいです（法106条）。本問は“資格喪失後の出産育児一時金”のハナシであり、“出産手当金の継続給付”のハナシではありません。

8 保険給付の通則

113 ☑☑☑ 重要度A [H30問6-D]

保険者は、偽りその他不正の行為により保険給付を受け、又は受けようとした者に対して、6か月以内の期間を定め、その者に支給すべき療養費の全部又は一部を支給しない旨の決定をすることができるが、偽りその他不正の行為があった日から3年を経過したときは、この限りでない。

114 ☑☑☑ 重要度B [H30問7-A]

保険者は、被保険者の被扶養者が、正当な理由なしに療養に関する指示に従わないときは、当該被扶養者に係る保険給付の全部を行わないことができる。

115 ☑☑☑ 重要度S [R3問6-C]

被保険者又は被保険者であった者が、自己の故意の犯罪行為により、又は故意若しくは重過失により給付事由を生じさせたときは、当該給付事由に係る保険給付は行われない。

116 ☑☑☑ 重要度B [H29問7-D]

保険者は、被保険者又は被保険者であった者が、刑事施設、労役場その他これらに準ずる施設に拘禁された場合には、被扶養者に対する保険給付を行うことができない。

テキスト▶②社会保険科目P56

保険者は、偽りその他不正の行為により保険給付を受け、又は受けようとした者に対して、6月以内の期間を定め、その者に支給すべき「**傷病手当金又は出産手当金**」の全部又は一部を支給しない旨の決定をすることができます（法120条）。ただし、偽りその他不正の行為があった日から「**1年**」を経過したときは、この限りでありません。

テキスト▶②社会保険科目P56

保険者は、被保険者の被扶養者が、正当な理由なしに療養に関する指示に従わないときは、当該被扶養者に係る保険給付の「**一部**」**を行わない**ことができます（法119条、法122条）。

椛島のワンポイント

被扶養者に関する保険給付にも、この規定が準用されます。

テキスト▶②社会保険科目P55

被保険者又は被保険者であった者が、「自己の故意の犯罪行為により、又は故意に」給付事由を生じさせたときは、当該給付事由に係る保険給付は、行いません（法116条）。

×

テキスト▶②社会保険科目P56

被保険者又は被保険者であった者が、刑事施設、労役場その他これらに準ずる施設に拘禁された場合には、疾病、負傷又は出産につき、その期間に係る所定の保険給付は行われませんが、この場合であっても、「**被扶養者に係る保険給付を行うことを妨げない**」ものとされています（法118条）。

椛島のワンポイント

被保険者が刑事施設等に収容・拘禁されている場合であっても、被扶養者に係る保険給付は行われます。また、被扶養者が刑事施設等に収容・拘禁されている場合は、当該被扶養者の疾病、負傷又は出産に関する保険給付は、行われません。

117

[H28問6-A]

健康保険法第116条では、被保険者又は被保険者であった者が、自己の故意の犯罪行為により又は故意に給付事由を生じさせたときは、当該給付事由に係る保険給付は行われないと規定されているが、被扶養者に係る保険給付についてはこの規定が準用されない。

118

重要度 B

[H23問2-A]

被保険者が故意に給付事由を生じさせたときは、当該給付事由に係る保険給付は行われないため、自殺により死亡した場合の埋葬料は支給されない。

119

[H23問3-E]

被保険者が闘争、泥酔又は著しい不行跡によって給付事由を生じさせたときは、当該給付事由に係る保険給付は、その給付の全額について行わないものとする。

120

[H24問7-C]

全国健康保険協会は、保険給付に併せて、規約で定めるところにより、付加給付を行うことができる。

121

[H24問7-D]

保険給付を受ける権利は、健康保険法上、必要と認める場合には、譲渡や担保に供したり又は差し押さえることができる。

テキスト▶②社会保険科目P55

法116条では、被保険者又は被保険者であった者が、自己の故意の犯罪行為により、又は故意に給付事由を生じさせたときは、当該給付事由に係る保険給付は、行われないと規定されていますが、この規定は**被扶養者に係る保険給付について、準用されています**（法116条、法122条）。

テキスト▶②社会保険科目P55

被保険者の自殺による死亡は故意に基づく事故ではありますが、**死亡は絶対的な事故**であるとともに、この死亡に対する保険給付としての埋葬料は被保険者であった者に生計を依存していた者で埋葬を行うものに対して支給されるという性質のものであるから法116条後段に該当しないものとして取り扱い、**埋葬料を支給しても差し支えない**こととされています（昭26.3.19保文発721号ほか）。

テキスト▶②社会保険科目P55

被保険者が闘争、泥酔又は著しい不行跡によって給付事由を生じさせたときは、当該給付事由に係る保険給付は、その**全部又は一部を行わないことができます**（法117条）。

テキスト▶②社会保険科目P60

「**健康保険組合**」は、健康保険法で定める保険給付に併せて、規約で定めるところにより付加給付を行うことができますが、「**全国健康保険協会**」に付加給付の定めはありません（法53条）。

テキスト▶②社会保険科目P60

保険給付を受ける権利は、**譲り渡し、担保に供し、又は差し押さえることができません**（法61条）。

122

重要度 A　[H24問8-E]

租税その他の公課は、保険給付として支給を受けた金品を標準として課することはできないが、傷病手当金は、療養中の期間の所得保障を目的に支給されるため、所得税の課税対象になる。

123

重要度 A　[H23問7-A]

保険者は、保険医療機関等が偽りその他不正の行為によって療養の給付に関する費用の支払を受けたときは、当該保険医療機関等に対し、その支払った額につき返還させるほか、その返還させる額に100分の40を乗じて得た額を支払わせることができる。

124

重要度 A　[R3問4-エ]

保険者は、指定訪問看護事業者が偽りその他不正の行為によって家族訪問看護療養費に関する費用の支払いを受けたときは、当該指定訪問看護事業者に対し、その支払った額につき返還させるほか、その返還させる額に100分の40を乗じて得た額を支払わせることができる。

125

重要度 B　[R4問2-A]

被保険者の数が５人以上である適用事業所に使用される法人の役員としての業務（当該法人における従業員が従事する業務と同一であると認められるものに限る。）に起因する疾病、負傷又は死亡に関しては、傷病手当金を含めて健康保険から保険給付が行われる。

×

テキスト▶②社会保険科目P60

租税その他の公課は、保険給付として支給を受けた金品を標準として、課することができず、「傷病手当金」についても**公課を課することができません**（法62条）。

テキスト▶②社会保険科目P59

そのとおり正しい（法58条３項）。

桜島のワンポイント

本問の徴収金の加算の対象となるのは、保険医療機関のみならず、保険薬局又は指定訪問看護事業者も当該加算の対象となることとされています。

テキスト▶②社会保険科目P59

そのとおり正しい（法58条３項）。なお、被保険者の被扶養者が指定訪問看護事業者から指定訪問看護を受けたときは、被保険者に対し、その指定訪問看護に要した費用について、家族訪問看護療養費を支給します（法111条１項）。

テキスト▶②社会保険科目P58

法人の役員としての業務（当該法人における従業員が従事する業務と同一であると認められるものに限る）に起因する疾病、負傷又は死亡に関しては、傷病手当金を含めて健康保険から保険給付が行われるのは、「５人未満」のケースです（法53条の２）。

9 費用の負担

126 重要度C [R3問2-C]

全国健康保険協会管掌健康保険の事業の執行に要する費用のうち、出産育児一時金、家族出産育児一時金、埋葬料（埋葬費）及び家族埋葬料の支給に要する費用については、国庫補助は行われない。

127 重要度B [H30問4-D]

国庫は、予算の範囲内において、健康保険事業の執行に要する費用のうち、高齢者医療確保法の規定による特定健康診査及び特定保健指導の実施に要する費用の全部を補助することができる。

128  重要度A [H29問4-ウ]

健康保険事業の事務の執行に要する費用について、国庫は、全国健康保険協会に対して毎年度、予算の範囲内において負担しているが、健康保険組合に対しては負担を行っていない。

129  重要度B [R元問6-A]

全国健康保険協会は政府から独立した保険者であることから、厚生労働大臣は、事業の健全な運営に支障があると認める場合には、全国健康保険協会に対し、都道府県単位保険料率の変更の認可を申請すべきことを命ずることができるが、厚生労働大臣がその保険料率を変更することは一切できない。

○

テキスト ▶ ②社会保険科目P61

そのとおり正しい（法153条、法154条１項）。なお、国庫は、法151条及び法153条及び法154条に規定する費用のほか、予算の範囲内において、健康保険事業の執行に要する費用のうち、特定健康診査等の実施に要する費用の一部を補助することができます（法154条の２）。

×

テキスト ▶ ②社会保険科目P62

国庫は、予算の範囲内において、健康保険事業の執行に要する費用のうち、特定健康診査等の実施に要する費用の**「一部」を補助**することができます（法154条の２）。

×

テキスト ▶ ②社会保険科目P61

健康保険事業の事務の執行に要する費用に係る国庫負担は、全国健康保険協会のみならず、**健康保険組合に対しても行われます**（法151条）。

×

テキスト ▶ ②社会保険科目P64

厚生労働大臣は、都道府県単位保険料率が、当該都道府県における健康保険事業の収支の均衡を図る上で不適当であり、協会が管掌する健康保険の事業の健全な運営に支障があると認めるときは、協会に対し、相当の期間を定めて、当該都道府県単位保険料率の**変更の認可を申請すべきことを命ずることができ**、また、厚生労働大臣は、協会が当該期間内に当該申請をしないときは、社会保障審議会の議を経て、当該都道府県単位保険料率を**変更することができます**（法160条10項・11項）。

130

[H30問5-オ]

健康保険組合は、規約で定めるところにより、事業主の負担すべき一般保険料額又は介護保険料額の負担の割合を増加することができる。

131

重要度 A

[H28問2-B]

合併により設立された健康保険組合又は合併後存続する健康保険組合のうち一定の要件に該当する合併に係るものは、当該合併が行われた日の属する年度及びこれに続く５か年度に限り、1,000分の30から1,000分の130までの範囲内において、不均一の一般保険料率を決定することができる。

132

[H26問4-D]

全国健康保険協会（以下「協会」という。）が管掌する健康保険の被保険者に関する一般保険料率は、1,000分の30から1,000分の130までの範囲内において、支部被保険者を単位として協会が決定する。なお、支部被保険者とは、各支部の都道府県に所在する適用事業所に使用される被保険者及び当該都道府県の区域内に住所又は居所を有する任意継続被保険者をいう。

133

[H23問10-A]

全国健康保険協会が都道府県単位保険料率を変更しようとするときは、あらかじめ、運営委員会が当該変更に係る都道府県に所在する支部の支部長の意見を聴いたうえで、理事長に対しその変更について意見の申出を行う。

○

テキスト▶②社会保険科目P65

そのとおり正しい（法162条）。

椛島のワンポイント

全国健康保険協会においては、本問のような規定はありません。

テキスト▶②社会保険科目P65

そのとおり正しい（法附則３条の２第１項）。

テキスト▶②社会保険科目P63

そのとおり正しい（法160条１項）。

×

テキスト▶②社会保険科目P64

全国健康保険協会が都道府県単位保険料率を変更しようとするときは、あらかじめ、「**理事長**」が当該変更に係る都道府県に所在する支部の支部長の意見を聴いた上で、「**運営委員会の議を経なければならない**」とされています（法160条６項）。

134

[R3問10-C]

事業主は、被保険者に対して通貨をもって報酬を支払う場合においては、被保険者の負担すべき前月の標準報酬月額に係る保険料を報酬から控除することができる。ただし、被保険者がその事業所に使用されなくなった場合においては、前月及びその月の標準報酬月額に係る保険料を報酬から控除することができる。

135

[R元問10-C]

給与計算の締切り日が毎月15日であって、その支払日が当該月の25日である場合、7月30日で退職し、被保険者資格を喪失した者の保険料は7月分まで生じ、8月25日支払いの給与（7月16日から7月30日までの期間に係るもの）まで保険料を控除する。

136

[H22問10-D]

育児休業等をしている被保険者が使用される事業所の事業主が、厚生労働省令で定めるところにより保険者等に申出をしたときは、その育児休業等を開始した日の属する月の翌月からその育児休業等が終了する日の翌日が属する月の前月までの期間、当該被保険者に関する保険料は徴収されない。

137

[R5問9-ウ]

被保険者丙の育児休業等開始日が令和5年1月4日で、育児休業等終了日が令和5年1月16日の場合は、令和5年1月の当該被保険者に関する保険料は徴収されない。

○

テキスト▶②社会保険科目P67

そのとおり正しい（法167条１項）。なお、事業主は、被保険者に対して通貨をもって賞与を支払う場合においては、被保険者の負担すべき標準賞与額に係る保険料に相当する額を当該賞与から控除することができます（同条２項）。

×

テキスト▶②社会保険科目P63

被保険者が７月30日で退職した場合、**資格喪失日は７月31日**となり、７月については保険料は算定されません（法156条３項、法167条１項）。したがって、「**7月25日払いの給与まで**」保険料（６月分の保険料）を控除することとなります。

×

テキスト▶②社会保険科目P66

本問の場合、育児休業等を「**開始した日の属する月**」からその育児休業等が終了する日の翌日が属する月の前月までの期間、当該被保険者に関する保険料は徴収されません（法159条）。

×

テキスト▶②社会保険科目P66

休業期間が「14日以上」ではないので、保険料免除となりません（法159条）。つまり、保険料は徴収されます。

138

重要度 B　[H30問5-エ]

一般の被保険者に関する毎月の保険料は、翌月末日までに、納付しなければならない。任意継続被保険者に関する毎月の保険料は、その月の10日までに納付しなければならないが、初めて納付すべき保険料については、被保険者が任意継続被保険者の資格取得の申出をした日に納付しなければならない。

139

重要度 B　[H24問5-C]

保険者等は、①被保険者に関する保険料の納入の告知をした後に、告知をした保険料額が当該納付義務者の納付すべき保険料額を超えていることを知ったとき、又は②納付した被保険者に関する保険料額が当該納付義務者の納付すべき保険料額を超えていることを知ったときは、その超えている部分に関する納入の告知又は納付を、その告知又は納付の日の翌日から１年以内の期日に納付されるべき保険料について納期を繰り上げてしたものとみなすことができる。

140

重要度 B　[R2問7-E]

任意継続被保険者は、将来の一定期間の保険料を前納することができる。この場合において前納すべき額は、前納に係る期間の各月の保険料の額の合計額である。

×

テキスト▶②社会保険科目P67

任意継続被保険者が初めて納付すべき保険料については、「**保険者が指定する日まで**」に納付しなければなりません（法164条１項）。

×

テキスト▶②社会保険科目P67

本問の場合、保険者等は、超えている部分に関する納入の告知又は納付を、その告知又は納付の日の翌日から「**６月以内**」の期日に納付されるべき保険料について納期を繰り上げてしたものとみなすことができます（法164条２項）。

×

テキスト▶②社会保険科目P67～68

任意継続被保険者の保険料の前納に係る前納すべき額は、前納に係る期間の各月の保険料の額「から政令で定める額を控除した額」とされています（法165条１項・２項）。なお、この「政令で定める額」とは、前納に係る期間の各月の保険料の合計額から、その期間の各月の保険料の額を年４分の利率による複利現価法によって前納に係る期間の最初の月から当該各月までのそれぞれの期間に応じて割り引いた額の合計額を控除した額とされています（令49条）。

141

[H28問5-B]

適用事業所の事業主が納期限が５月31日である保険料を滞納し、指定期限を６月20日とする督促を受けたが、実際に保険料を完納したのが７月31日である場合は、原則として６月１日から７月30日までの日数によって計算された延滞金が徴収されることになる。

142

[H26問6-A]

法人である保険料納付義務者が解散をした場合には、保険者は納期前であってもすべての保険料を徴収することができる。

143

[H22問6-D]

保険料等を滞納する者があるときは、保険者等は、期限を指定して、これを督促しなければならない。ただし、法に基づいて、保険料を繰り上げて徴収するときは、督促の必要はない。督促をしようとするときは、保険者等は、納付義務者に対して、督促状を発しなければならない。この督促状により指定する期限は、督促状を発する日から起算して10日以上を経過した日でなければならない。

○

テキスト▶②社会保険科目P69

そのとおり正しい（法181条１項）。

桜島のワンポイント

延滞金の計算の基礎となる日数は、納期限の翌日から**徴収金完納又は財産差押えの日の前日まで**の期間の日数です。本問の場合、納期限の翌日は６月１日であり、徴収金完納の日の前日は７月30日であるため、本問のとおり、６月１日から７月30日までの日数を基礎として延滞金が計算されます。

テキスト▶②社会保険科目P68

そのとおり正しい（法172条２号）。

テキスト▶②社会保険科目P68

そのとおり正しい（法180条１項～３項）。

⑩ 不服申立て等

144

重要度A　[H25問6-E]

被保険者の資格、標準報酬又は保険給付に関する処分の取消しの訴えは、当該処分についての再審査請求に対する社会保険審査会の決定を経た後でなければ、提起することができない。

145

重要度A　[H23問4-D]

保険料等の賦課もしくは徴収の処分又は滞納処分に不服がある者は、社会保険審査官に対して審査請求をすることができる。

146

重要度A　[R元問4-ウ]

出産手当金を受ける権利は、出産した日の翌日から起算して２年を経過したときは、時効によって消滅する。

147

重要度A　[H28問5-C]

健康保険法では、保険給付を受ける権利はこれを行使することができる時から２年を経過したときは時効によって消滅することが規定されている。この場合、消滅時効の起算日は、療養費は療養に要した費用を支払った日の翌日、月間の高額療養費は診療月の末日（ただし、診療費の自己負担分を診療月の翌月以後に支払ったときは、支払った日の翌日）、高額介護合算療養費は計算期間（前年８月１日から７月31日までの期間）の末日の翌日である。

148

重要度A　[R3問4-ア]

療養の給付を受ける権利は、これを行使することができる時から２年を経過したときは、時効によって消滅する。

×

テキスト▶②社会保険科目P70

本問の処分の取消しの訴えは、当該処分についての審査請求に対する「**社会保険審査官の決定**」を経た後でなければ、提起することができません（法192号）。

×

テキスト▶②社会保険科目P70

保険料等の賦課若しくは徴収の処分又は滞納処分に不服がある者の審査請求は、「**社会保険審査会**」に対して行うことができます（法190条）。

×

テキスト▶②社会保険科目P72

出産手当金を受ける権利は、「**労務に服さなかった日ごとにその翌日**」から起算して**2年**を経過したときは、時効によって消滅します（法193条１項、昭30.9.7保険発199号の２）。

×

テキスト▶②社会保険科目P72

月間の高額療養費の支給を受ける権利の消滅時効の起算日は、診療を受けた月の「**翌月１日**」（診療費の自己負担分を診療月の翌月以後に支払ったときは、支払った日の翌日）です（法193条１項ほか）。

×

テキスト▶②社会保険科目P72

現物給付である療養の給付については時効の問題は生じません（法193条１項）。

149

重要度 B　[H24問5-E]

事業主は、保険者等からの標準報酬月額等の決定の通知があったときは、速やかにこれを被保険者又は被保険者であった者に通知しなければならない。この場合、正当な理由がなく、被保険者にこれらの事項に関する通知をしないときは、６か月以下の懲役又は50万円以下の罰金に処せられる。

150

重要度 A　[R3問6-A]

事業主が、正当な理由がなくて被保険者の資格の取得及び喪失並びに報酬月額及び賞与額に関する事項を保険者等に届出をせず又は虚偽の届出をしたときは、１年以下の懲役又は100万円以下の過料に処せられる。

151

[R4問4-E]

全国健康保険協会の役員若しくは役職員又はこれらの職にあった者は、健康保険事業に関して職務上知り得た秘密を正当な理由がなく漏らしてはならず、健康保険法の規定に違反して秘密を漏らした者は、１年以下の懲役又は100万円以下の罰金に処すると定められている。

○

テキスト▶②社会保険科目P73

そのとおり正しい（法49条２項、法208条２号）。

テキスト▶②社会保険科目P73

本問の場合、「６月以下の懲役又は50万円以下の罰金」に処せられます（法208条１号）。

テキスト▶②社会保険科目P73

そのとおり正しい（法207条の２）。健康保険法で突出して重たい罰則です。

第7編

国民年金法

項　目	問題番号
総則	問題 1 ～問題 6
被保険者	問題 7 ～問題 29
届出等	問題 30～問題 37
給付（通則）	問題 38～問題 56
給付（老齢基礎年金）	問題 57～問題 71
給付（障害基礎年金）	問題 72～問題 83
給付（遺族基礎年金）	問題 84～問題 97
給付（第1号被保険者独自の給付）	問題 98～問題 112
給付（その他給付関連）	問題 113～問題 118
積立金の運用及び費用の負担	問題 119～問題 141
不服申立て及び雑則等	問題 142～問題 144
国民年金基金	問題 145～問題 153

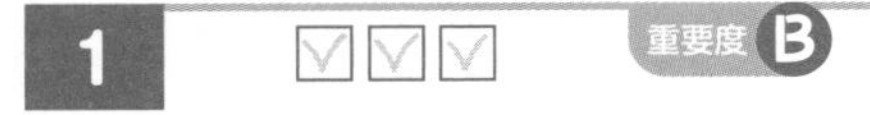

1 総則

1

重要度 B [H30問3-E]

国民年金事業の事務の一部は、政令の定めるところにより、法律によって組織された共済組合、国家公務員共済組合連合会、全国市町村職員共済組合連合会、地方公務員共済組合連合会又は私立学校教職員共済法の規定により私立学校教職員共済制度を管掌することとされた日本私立学校振興・共済事業団に行わせることができる。

2

重要度 B [H28問4-オ]

任意加入の申出の受理に関する厚生労働大臣の権限に係る事務は、日本年金機構に委任されており、当該申出の受理及び申出に係る事実についての審査に関する事務は、日本年金機構が行うものとされていて、市町村長がこれを行うことはできない。

3

重要度 B [H26問7-A]

国民年金は、国民の老齢、障害又は死亡に関して必要な保険給付を行うものとされ、国民年金法に基づくすべての給付は保険原理により行われる。

4

重要度 B [R元問1-イ]

国民年金法第10章「国民年金基金及び国民年金基金連合会」に規定する厚生労働大臣の権限のうち国民年金基金に係るものは、厚生労働省令の定めるところにより、その一部を地方厚生局長に委任することができ、当該地方厚生局長に委任された権限は、厚生労働省令で定めるところにより、地方厚生支局長に委任することができる。

○

テキスト▶②社会保険科目P83

そのとおり正しい（法３条２項）。

椛島のワンポイント

国民年金事業の事務の一部は、政令で定めるところにより、**市町村長**（特別区の区長を含む）**が行うこととすることができます**（同条３項）。市町村長が処理する国民年金事業に関する事務として、「任意加入（特例による任意加入を含む）申出の受理及びその申出に係る事実についての審査に関する事務」などがあります。

テキスト▶②社会保険科目P83

任意加入の申出の受理に関する厚生労働大臣の権限に係る事務は、日本年金機構には「**委任されておらず**」、任意加入の申出の受理及び申出に係る事実についての審査に関する事務は、「**市町村長（特別区の区長を含む）**」**が行います**（令１条の２第１号）。

テキスト▶②社会保険科目P82

国民年金は、国民の老齢、障害又は死亡に関して必要な「**給付**」を行うものとされています（法２条）。

椛島のワンポイント

国民年金法に基づく給付の中には、保険原理（被保険者が保険料を拠出し、保険事故が発生したときには保険金が受け取れるといった保険の仕組み）に基づいていない給付があり、例えば、**20歳前の傷病による障害**に基づく障害基礎年金は、一切保険料を拠出していないにもかかわらず、その支給を受けられることから、保険原理により行われる給付とはいえません（法２条ほか）。

テキスト▶②社会保険科目P84

そのとおり正しい（法142条の２）。

5   [椛島オリジナル]

国民年金について、昭和61年３月以前は自営業者等のためのものであったが、昭和61年４月以降は全国民共通の１階部分の位置づけとなった。

6   [R3問6-E]

保険料の一部免除の規定によりその一部の額につき納付することを要しないものとされた保険料につき、その残余の額が納付又は徴収された期間、例えば半額免除の規定が適用され免除されない残りの部分（半額）の額が納付又は徴収された期間は、保険料納付済期間ではなく保険料半額免除期間となる。

テキスト▶②社会保険科目P81

そのとおり正しい。

○

テキスト▶②社会保険科目P137

そのとおり正しい（法５条５項）。なお、保険料免除期間について追納が行われた場合、当該保険料免除期間は、追納が行われた日以後「保険料納付済期間」とされます（法５条１項かっこ書、法94条４項）。

7

重要度 AA　[R元問5-A]

被保険者の資格として、第１号被保険者は国籍要件、国内居住要件及び年齢要件のすべてを満たす必要があるのに対し、第２号被保険者及び第３号被保険者は国内居住要件及び年齢要件を満たす必要があるが、国籍要件を満たす必要はない。

8

重要度 A　[H27問1-D]

日本国内に住所を有さず、かつ、日本国内に生活の基礎があるとは認められない20歳以上60歳未満の外国籍の者は、第２号被保険者の配偶者となって、主として第２号被保険者の収入により生計を維持している場合でも、第３号被保険者とならない。

9

重要度 B　[H27問1-E]

厚生年金保険の在職老齢年金を受給する65歳以上70歳未満の被保険者の収入によって生計を維持する20歳以上60歳未満の配偶者は、第３号被保険者とはならない。

10

重要度 A　[R3問3-B]

老齢厚生年金を受給する66歳の厚生年金保険の被保険者の収入によって生計を維持する55歳の配偶者は、第３号被保険者とはならない。

×

テキスト ▶ ②社会保険科目P85～86

第１号被保険者は国内居住要件及び年齢要件を満たす必要がありますが、**国籍要件を満たす必要はなく**、第２号被保険者は一定の場合を除き、**年齢要件を満たす必要はなく、国籍要件及び国内居住要件についても満たす必要はありません**（法７条１項）。また、第３号被保険者は国籍要件は満たす必要はないものの、国内居住要件等及び年齢要件を満たす必要があります。

○

テキスト ▶ ②社会保険科目P85～86

そのとおり正しい（法７条１項３号）。第３号被保険者については、国籍要件は問われませんが、**「国内居住等要件」が問われる**ため、本問の者は、第３号被保険者となりません。

○

テキスト ▶ ②社会保険科目P85～86

そのとおり正しい（法７条１項３号、法附則３条）。厚生年金保険の被保険者であっても、**65歳以上**で老齢厚生年金の**受給権を有している**場合には第２号被保険者とはならないため、**その者の配偶者は第３号被保険者とはなりません。**

○

テキスト ▶ ②社会保険科目P86

そのとおり正しい（法７条１項２号・３号、法附則３条）。老齢又は退職を支給事由とする年金たる給付の受給権を有する65歳以上の者は、厚生年金保険の被保険者であっても第２号被保険者とならないことから、本問の配偶者は、第２号被保険者の収入により生計を維持するものに該当しないため、第３号被保険者となりません。

11 ☑☑☑ 重要度 A 〔H26問7-C〕

65歳以上の厚生年金保険の被保険者は、老齢又は退職を支給事由とする年金給付の受給権を有していなくても、障害を支給事由とする年金給付の受給権を有していれば、第２号被保険者とならない。

12 ☑☑☑ 重要度 A 〔H25問2-ウ〕

日本国内に住所を有する60歳以上65歳未満の者は、日本国籍を有する限り、厚生労働大臣に申し出て被保険者となることができる。

13 ☑☑☑ 重要度 A 〔H25問2-エ〕

日本国内に住所を有する20歳以上60歳未満の者であっても、厚生年金保険法に基づく遺族給付の受給権者は、第１号被保険者とはならない。

14 ☑☑☑ 重要度 B 〔H25問2-オ〕

厚生年金保険の在職老齢年金を受給している夫が65歳に達した際、日本国内に住所を有する第３号被保険者である妻が60歳未満であれば、その妻は第１号被保険者となり、法定免除又は申請全額免除に該当しない限り、国民年金の保険料を納付しなければならない。

テキスト▶②社会保険科目P85～86

65歳以上の厚生年金保険の被保険者は、老齢又は退職を支給事由とする年金給付の受給権を有していなければ、障害を支給事由とする年金給付の受給権を有していても、**第2号被保険者となります**（法7条1項2号、法附則3条）。

テキスト▶②社会保険科目P87

日本国内に住所を有する60歳以上65歳未満の者は、「**日本国籍を有していなくても**」、他の要件を満たす限り、厚生労働大臣に申し出て被保険者（任意加入被保険者）となることができます（法附則5条1項2号）。

テキスト▶②社会保険科目P85～86

厚生年金保険法に基づく遺族給付の受給権者であっても、所定の要件を満たす限り第1号被保険者となります（法7条1項1号）。

○

テキスト▶②社会保険科目P85～86

そのとおり正しい（法7条1項2号・3号、法附則3条ほか）。

椛島のワンポイント

本問の夫は、老齢又は退職を支給事由とする給付の**受給権を有している**ため、65歳に達した日に第2号被保険者の資格を喪失します。したがって、60歳未満の妻は第3号被保険者から**第1号被保険者へと種別が変更**されるため、保険料免除事由に該当しない限り、保険料の納付義務が発生します。

15

☑☑☑ 重要度 B [R3問5-A]

年間収入が280万円の第2号被保険者と同一世帯に属している、日本国内に住所を有する年間収入が130万円の厚生年金保険法による障害厚生年金の受給要件に該当する程度の障害の状態にある50歳の配偶者は、被扶養配偶者に該当しないため、第3号被保険者とはならない。

16

☑☑☑ 重要度 A [H24問5-E]

第2号被保険者の被扶養配偶者と認められる場合であっても、20歳以上の大学生は、第3号被保険者ではなく第1号被保険者としての適用を受け、学生の保険料納付特例の対象になる。

17

☑☑☑ 重要度 B [R3問3-A]

第3号被保険者が、外国に赴任する第2号被保険者に同行するため日本国内に住所を有しなくなったときは、第3号被保険者の資格を喪失する。

18

☑☑☑ 重要度 B [H22問3-A]

日本国内に住所を有する60歳以上65歳未満の者が、任意加入被保険者となる申出を行おうとする場合には、口座振替納付を希望する旨の申出または口座振替納付によらない正当な事由がある場合として厚生労働省令で定める場合に該当する旨の申出を、厚生労働大臣に対して行わなければならない。

×

テキスト▶②社会保険科目P86

認定対象者の年間収入が130万円未満（認定対象者が概ね厚生年金保険法による障害厚生年金の受給要件に該当する程度の障害者である場合にあっては180万円未満）であって、かつ、第２号被保険者の年間収入の２分の１未満である場合は、原則として、他の要件を満たす限り、第３号被保険者に該当するものとされています（法７条１項３号、昭61.3.31庁保発13号）。本問の配偶者の年間収入は180万円未満であり、かつ、第２号被保険者の年間収入の２分の１である140万円未満でもあるため、第３号被保険者となります。

×

テキスト▶②社会保険科目P86

第２号被保険者の被扶養配偶者で、20歳以上60歳未満のものは、大学生であっても、「**第３号被保険者に該当**」し、保険料を納付する義務がないため、学生の保険料納付特例の適用対象となりません（法７条１項３号、法90条の３第１項）。

×

テキスト▶②社会保険科目P86

外国に赴任する第２号被保険者に同行する者は、「日本国内に住所を有しないが渡航目的その他の事情を考慮して日本国内に生活の基礎があると認められる者として厚生労働省令で定める者」に該当するため、本問の者は、第３号被保険者の資格を喪失しません（法７条１項３号、則１条の３）。

○

テキスト▶②社会保険科目P87

そのとおり正しい（法附則５条２項）。

椛島のワンポイント

日本国内に住所を有する20歳以上60歳未満の者であって、厚生年金保険法に基づく老齢給付等を受けることができるものが任意加入被保険者となる申出を行おうとする場合も、本問の申出が必要とされています。

19  [H29問10-C]

20歳未満の厚生年金保険の被保険者は、国民年金の第２号被保険者となる。

20  [H30問7-D]

第１号被保険者又は第３号被保険者が60歳に達したとき（第２号被保険者に該当するときを除く。）は、60歳に達したときに該当するに至った日に被保険者の資格を喪失する。

21   [R4問8-E]

第１号被保険者又は第３号被保険者が60歳に達したとき（第２号被保険者に該当するときを除く。）は、60歳に達した日に被保険者の資格を喪失する。また、第１号被保険者又は第３号被保険者が死亡したときは、死亡した日の翌日に被保険者の資格を喪失する。

22   [H28問5-D]

任意加入被保険者は、いつでも厚生労働大臣に申し出て、被保険者の資格を喪失することができるが、その資格喪失の時期は当該申出が受理された日の翌日である。

テキスト▶②社会保険科目P86

そのとおり正しい（法7条1項2号）。

桜島のワンポイント

国民年金の第2号被保険者は、国内居住要件は問われません。

テキスト▶②社会保険科目P90

そのとおり正しい（法9条3号）。

桜島のワンポイント

第1号被保険者においては、本問の場合のほか、厚生年金保険法に基づく老齢給付等を受けることができる者となったとき及び日本国内に住所を有しなくなった日に更に第2号被保険者又は第3号被保険者の資格を取得したときにおいても、その日に被保険者の資格を喪失します（同条4号・5号）。

テキスト▶②社会保険科目P90

そのとおり正しい（法9条）。翌日喪失の代表パターンは「死亡」、その日喪失の代表パターンは「年齢到達」です。

テキスト▶②社会保険科目P90

任意加入被保険者は、いつでも、厚生労働大臣に申し出て、被保険者の資格を喪失することができますが、その資格喪失の時期は、「**当該申出が受理された日**」です（法附則5条4項・5項3号）。

23

[H27問6-イ]

18歳から60歳まで継続して厚生年金保険の被保険者であった昭和30年４月２日生まれの者は、60歳に達した時点で保険料納付済期間の月数が480か月となるため、国民年金の任意加入被保険者となることはできない。

24

重要度 A

[R2問9-B]

60歳で第２号被保険者資格を喪失した64歳の者（昭和31年４月２日生まれ）は、特別支給の老齢厚生年金の報酬比例部分を受給中であり、あと１年間、国民年金の保険料を納付すれば満額の老齢基礎年金を受給することができる。この者は、日本国籍を有していても、日本国内に住所を有していなければ、任意加入被保険者の申出をすることができない。

25

重要度 B

[H24問3-C]

65歳未満の任意加入被保険者は、保険料納付済期間や、いわゆる保険料の多段階免除期間（その段階に応じて規定されている月数）を合算し、満額の老齢基礎年金が受けられる480月に達したときは、本人から資格喪失の申出がなくても、被保険者の資格を喪失する。

26

重要度 B

[R3問3-E]

昭和31年４月１日生まれの者であって、日本国内に住所を有する65歳の者（第２号被保険者を除く。）は、障害基礎年金の受給権を有する場合であっても、特例による任意加入被保険者となることができる。なお、この者は老齢基礎年金、老齢厚生年金その他の老齢又は退職を支給事由とする年金たる給付の受給権を有していないものとする。

テキスト▶②社会保険科目P90

そのとおり正しい（法附則5条1項・5項4号）。

椛島のワンポイント

65歳未満の任意加入被保険者は、法27条各号に掲げる月数（老齢基礎年金の額に反映される月数）を合算した月数が**480に達したときはその日に、被保険者の資格を喪失**することとされており、本問の者は60歳に達した時点で老齢基礎年金の額に反映される保険料納付済期間の月数が480か月となるため、国民年金の任意加入被保険者となることはできません。この任意加入制度の最終目的は、「老齢基礎年金を満額受給する！」ということです。

×

テキスト▶②社会保険科目P87

本問の者は、「日本国籍を有する者その他政令で定める者であって、日本国内に住所を有しない20歳以上65歳未満のもの」に該当するため、任意加入被保険者の申出をすることができます（法附則5条1項）。

テキスト▶②社会保険科目P90

そのとおり正しい（法附則5条5項4号）。

テキスト▶②社会保険科目P88

そのとおり正しい（平16法附則23条1項）。なお、特例による任意加入被保険者については、すべての保険料免除の規定が適用されません（平6法附則11条10項、平16法附則23条10項）。

27 ☑☑☑ 重要度 B [R3問1-C]

任意加入被保険者及び特例による任意加入被保険者は、老齢基礎年金又は老齢厚生年金の受給権を取得した日の翌日に資格を喪失する。

28 ☑☑☑ 重要度 A [H26問8-C]

4月1日に被保険者の資格を取得した者について、同年4月30日にその資格を喪失した場合は1か月が被保険者期間に算入され、同年5月31日にその資格を喪失した場合にも同様に1か月が被保険者期間に算入される。なお、いずれの場合も資格を喪失した月にさらに被保険者の資格を取得していないものとする。

29 ☑☑☑ 重要度 B [R5問4-A]

被保険者が、被保険者の資格を取得した日の属する月にその資格を喪失したときは、その月を1か月として被保険者期間に算入するが、その月に更に被保険者の資格を取得したときは、前後の被保険者期間を合算し、被保険者期間2か月として被保険者期間に算入する。

×

テキスト ▶ ②社会保険科目P90

任意加入被保険者については、老齢基礎年金又は老齢厚生年金の受給権の取得によって被保険者の資格は喪失しません。その他の記述は正しい（法附則５条５項～８項、平６法附則11条６項、平16法附則23条６項）。

テキスト ▶ ②社会保険科目P91

そのとおり正しい（法11条１項・２項）。

テキスト ▶ ②社会保険科目P91

同一の月に被保険者の資格を取得し、かつ喪失した場合においてさらにその月に資格を取得したときは、その月は、**後の資格取得に係る期間のみをもって、被保険者期間１か月として計算**します（法11条２項）。

③ 届出等

30

☑☑☑ 重要度 B [H29問1-B]

第1号厚生年金被保険者である第2号被保険者を使用する事業主は、当該第2号被保険者の被扶養配偶者である第3号被保険者に係る資格の取得及び喪失並びに種別の変更等に関する事項の届出に係る事務の一部を全国健康保険協会に委託することができるが、当該事業主が設立する健康保険組合に委託することはできない。

31

☑☑☑ 重要度 B [H29問1-D]

第1号被保険者の属する世帯の世帯主は、当該被保険者に代わって被保険者資格の取得及び喪失並びに種別の変更に関する事項について、市町村長へ届出をすることができる。

32

☑☑☑ 重要度 B [H27問8-A]

第2号被保険者の夫とその被扶養配偶者となっている第3号被保険者の妻が離婚したことにより生計維持関係がなくなった場合、妻は、第3号被保険者に該当しなくなるため、市町村長（特別区の区長を含む。）へ第1号被保険者の種別の変更の届出を行うとともに、離婚した夫が勤務する事業所の事業主を経由して日本年金機構へ「被扶養配偶者非該当届」を提出しなければならない。なお、夫が使用される事業所は健康保険組合管掌健康保険の適用事業所であり、当該届出の経由に係る事業主の事務は健康保険組合に委託されていないものとする。

33

☑☑☑ 重要度 A [R2問6-B]

第3号被保険者の資格の取得の届出は市町村長に提出することによって行わなければならない。

×

テキスト▶②社会保険科目P93

第1号厚生年金被保険者である第2号被保険者を使用する事業主は、当該第2号被保険者の被扶養配偶者である第3号被保険者に係る資格の取得及び喪失並びに種別の変更等に関する事項の届出に係る事務の一部を当該事業主が設立する「**健康保険組合**」**に委託することができます**が、全国健康保険協会に委託することはできません（法12条8項）。

テキスト▶②社会保険科目P92

そのとおり正しい（法12条2項）。

テキスト▶②社会保険科目P93

そのとおり正しい（法12条の2、令4条の2、則6条の2、則6条の2の2）。

×

テキスト▶②社会保険科目P93

第3号被保険者の資格の取得の届出は、「厚生労働大臣（日本年金機構）」に提出することによって行わなければなりません（法12条5項）。

34

[R2問5-A]

第３号被保険者であった者が、その配偶者である第２号被保険者が退職し第２号被保険者でなくなったことにより第３号被保険者でなくなったときは、その事実があった日から14日以内に、当該被扶養配偶者でなくなった旨の届書を、提出しなければならない。

35

[H27問8-C]

第１号被保険者であった者が就職により厚生年金保険の被保険者の資格を取得したため第２号被保険者となった場合、国民年金の種別変更に該当するため10日以内に市町村長（特別区の区長を含む。）へ種別変更の届出をしなければならない。

36

[H24問1-E]

住民基本台帳法の規定により機構保存本人確認情報の提供を受けることができる受給権者の死亡について、受給権者の死亡の日から７日以内に当該受給権者に係る戸籍法の規定による死亡の届出をした場合は、国民年金法の規定による死亡の届出は要しない。

37

[H25問3-E]

第２号被保険者のうち、第２号厚生年金被保険者、第３号厚生年金被保険者又は第４号厚生年金被保険者であるものについては、国民年金原簿への記録管理は行われていない。

×

テキスト▶②社会保険科目P93

第３号被保険者の配偶者である第２号被保険者が第２号被保険者でなくなったことにより、被扶養配偶者でなくなった場合は、被扶養配偶者でなくなったことの届出を行う必要はありません（則６条の２の２）。

×

テキスト▶②社会保険科目P93

第２号被保険者については、国民年金法の届出の規定は適用されないため、第１号被保険者から第２号被保険者に種別が変更になった場合には、種別変更届の提出は「**不要**」です（法附則７条の４）。

○

テキスト▶②社会保険科目P94～95

そのとおり正しい（法105条４項ただし書、則24条６項・７項）。

○

テキスト▶②社会保険科目P96

そのとおり正しい（法附則７条の５第１項）。

4−1 給付（通則）

38 ☑☑☑ 重要度 A [R元問2-D]

老齢基礎年金の支給を停止すべき事由が生じた日の属する月の翌月にその事由が消滅した場合は、当該老齢基礎年金の支給を停止しない。

39 ☑☑☑ 重要度 B [H28問2-E]

毎支払期月ごとの年金額の支払において、その額に１円未満の端数が生じたときはこれを切り捨てるものとされているが、毎年４月から翌年３月までの間において切り捨てた金額の合計額（１円未満の端数が生じたときは、これを切り捨てた額）については次年度の４月の支払期月の年金額に加算して支払うものとされている。

40 ☑☑☑ 重要度 B [R5問9-D]

毎支払期月ごとの年金額の支払において、その額に１円未満の端数が生じたときは、これを切り捨てるものとされている。また、毎年３月から翌年２月までの間において、切り捨てた金額の合計額（１円未満の端数が生じたときは、これを切り捨てた額）については、これを当該２月の支払期月の年金額に加算して支払うものとされている。

41 ☑☑☑ 重要度 A [H29問2-イ]

冬山の登山中に行方不明になり、その者の生死が３か月間分からない場合には、死亡を支給事由とする給付の支給に関する規定の適用について、行方不明となった日にその者は死亡したものと推定される。

×

テキスト▶②社会保険科目P98

年金給付は、その支給を停止すべき事由が生じたときは、「**その事由が生じた日の属する月の翌月からその事由が消滅した日の属する月まで**」の分の支給を停止することとされています（法18条２項）。したがって、本問の老齢基礎年金については、支給停止事由発生月の翌月分の支給が停止されます。

×

テキスト▶②社会保険科目P98

毎支払期月ごとの年金額の支払において、その額に１円未満の端数が生じたときは、これを切り捨てるものとされていますが、「**毎年３月から翌年２月まで**」の間において切り捨てた金額の合計額（１円未満の端数が生じたときは、これを切り捨てた額）については、これを「**当該２月の支払期月の年金額**」に加算するものとされています（法18条の２）。

テキスト▶②社会保険科目P98

そのとおり正しい（法18条の２）。

×

テキスト▶②社会保険科目P98～99

死亡推定の規定は、**船舶又は航空機**の行方不明等の場合に適用される規定であり、「陸上での行方不明については適用されない」ため、本問の場合、死亡推定は行われません（法18条の３）。

42

重要度 A　[H28問5-C]

年金給付の受給権者が死亡した場合において、その死亡した者に支給すべき年金給付でまだその者に支給しなかったものがあるときは、その未支給の年金については相続人に相続される。

43

重要度 A　[R2問4-C]

障害基礎年金の受給権者が死亡し、その者に支給すべき障害基礎年金でまだその者に支給しなかったものがあり、その者の死亡の当時その者と生計を同じくしていた遺族がその者の従姉弟しかいなかった場合、当該従姉弟は、自己の名で、その未支給の障害基礎年金を請求することができる。

44

重要度 A　[H22問4-D]

船舶が行方不明になった際に現にその船舶に乗船し、行方不明となった者の生死が分からない場合は、その船舶が行方不明となった日から3か月を経過した日にその者は死亡したものと推定する。

45

重要度 A　[H30問9-D]

繰上げ支給の老齢基礎年金の受給権者に遺族厚生年金の受給権が発生した場合、65歳に達するまでは、繰上げ支給の老齢基礎年金と遺族厚生年金について併給することができないが、65歳以降は併給することができる。

×

テキスト▶②社会保険科目P99

年金給付の受給権者が死亡した場合において、その死亡した者に支給すべき年金給付でまだその者に支給しなかったものがあるときは、**その者の配偶者、子、父母、孫、祖父母、兄弟姉妹又はこれらの者以外の３親等内の親族**であって、その者の**死亡の当時その者と生計を同じく**していたものは、**自己の名**で、その未支給の年金の支給を請求することができます（法19条１項）。

テキスト▶②社会保険科目P99

未支給年金は、死亡した者の配偶者、子、父母、孫、祖父母、兄弟姉妹又はこれらの者以外の「３親等内の親族」であって、その者の死亡の当時その者と生計を同じくしていたものが請求できるものですが、死亡した者の従姉弟は４親等の親族であるため、未支給年金の支給を請求することはできません（法19条１項）。

テキスト▶②社会保険科目P98～99

船舶が行方不明になった際に現にその船舶に乗船し、行方不明となった者の生死が「３か月間」わからない場合は、その船舶が「**行方不明となった日**」にその者は、死亡したものと推定されます（法18条の３）。

椛島のワンポイント

航空機が行方不明となった際、現にその航空機に乗っていた者の生死が３か月間わからない場合にも同様とされています（同条後段）。

テキスト▶②社会保険科目P100～101

そのとおり正しい（法20条１項、法附則９条の２の４）。

46  

[H29問7-E]

障害基礎年金の受給権者が65歳に達し、その時点で老齢基礎年金と老齢厚生年金の受給権を有する場合、障害基礎年金と老齢厚生年金の併給か老齢基礎年金と老齢厚生年金の併給かを選択することができる。

47  

[H25問3-A]

65歳以上の者に支給される障害基礎年金と老齢厚生年金は併給されるが、65歳以上の老齢基礎年金の受給権者が遺族厚生年金の受給権を取得したときは、併給の調整によりどちらか一方の年金給付は支給停止される。

48  

[H25問3-B]

併給の調整により支給を停止された年金給付について、いわゆる選択替えをすることができるのは、毎年、厚生労働大臣が受給権者に係る現況の確認を行う際に限られる。

49  

[R3問9-C]

老齢厚生年金と老齢基礎年金を受給中の67歳の厚生年金保険の被保険者が、障害等級２級の障害厚生年金の受給権者（障害基礎年金の受給権は発生しない。）となった。老齢厚生年金の額より障害厚生年金の額の方が高い場合、この者は、障害厚生年金と老齢基礎年金の両方を受給できる。

テキスト▶②社会保険科目P101

そのとおり正しい（法20条１項、法附則９条の２の４）。

椛島のワンポイント

受給権者が65歳以上である場合、障害基礎年金と老齢厚生年金は併給されますが、障害基礎年金と老齢基礎年金は併給されないため、本問のとおり、障害基礎年金と老齢厚生年金の受給か老齢基礎年金と老齢厚生年金の受給かの**いずれかを選択**することとなります。

テキスト▶②社会保険科目P101

65歳以上の者に支給される障害基礎年金と老齢厚生年金は併給され、65歳以上の老齢基礎年金と遺族厚生年金も併給されます（法20条１項、法附則９条の２の４）。

テキスト▶②社会保険科目P100

いわゆる選択替えは、「**いつでも**」、将来に向かって行うことができます（法20条４項）。

×

テキスト▶②社会保険科目P100

本問のような規定はありません。金額にかかわらず、障害厚生年金と老齢基礎年金は併給できません（法20条１項、法附則９条の２の４）。

50

☑☑☑ 重要度 B [R3問10-C]

併給の調整に関し、国民年金法第20条第１項の規定により支給を停止されている年金給付の同条第２項による支給停止の解除の申請は、いつでも、将来に向かって撤回することができ、また、支給停止の解除の申請の回数について、制限は設けられていない。

51

☑☑☑ 重要度 A [H29問9-C]

夫婦ともに老齢基礎年金のみを受給していた世帯において、夫が死亡しその受給権が消滅したにもかかわらず、死亡した月の翌月以降の分として老齢基礎年金の過誤払が行われた場合、国民年金法第21条の２の規定により、死亡した夫と生計を同じくしていた妻に支払う老齢基礎年金の金額を当該過誤払による返還金債権の金額に充当することができる。

52

☑☑☑ 重要度 A [R2問1-ア]

遺族基礎年金を減額して改定すべき事由が生じたにもかかわらず、その事由が生じた日の属する月の翌月以降の分として減額しない額の遺族基礎年金が支払われた場合における当該遺族基礎年金の当該減額すべきであった部分は、その後に支払うべき遺族基礎年金の内払とみなすことができる。

53

☑☑☑ 重要度 A [H30問5-ウ]

政府は、障害の直接の原因となった事故が第三者の行為によって生じた場合において、障害基礎年金の給付をしたときは、その給付の価額の限度で、受給権者が第三者に対して有する損害賠償の請求権を取得する。

テキスト▶②社会保険科目P100

そのとおり正しい（法20条4項）。なお、法20条1項の規定によりその支給を停止するものとされた年金給付について、その支給を停止すべき事由が生じた日の属する月分の支給が行われる場合は、その事由が生じたときにおいて、当該年金給付に係る法20条2項による支給停止の解除の申請があったものとみなします（同条3項）。

テキスト▶②社会保険科目P101

本問の場合、充当は行われません（則86条の2第1項）。

椛島のワンポイント

充当は、年金たる給付の受給権者の死亡を支給事由とする「**遺族基礎年金の受給権者**」が、当該年金たる給付の受給権者の死亡に伴う当該年金たる給付の支払金の金額の過誤払による返還金債権に係る債務の弁済をすべき者であるときに行われるものです。

テキスト▶②社会保険科目P101

そのとおり正しい（法21条2項）。なお、障害基礎年金を減額して改定すべき事由が生じたにもかかわらず、その事由が生じた日の属する月の翌月以降の分として減額しない額の障害基礎年金が支払われた場合における当該障害基礎年金の当該減額すべきであった部分は、その後に支払うべき障害基礎年金の内払とみなすことができます。

テキスト▶②社会保険科目P102

そのとおり正しい（法22条1項）。

椛島のワンポイント

本問の場合において、受給権者が第三者から同一の事由について損害賠償を受けたときは、政府は、その価額の限度で、給付を行う責を免れます（同条2項）。死亡一時金については、当該給付の支給事由となった事故について受給権者が損害賠償を受けた場合であっても、その損害賠償との調整は行われません。

54

☐☐☐ 

[H25問10-C]

原則として、給付を受けた金銭を標準として租税その他の公課を課することはできないが、老齢基礎年金及び付加年金には公課を課することができる。

55

☐☐☐ 重要度B

[H24問8-B]

受給権者の申出による年金給付の支給停止は、いつでも撤回することができ、過去に遡って給付を受けることができる。

56

[H22問4-B]

死亡一時金については、当該給付の支給事由となった事故について受給権者が損害賠償を受けた場合であっても、その損害賠償額との調整は行われない。

○

テキスト▶②社会保険科目P104

そのとおり正しい（法25条）。

テキスト▶②社会保険科目P104

受給権者の申出による年金給付の支給停止は、いつでも、「**将来に向かって**」撤回することができますが、過去に支給停止とされた年金給付について、**過去に遡って支給を受けることはできません**（法20条の２第３項）。

テキスト▶②社会保険科目P103

そのとおり正しい（昭37.10.22庁保発10号）。

④－2 給付（老齢基礎年金）

57 ☑☑☑ 重要度 AA [R元問8-A]

学生納付特例の期間及び納付猶予の期間を合算した期間を10年以上有し、当該期間以外に被保険者期間を有していない者には、老齢基礎年金は支給されない。なお、この者は婚姻（婚姻の届出をしていないが、事実上婚姻関係と同様の事情にある場合も含む。）したことがないものとする。

58 ☑☑☑ 重要度 A [R元問8-B]

日本国籍を有している者が、18歳から19歳まで厚生年金保険に加入し、20歳から60歳まで国民年金には加入せず、国外に居住していた。この者が、60歳で帰国し、再び厚生年金保険に65歳まで加入した場合、65歳から老齢基礎年金が支給されることはない。なお、この者は婚姻（婚姻の届出をしていないが、事実上婚姻関係と同様の事情にある場合も含む。）したことがなく、上記期間以外に被保険者期間を有していないものとする。

59 ☑☑☑ 重要度 AA [H30問6-B]

65歳に達したときに、保険料納付済期間と保険料免除期間（学生納付特例期間及び納付猶予期間を除く。）とを合算した期間を７年有している者は、合算対象期間を５年有している場合でも、老齢基礎年金の受給権は発生しない。

60   [H28問7-C]

第２号被保険者としての被保険者期間のうち、20歳に達した日の属する月前の期間及び60歳に達した日の属する月以後の期間は、合算対象期間とされ、この期間は老齢基礎年金の年金額の計算に関しては保険料納付済期間に算入されない。

○

テキスト▶②社会保険科目P105

そのとおり正しい（法26条、法附則９条１項）。

椛島のワンポイント

老齢基礎年金は、保険料納付済期間又は保険料免除期間（学生納付特例の期間及び保険料納付猶予の期間を除く）を１月でも有していなければ、支給されません。

テキスト▶②社会保険科目P106

そのとおり正しい（法26条、法附則９条１項）。

椛島のワンポイント

受給資格期間（10年）を満たさないからです。本問の者の18歳から19歳までの厚生年金保険の被保険者であった期間は、「**20歳未満の第２号被保険者であった期間**」として合算対象期間となります。また、20歳から60歳までの海外在住期間も「任意加入できるのにしなかった期間」として合算対象期間となります。さらに、60歳から65歳までの厚生年金保険の被保険者であった期間も「**60歳以上の第２号被保険者であった期間**」として合算対象期間となります。したがって、本問の者は、保険料納付済期間又は保険料免除期間（学生納付特例の期間及び保険料納付猶予の期間を除く）を１月も有していないため、老齢基礎年金は支給されません。

テキスト▶②社会保険科目P105

本問の者は、保険料納付済期間及び保険料免除期間（学生納付特例及び納付猶予期間を除く）を有し、かつ、保険料納付済期間と保険料免除期間と合算対象期間を合算した期間が**10年以上**ある（12年ある）ため、65歳に達したときに、老齢基礎年金の受給権が発生します（法26条、法附則９条）。

テキスト▶②社会保険科目P106

そのとおり正しい（法附則９条１項、昭60法附則８条４項）。

61 ☑☑☑  [H26問10-B]

昭和29年４月２日生まれの女性が、厚生年金保険の被保険者であった夫の被扶養配偶者として国民年金の任意加入被保険者になっていた間の保険料を納付していなかった期間については、合算対象期間となる。

62 ☑☑☑ 重要度 A [H25問6-D]

「昭和36年５月１日以後、国籍法の規定により日本国籍を取得した者（20歳に達した日の翌日から65歳に達した日の前日までの間に日本国籍を取得した者に限る。）で日本に住所を有していた20歳以上60歳未満の期間のうち、国民年金の適用除外とされていた昭和36年４月１日から昭和61年４月１日前の期間」は、老齢基礎年金の合算対象期間に算入される。

63 ☑☑☑  [H23問7-A]

第２号被保険者としての被保険者期間のうち20歳未満及び60歳以上の期間は、合算対象期間とされる。

64 ☑☑☑  [H28問4-ア]

振替加算の額は、その受給権者の老齢基礎年金の額に受給権者の生年月日に応じて政令で定める率を乗じて得た額として算出される。

テキスト▶②社会保険科目P106

そのとおり正しい（平24法附則11条ほか）。

テキスト▶②社会保険科目P106

一部、合算対象期間に算入されません（昭60法附則８条５項10号）。昭和36年５月１日以後、国籍法の規定により日本国籍を取得した者（20歳に達した日の翌日から65歳に達した日の前日までの間に日本国籍を取得した者に限る）で日本に住所を有していた20歳以上60歳未満の期間のうち、昭和36年４月１日から「**昭和56年12月31日まで**」の期間が合算対象期間に算入されます。

テキスト▶②社会保険科目P106

そのとおり正しい（昭60法附則８条４項）。

テキスト▶②社会保険科目P109

振替加算の額は、「**224,700円に改定率を乗じて得た額に老齢基礎年金の受給権者の生年月日に応じて政令で定める率を乗じて得た額**」として算出されます（昭60法附則14条１項、経過措置令24条）。

椛島のワンポイント

振替加算の額は、受給権者が若いほど、金額が下がります（「政令で定める率」が低くなるから）。

65

[H24問3-D]

老齢基礎年金又は障害基礎年金の受給権者がその権利を取得した当時、その者によって生計を維持している18歳に達する日以後の最初の３月31日までの間にある子がいるときには、老齢基礎年金又は障害基礎年金の額にその子の数に応じた額が加算される。

66

重要度 B

[R元問4-C]

65歳に達し老齢基礎年金の受給権を取得した者であって、66歳に達する前に当該老齢基礎年金を請求しなかった者が、65歳に達した日から66歳に達した日までの間において障害基礎年金の受給権者となったときは、当該老齢基礎年金の支給繰下げの申出をすることができない。

67

[R5問6-C]

老齢基礎年金と老齢厚生年金の受給権を有する者であって支給繰下げの申出をすることができるものが、老齢基礎年金の支給繰下げの申出を行う場合、老齢厚生年金の支給繰下げの申出と同時に行わなければならない。

68

[H30問2-B]

老齢基礎年金の受給権は、受給権者が死亡したときは消滅するが、受給権者が日本国内に住所を有しなくなったとしてもこれを理由に消滅しない。

テキスト▶②社会保険科目P107

老齢基礎年金については、**子の加算の規定はありません**（法27条、法33条の２）。

テキスト▶②社会保険科目P111

そのとおり正しい（法28条１項）。

椛島のワンポイント

【支給繰下げの要件】
①66歳に達する前に、老齢基礎年金を請求していなかったこと
②65歳に達したとき又は65歳に達した日から66歳に達した日までの間において、他の年金たる給付（一部を除く）を受けていないこと

テキスト▶該当ページなし

老齢基礎年金と老齢厚生年金の支給繰下げの申出は、同時に行わなくてもよい（法28条）。

テキスト▶②社会保険科目P111

そのとおり正しい（法29条）。

椛島のワンポイント

老齢基礎年金の受給権は、受給権者が死亡したときは消滅することとされており、受給権者の死亡以外に消滅事由はありません。

69

☑☑☑ 重要度 B [[H29問6-E]

64歳に達した日の属する月に老齢基礎年金の支給繰上げの請求をすると、繰上げ請求月から65歳到達月の前月までの月数が12となるので、当該老齢基礎年金の額は、65歳から受給する場合に比べて8.4%減額されることになる。

70

☑☑☑ 重要度 A [H26問1-A]

任意加入被保険者である者は、老齢基礎年金の支給繰上げの請求をすることはできない。

71

☑☑☑ 重要度 B [R3問7-B]

老齢基礎年金の支給繰上げの請求をした場合の振替加算については、受給権者が65歳に達した日以後に行われる。老齢基礎年金の支給繰下げの申出をした場合は、振替加算も繰下げて支給されるが、振替加算額が繰下げにより増額されることはない。

テキスト▶②社会保険科目P110

64歳に達した日の属する月に老齢基礎年金の支給繰上げの請求をすると、繰上げ請求月から65歳到達月の前月までの月数が12となり、１月当たりの繰上げ減額率は1,000分の４であるから、当該老齢基礎年金の額は、65歳から受給する場合に比べて「**4.8%**」（＝12×４/1,000）**減額**されることになります（令12条１項）。

テキスト▶②社会保険科目P110

そのとおり正しい（法附則９条の２第１項）。

椛島のワンポイント

繰上げ支給の老齢基礎年金の受給権者は、国民年金に任意加入することはできません（法附則９条の２の３）。

○

テキスト▶該当ページなし

そのとおり正しい（昭60法附則14条１項・２項）。なお、老齢基礎年金の支給繰上げの請求をした場合の付加年金については、老齢基礎年金と同様に繰り上げて支給され、支給繰下げによる減額率も準用されます（法附則９条の２第６項）。

4－3 給付（障害基礎年金）

72 ☑☑☑ 重要度A [R2問1-イ]

初診日において被保険者であり、障害認定日において障害等級に該当する程度の障害の状態にあるものであっても、当該傷病に係る初診日の前日において、当該初診日の属する月の前々月までに被保険者期間がない者については、障害基礎年金は支給されない。

73 ☑☑☑ 重要度A [R3問2-B]

障害基礎年金について、初診日が令和８年４月１日前にある場合は、当該初診日の前日において当該初診日の属する月の前々月までの１年間（当該初診日において被保険者でなかった者については、当該初診日の属する月の前々月以前における直近の被保険者期間に係る月までの１年間）に、保険料納付済期間及び保険料免除期間以外の被保険者期間がなければ保険料納付要件は満たされたものとされる。ただし、当該初診日において65歳未満であるときに限られる。

74 ☑☑☑ 重要度A [R元問2-A]

傷病について初めて医師の診療を受けた日において、保険料の納付猶予の適用を受けている被保険者は、障害認定日において当該傷病により障害等級の１級又は２級に該当する程度の障害の状態にあり、保険料納付要件を満たしている場合でも、障害基礎年金が支給されることはない。

75 ☑☑☑ 重要度B [H29問7-D]

国民年金法第30条の３に規定するいわゆる基準障害による障害基礎年金は、65歳に達する日の前日までに基準障害と他の障害を併合して障害等級に該当する程度の障害の状態に該当したとしても、その請求を65歳に達した日以後に行うことはできない。

×

テキスト ▶ ②社会保険科目P111

初診日の前日において、当該初診日の属する月の前々月までに被保険者期間がない場合には、「保険料納付要件が問われずに障害基礎年金が支給される」のであって、障害基礎年金が支給されないわけではありません（法30条1項）。

テキスト ▶ ②社会保険科目P111

そのとおり正しい（昭60法附則20条1項）。なお、本問の「初診日」とは、傷病について初めて医師又は歯科医師の診療を受けた日のことです（法30条1項）。

×

テキスト ▶ ②社会保険科目P111～112

本問の者は、初診日において被保険者であり、障害認定日において障害等級1級又は2級に該当し、かつ、保険料納付要件を満たしているため、本問の者に対して**障害基礎年金が支給されます**（法30条）。

×

テキスト ▶ ②社会保険科目P113

基準障害による障害基礎年金は、65歳に達する日の前日までに基準障害と他の障害を併合して障害等級に該当する程度の障害の状態に該当する必要がありますが、その**請求は65歳以後であっても行うことができます**（法30条の3第1項）。

76

重要度 B

[H26問9-A]

被保険者でなかった19歳の時に初めて医療機関で診察を受け、うつ病と診断され継続して治療している現在25歳の者は、20歳に達した日の障害状態が障害等級1級又は2級に該当していれば、その日に20歳前傷病による障害基礎年金の受給権が発生する。

77

重要度 A

[R5問1-D]

被保険者ではなかった19歳のときに初診日のある傷病を継続して治療中の者が、その傷病の初診日から起算して1年6か月を経過した当該傷病による障害認定日（20歳に達した日後とする。）において、当該傷病により障害等級2級以上に該当する程度の障害の状態にあるときには、その者に障害基礎年金を支給する。

78

重要度 A

[H24問7-B]

第2号被保険者としての被保険者期間のうち、20歳前の期間及び60歳以降の期間は、当分の間、障害基礎年金の受給資格期間及び年金額の計算の適用については、保険料納付済期間とはしない。

×

テキスト▶②社会保険科目P115

本問の場合、**「初診日から１年６月を経過した日（障害認定日）」**に20歳前の傷病による障害に基づく障害基礎年金の**受給権が発生します**（法30条の４第１項）。

椛島のワンポイント

本問の者は、現在においても治療が継続していることから、傷病が治っていないと判断できます。この場合の障害認定日は、初診日から１年６月を経過した日となります（法30条１項）。また、「19歳の時（初診日）から１年６月を経過した日」は20歳に達した日よりも後であるため、障害認定日に20歳前の傷病による障害に基づく障害基礎年金の受給権が発生します。

○

テキスト▶②社会保険科目P114

そのとおり正しい（法30条の４）。20歳前の傷病による障害に基づく障害基礎年金が支給されます。

×

テキスト▶②社会保険科目P112

第２号被保険者としての被保険者期間のうち、20歳前の期間及び60歳以後の期間は、障害基礎年金の支給に当たっては、**保険料納付済期間として取り扱われます**（法５条１項）。

椛島のワンポイント

当該期間は、老齢基礎年金については、合算対象期間に算入されます（昭60法附則８条４項）。

79 ☑☑☑ 重要度 A [R元問9-E]

20歳前傷病による障害基礎年金を受給中である者が、労災保険法の規定による年金たる給付を受給できる（その全額につき支給を停止されていないものとする。）場合、その該当する期間、当該20歳前傷病による障害基礎年金は支給を停止する。

80 ☑☑☑ 重要度 A [H26問7-B]

障害基礎年金の受給権は、厚生年金保険の障害等級3級以上の障害状態にない者が、その該当しなくなった日から、障害等級3級以上の障害状態に該当することなく5年を経過したとき消滅する。ただし、5年を経過した日においてその者が65歳未満であるときを除く。

81 ☑☑☑ 重要度 A [H25問7-ウ]

国民年金法第30条の4に規定する20歳前傷病による障害基礎年金は、受給権者が日本国内に住所を有しないときは支給停止される。

82 ☑☑☑ 重要度 A [H25問10-A]

障害基礎年金の受給権者が当該受給権を取得した後に18歳に達する日以後最初の3月31日までの間にある子を有することとなった場合には、その子との間に生計維持関係があっても、その子を対象として加算額が加算されることはない。

83 ☑☑☑ 重要度 AA [R3問10-D]

障害基礎年金の受給権者が、厚生年金保険法第47条第2項に規定する障害等級に該当する程度の障害の状態に該当しなくなった日から起算して同項に規定する障害等級に該当する程度の障害の状態に該当することなく3年を経過した日において、65歳に達していないときでも、当該障害基礎年金の受給権は消滅する。

○

テキスト ▶ ②社会保険科目P117

そのとおり正しい（法36条の２第１項１号・２項）。

テキスト ▶ ②社会保険科目P117

障害基礎年金の受給権は、厚生年金保険の障害等級３級以上の障害の状態にない者が、その該当しなくなった日から、障害等級３級以上の障害の状態に該当することなく「**３年**」を経過したときは、当該「**３年**」を経過した日において受給権者が65歳未満であるときを除き、消滅します（法35条３号）。

テキスト ▶ ②社会保険科目P117

そのとおり正しい（法36条の２第４号）。

×

テキスト ▶ ②社会保険科目P115

障害基礎年金の受給権者がその権利を取得した日の翌日以後に、その者によって生計を維持している所定の子を有することとなったときは、**当該子を有するに至った日の属する月の翌月から、障害基礎年金の額に子の加算額が加算されます**（法33条の２第１項）。

×

テキスト ▶ ②社会保険科目P117

障害基礎年金の受給権は、受給権者の障害の程度が軽減し、障害等級３級にも該当しなくなった場合であって、そのまま障害等級級に該当することなく65歳に達したとき又は３年を経過したときのいずれか遅い方に達したときに消滅します。本問の者は65歳に達していないため、障害基礎年金の受給権は消滅しません（法35条３号）。

4－4 給付（遺族基礎年金）

84 ☑☑☑ 重要度Ⓢ [R2問2-E]

被保険者である夫が死亡し、その妻に遺族基礎年金が支給される場合、遺族基礎年金には、子の加算額が加算される。

85 ☑☑☑ 重要度Ⓑ [R3問6-B]

配偶者が遺族基礎年金の受給権を取得した当時胎児であった子が生まれたときは、その子は、配偶者がその権利を取得した当時遺族基礎年金の遺族の範囲に該当し、かつ、死亡した被保険者又は被保険者であった者と生計を同じくした子とみなされるため、遺族基礎年金の額は被保険者又は被保険者であった者の死亡した日の属する月の翌月にさかのぼって改定される。

86 ☑☑☑ 重要度Ⓑ [R4問4-D]

遺族基礎年金の受給権を取得した夫が60歳未満であるときは、当該遺族基礎年金は、夫が60歳に達するまで、その支給が停止される。

87 ☑☑☑ 

[R元問2-B]

遺族基礎年金の受給権者である子が、死亡した被保険者の兄の養子となったとしても、当該子の遺族基礎年金の受給権は消滅しない。

テキスト▶②社会保険科目P119

そのとおり正しい（法39条１項）。配偶者は、所定の要件を満たした子と生計を同じくしていなければ遺族基礎年金の受給権を取得できないため、配偶者に対する遺族基礎年金には子の加算額が加算されます（法37条２第１項）。

テキスト▶該当ページなし

本問の場合の遺族基礎年金の額は、「その生まれた日の属する月の翌月から」改定されます（法39条２項）。その他の記述は正しい。

テキスト▶②社会保険科目P121

本問のような60歳到達までの支給停止規定は存在しません（法41条など）。そもそも遺族基礎年金の受給権者である「配偶者」に年齢要件がありません。よって、遺族厚生年金のような若年支給停止規定も存在しません。

テキスト▶②社会保険科目P123

死亡した被保険者の兄（伯父）は、傍系血族であるため、本問の子は「**直系血族又は直系姻族の養子となったとき**」**に該当しない**ため、遺族基礎年金の受給権は**消滅します**（法40条１項）。

[R元問9-B]

合算対象期間を25年以上有し、このほかには被保険者期間を有しない61歳の者が死亡し、死亡時に国民年金には加入していなかった。当該死亡した者に生計を維持されていた遺族が14歳の子のみである場合、当該子は遺族基礎年金を受給することができる。

89

[R4問10-B]

保険料納付済期間と保険料免除期間とを合算した期間が25年以上である55歳の第１号被保険者が死亡したとき、当該死亡日の前日において、当該死亡日の属する月の前々月までの１年間に保険料が未納である月があった場合は、遺族基礎年金を受けることができる要件を満たす配偶者と子がいる場合であっても、遺族基礎年金は支給されない。

90

[H30問5-エ]

遺族基礎年金の受給権は、受給権者が婚姻をしたときは消滅するが、老齢基礎年金の支給繰上げの請求をしても消滅しない。

×

テキスト▶②社会保険科目P118

本問の者は、死亡時には国民年金に加入していなかったため、遺族基礎年金の死亡日要件のうち、「**被保険者が、死亡したとき**」**に該当しません**。また、「被保険者であった者であって、日本国内に住所を有し、かつ、60歳以上65歳未満であるものが、死亡したとき」に該当するか否かは問題文中から確定はできませんが、これに該当した場合であっても、合算対象期間以外の被保険者期間を有していないことから**保険料納付要件を満たすことはできません**。また、保険料納付済期間又は保険料免除期間（学生納付特例の期間及び保険料納付猶予の期間を除く）を25年以上有していないため、「**老齢基礎年金の受給権者**（保険料納付済期間と保険料免除期間とを合算した期間が25年以上である者に限る）**が、死亡したとき**」及び「**保険料納付済期間と保険料免除期間とを合算した期間が25年以上である者が、死亡したとき**」**に該当しない**ため、遺族に遺族基礎年金は**支給されません**（法37条、法附則９条１項）。

×

テキスト▶②社会保険科目P118

亡くなった第１号被保険者は「保険料納付済期間と保険料免除期間とを合算した期間が25年以上」あるので、この場合、保険料納付要件は問われません（法37条、法附則９条１項）。

○

テキスト▶②社会保険科目P123

そのとおり正しい（法40条１項）。

櫻島のワンポイント

遺族基礎年金の受給権者が老齢基礎年金の支給繰上げの請求をした場合であっても、遺族基礎年金の受給権は消滅しませんが、遺族基礎年金と繰上げ支給の老齢基礎年金は併給できないので、**いずれかを選択受給**することとなります。

91 ☑☑☑ 重要度 A [H30問8-B]

夫の死亡により妻と子に遺族基礎年金の受給権が発生し、子の遺族基礎年金は支給停止となっている。当該妻が再婚した場合、当該妻の遺族基礎年金の受給権は消滅し、当該子の遺族基礎年金は、当該妻と引き続き生計を同じくしていたとしても、支給停止が解除される。なお、本問における子は18歳に達した日以後の最初の３月31日に達していないものとする。

92 ☑☑☑ 重要度 A [R3問7-A]

配偶者に対する遺族基礎年金が、その者の１年以上の所在不明によりその支給を停止されているときは、子に対する遺族基礎年金もその間、その支給を停止する。

93 ☑☑☑ 重要度 A [H30問8-D]

夫の死亡により、夫と前妻との間に生まれた子（以下「夫の子」という。）及び妻（当該夫の子と生計を同じくしていたものとする。）に遺族基礎年金の受給権が発生した。当該夫の子がその実母と同居し、当該妻と生計を同じくしなくなった場合、当該妻の遺族基礎年金の受給権は消滅するが、当該夫の子の遺族基礎年金の受給権は消滅しない。なお、当該夫の子以外に子はいないものとする。また、本問における子は18歳に達した日以後の最初の３月31日に達していないものとする。

94 ☑☑☑ 重要度 AA [H28問3-B]

被保険者、配偶者及び当該夫婦の実子が１人いる世帯で、被保険者が死亡し配偶者及び子に遺族基礎年金の受給権が発生した場合、その子が直系血族又は直系姻族の養子となったときには、子の有する遺族基礎年金の受給権は消滅しないが、配偶者の有する遺族基礎年金の受給権は消滅する。

×

テキスト▶②社会保険科目P121

子に対する遺族基礎年金は、生計を同じくするその子の父又は母があるときは、その間、その**支給が停止**されます（法41条２項）。本問の子は、母（問題文中の「妻」）と生計を同じくしているため、その支給は引き続き停止されます。

×

テキスト▶②社会保険科目P121

配偶者の遺族基礎年金が所在不明により支給停止されている間は、子の遺族基礎年金は支給停止されません（法41条２項）。

テキスト▶②社会保険科目P123

そのとおり正しい（法39条３項５号、法40条１項・２項）。

椛島のワンポイント

子が妻と生計を同じくしなくなったため、妻の遺族基礎年金は消滅します。一方、子について**失権事由は発生していない**ため、子の遺族基礎年金は**消滅しません**。

テキスト▶②社会保険科目P123

そのとおり正しい（法40条）。

椛島のワンポイント

子の有する遺族基礎年金の受給権については、子は直系血族又は直系姻族の養子となっているため、消滅しません。しかし、配偶者の有する遺族基礎年金の受給権については、**子が配偶者以外の者の養子となった（減額改定事由）**ため、消滅します。

95

[H28問3-E]

受給権者が子３人であるときの子に支給する遺族基礎年金の額は、780,900円に改定率を乗じて得た額に、224,700円に改定率を乗じて得た額の２倍の額を加算し、その合計額を３で除した額を３人の子それぞれに支給する。

96

[H27問3-A]

子の有する遺族基礎年金の受給権は、当該子が18歳に達した日以後の最初の３月31日が終了したときに障害等級に該当する障害の状態にあった場合は、その後、当該障害の状態に該当しなくなっても、20歳に達するまで消滅しない。

97

[H26問8-D]

保険料納付済期間を25年有する50歳の第１号被保険者が死亡した場合、その者によって生計を維持していた14歳の子がいても、当該死亡日の前日において当該死亡日の属する月の前々月までの１年間に保険料滞納期間があるときは、子は遺族基礎年金の受給権を取得しない。

×

テキスト▶②社会保険科目P120

受給権者が子３人であるときのそれぞれの子に支給する遺族基礎年金の額は、780,900円に改定率を乗じて得た額に「**224,700円に改定率を乗じて得た額**」と「**74,900円に改定率を乗じて得た額**」を加算して得た額を３で除して得た額です（法39条の２第１項）。

椛島のワンポイント

子の数	基本額	子の加算額
1人	780,900円×改定率	－
2人		224,700円×改定率
3人		224,700円×改定率 ＋ 74,900円×改定率
4人		224,700円×改定率 ＋ 74,900円×改定率 × 2

テキスト▶②社会保険科目P120

子の有する遺族基礎年金の受給権は、当該子が18歳に達した日以後の最初の３月31日が終了したときに障害等級に該当する障害の状態にあった場合には、その時点では消滅しませんが、**その後当該子が20歳に達する前に障害等級に該当する程度の障害の状態に該当しなくなったときは、その時に消滅します**（法40条３項）。

テキスト▶②社会保険科目P118

本問の死亡した第１号被保険者は、保険料納付済期間が25年あるため、死亡日の前日における保険料納付要件は問われません。したがって、遺族の要件を満たしている本問の子は、遺族基礎年金の受給権を**取得します**（法37条ほか）。

98

重要度 B　[H29問6-D]

付加保険料に係る保険料納付済期間を有する者が老齢基礎年金の支給繰下げの申出を行ったときは、付加年金についても支給が繰り下げられ、この場合の付加年金の額は、老齢基礎年金と同じ率で増額される。なお、本問において振替加算を考慮する必要はない。

99

重要度 AA　[R2問4-D]

死亡した被保険者の子が遺族基礎年金の受給権を取得した場合において、当該被保険者が月額400円の付加保険料を納付していた場合、当該子には、遺族基礎年金と併せて付加年金が支給される。

100

[H27問2-ウ]

付加保険料に係る保険料納付済期間を300か月有する者が、65歳で老齢基礎年金の受給権を取得したときには、年額60,000円の付加年金が支給される。

101

[H25問10-B]

付加年金の受給権は、老齢基礎年金の受給権と同時に発生し、老齢基礎年金の受給権と同時に消滅する。また、老齢基礎年金がその全額につき支給を停止されているときは、その間、付加年金も停止される。

102

[R2問4-A]

夫が老齢基礎年金の受給権を取得した月に死亡した場合には、他の要件を満たしていても、その者の妻に寡婦年金は支給されない。

○

テキスト▶②社会保険科目P124

そのとおり正しい（法46条２項、令４条の５第２項）。

椛島のワンポイント

付加年金の額については、**改定率は乗ぜられません。**

テキスト▶②社会保険科目P124

付加年金は「老齢基礎年金の受給権」を取得したときに支給されるものです（法43条）。

テキスト▶②社会保険科目P124

そのとおり正しい（法44条）。

椛島のワンポイント

本問における付加年金の額は、**200円×**付加保険料納付済期間の**月数**（300月）＝年額60,000円となります。

テキスト▶②社会保険科目P124

そのとおり正しい（法47条ほか）。

椛島のワンポイント

付加年金には改定率は乗ぜられず、**マクロ経済スライドも適用されません。**

テキスト▶②社会保険科目P125

寡婦年金は、死亡した夫が「老齢基礎年金の支給を受けていた」ときは支給されません。本問の場合、老齢基礎年金の受給権を取得したものの、他の要件は満たしている（老齢基礎年金の支給を受けていない）ため、妻に寡婦年金が支給されます（法49条１項）。

103　　　　[H30問6-B]

寡婦年金は、夫の死亡について労働基準法の規定による遺族補償が行われるべきものであるときは、死亡日から６年間、その支給が停止される。

104　　重要度A　　[R4問7-E]

寡婦年金は、受給権者が繰上げ支給による老齢基礎年金の受給権を取得した場合でも支給される。

105　　　　[H28問2-D]

寡婦年金の額は、死亡日の属する月の前月までの第１号被保険者としての被保険者期間に係る死亡日の前日における保険料納付済期間及び保険料免除期間につき、国民年金法第27条の老齢基礎年金の額の規定の例によって計算した額とされている。

106　　　　[H26問1-C]

寡婦年金の受給権を有する者が老齢基礎年金の支給繰上げの請求をし、老齢基礎年金の受給権を取得すると、寡婦年金の受給権は消滅する。

107　　　　[H24問4-オ]

夫の死亡により、寡婦年金と死亡一時金の受給要件を同時に満たした妻に対しては、寡婦年金が支給される。ただし、夫の死亡日の属する月に寡婦年金の受給権が消滅したときには、この限りでない。

〇

テキスト▶②社会保険科目P125

そのとおり正しい（法52条）。

×

テキスト▶②社会保険科目P126

寡婦年金は、受給権者が繰上げ支給による老齢基礎年金の受給権を取得した場合には、「失権となります」（法51条）。

×

テキスト▶②社会保険科目P126

寡婦年金の額は、死亡日の属する月の前月までの第１号被保険者としての被保険者期間に係る死亡日の前日における保険料納付済期間及び保険料免除期間につき、老齢基礎年金の額の規定の例によって計算した額の「**４分の３**」に相当する額とされています（法50条）。

椛島のワンポイント

イメージとしては、「旦那さんがもし生きていたら、旦那さん自身がもらえたであろう老齢基礎年金の額の４分の３」を奥さんに支給するという感じです。

〇

テキスト▶②社会保険科目P126

そのとおり正しい（法附則９条の２第５項）。

×

テキスト▶②社会保険科目P127

寡婦年金と死亡一時金の受給要件を同時に満たした妻は、**寡婦年金と死亡一時金のいずれかを選択**することができます（法52条の６）。

108

重要度 A [R2問3-D]

死亡日の前日において、死亡日の属する月の前月までの第１号被保険者としての被保険者期間に係る保険料納付済期間の月数が18か月、保険料全額免除期間の月数が６か月、保険料半額免除期間の月数が24か月ある者が死亡した場合において、その者の遺族に死亡一時金が支給される。

109

重要度 A [R元問4-B]

死亡一時金を受けることができる遺族が、死亡した者の祖父母と孫のみであったときは、当該死亡一時金を受ける順位は孫が優先する。なお、当該祖父母及び孫は当該死亡した者との生計同一要件を満たしているものとする。

110

重要度 A [H29問7-A]

死亡日の前日における付加保険料に係る保険料納付済期間が３年以上である者の遺族に支給される死亡一時金の額には、8,500円が加算される。

111

重要度 A [R2問2-A]

死亡日の属する月の前月までの第１号被保険者としての被保険者期間に係る死亡日の前日における保険料納付済期間が36か月であり、同期間について併せて付加保険料を納付している者の遺族に支給する死亡一時金の額は、120,000円に8,500円を加算した128,500円である。なお、当該死亡した者は上記期間以外に被保険者期間を有していないものとする。

112

重要度 A [H28問5-B]

死亡一時金を受けることができる遺族は、死亡した者の配偶者、子、父母、孫、祖父母、兄弟姉妹又はこれらの者以外の三親等内の親族であって、その者の死亡の当時その者と生計を同じくしていたものである。

テキスト▶②社会保険科目P126

本問の場合、保険料納付済期間18か月＋保険料半額免除期間24か月×１／２＝30月となり、36月に満たないため、死亡一時金は支給されません（法52条の２第１項）。

テキスト▶②社会保険科目P126

そのとおり正しい（法52条の３第２項）。

椛島のワンポイント

死亡一時金を受ける順位は、死亡した者の**配偶者、子、父母、孫、祖父母又は兄弟姉妹**の順序によります。

テキスト▶②社会保険科目P127

そのとおり正しい（法52条の４第２項）。

○

テキスト▶②社会保険科目P127

そのとおり正しい（法52条の４）。なお、死亡一時金の支給要件をみる場合において、保険料全額免除期間は、第１号被保険者としての被保険者期間の月数の計算の基礎とされません。

テキスト▶②社会保険科目P126

死亡一時金を受けることができる遺族は、死亡した者の「**配偶者、子、父母、孫、祖父母又は兄弟姉妹**」であって、その者の死亡の当時その者と生計を同じくしていたものであり、「これらの者以外の**三親等内の親族**」は、死亡一時金を受けることができる遺族に**含まれません**（法52条の３第１項）。

4−6 給付（その他給付関連）

113 ☑☑☑ 重要度 C [H24問6-A]

脱退一時金は、日本国籍を有しない者を対象とする当分の間の経過措置であり、国民年金法附則に規定されている。

114 ☑☑☑ 重要度 B [R2問4-B]

第１号被保険者としての被保険者期間に係る保険料納付済期間を６か月以上有する日本国籍を有しない者（被保険者でない者に限る。）が、日本国内に住所を有する場合、脱退一時金の支給を受けることはできない。

115 ☑☑☑ 重要度 C [H25問3-C]

68歳に達する年度前にある受給権者についての改定率の改定は、原則として、名目手取り賃金変動率を基準として毎年度行われるが、調整期間中においては、この改定は行われず、改定率は据え置かれる。

116 ☑☑☑ 重要度 B [R元問6-C]

被保険者又は被保険者であった者の死亡前に、その者の死亡によって遺族基礎年金又は死亡一時金の受給権者となるべき者を故意に死亡させた者には、遺族基礎年金又は死亡一時金は支給しない。

117 ☑☑☑ 重要度 B [R4問3-D]

国民年金法第107条第２項に規定する障害基礎年金の加算の対象となっている子が、正当な理由がなくて、同項の規定による受診命令に従わず、又は同項の規定による当該職員の診断を拒んだときは、年金給付の支払を一時差し止めることができる。

○

テキスト▶②社会保険科目P127

そのとおり正しい（法附則9条の3の2第1項）。

テキスト▶②社会保険科目P128

そのとおり正しい(法附則9条の3の2第1項)。日本国内に住所を有するときは、脱退一時金の支給を請求することはできません。

テキスト▶②社会保険科目P129

68歳に達する年度前にある受給権者（新規裁定者）についての改定率の改定は、原則として、**算出率を基準**とする（＝**マクロ経済スライド**を適用する）こととされており、**改定が行われないわけではありません**（法27条の4第1項ほか）。

テキスト▶②社会保険科目P129

そのとおり正しい（法71条1項）。

×

テキスト▶②社会保険科目P129

本問の受診命令に従わず、又は当該職員の診断を拒んだときは、「年金給付額の全部又は一部につき、その支給を停止することができます」（法72条1項2号）。

118 ☑☑☑ 重要度 B [H23問2-D]

受給権者は、厚生労働大臣に対し、厚生労働省令の定める事項を届け出、かつ、厚生労働省令の定める書類その他の物件を提出しなければならないが、受給権者が正当な理由がなくて届出をせず、又は書類その他の物件を提出しないとき、厚生労働大臣は年金給付の支払を停止することができる。

×

テキスト▶②社会保険科目P130

受給権者が、正当な理由なく本問の届出・提出を行わないときは、年金給付の支払を**一時差し止めることができます**（法73条）。年金給付の一時差止めは、不支給や支給停止の場合と異なり、その差止め事由が消滅した場合は、差し止められた当時にさかのぼって年金給付が支払われることとなります。なお、前段の記述については正しい（法105条３項）。

5 積立金の運用及び費用の負担

119 ☑☑☑ 重要度 C [H26問4-ア]

保険料４分の１免除期間に係る老齢基礎年金の給付に要する費用については、480から保険料納付済期間の月数を控除して得た月数を限度として、その７分の４を国庫が負担することとなる。

120 ☑☑☑ 重要度 B [H26問4-オ]

国民年金事業の事務の執行に要する費用については、毎年度、予算の範囲内で国庫が負担する。

121 ☑☑☑ 重要度 C [H23問9-B]

政府は、政令の定めるところにより、都道府県及び市町村（特別区を含む。）が国民年金法又は国民年金法に基づく政令の規定によって行う事務の処理に必要な費用を交付する。

122 ☑☑☑ 重要度 AA [H30問7-C]

被保険者は、第１号被保険者としての被保険者期間及び第２号被保険者としての被保険者期間については国民年金保険料を納付しなければならないが、第３号被保険者としての被保険者期間については国民年金保険料を納付することを要しない。

123 ☑☑☑ 重要度 A [H29問4-C]

保険料の半額を納付することを要しないとされた者は、当該納付することを要しないとされた期間について、厚生労働大臣に申し出て付加保険料を納付する者となることができる。

テキスト ▶ ②社会保険科目P132

そのとおり正しい（法85条ほか）。

椛島のワンポイント

内訳は「保険料・拠出金算定対象額に対する国庫負担」が7分の3で、「特別国庫負担金」が7分の1です。

テキスト ▶ ②社会保険科目P132

そのとおり正しい（法85条2項）。

テキスト ▶ ②社会保険科目P132

政府は、政令の定めるところにより、市町村（特別区を含む）に対し、**市町村長**（特別区の区長を含む）が国民年金法等の規定によって行う事務の処理に必要な費用を**交付**しますが、都道府県に対しては、このような規定はありません（法86条）。

×

テキスト ▶ ②社会保険科目P133

被保険者は、第1号被保険者としての被保険者期間については、保険料を納付しなければなりませんが、「**第2号被保険者**」及び第3号被保険者としての被保険者期間については、保険料を納付することを**要しません**（法88条1項、法94条の6）。

テキスト ▶ ②社会保険科目P134

保険料免除の規定の適用を受けている者は、**付加保険料を納付する者となることができません**（法87条の2第1項）。

124

☑☑☑　重要度 AA　[R2問3-E]

日本国籍を有する者その他政令で定める者であって、日本国内に住所を有しない20歳以上65歳未満の任意加入被保険者は、厚生労働大臣に申し出て、付加保険料を納付する者となることができる。

125

☑☑☑　重要度 A　[H26問3-ア]

第１号被保険者である夫の妻は、夫の保険料を連帯して納付する義務を負う。

126

☑☑☑　　[R元問4-A]

被保険者（産前産後期間の保険料免除及び保険料の一部免除を受ける者を除く。）が保険料の法定免除の要件に該当するに至ったときは、当該被保険者の世帯主又は配偶者の所得にかかわらず、その該当するに至った日の属する月の前月からこれに該当しなくなる日の属する月までの期間に係る保険料は、既に納付されたものを除き、納付することを要しない。

127

☑☑☑　　[H30問6-C]

ともに第１号被保険者である夫婦（夫45歳、妻40歳）と３人の子（15歳、12歳、５歳）の５人世帯で、夫のみに所得があり、その前年の所得（１月から６月までの月分の保険料については前々年の所得とする。）が210万円の場合、申請により、その指定する期間に係る当該夫婦の保険料は全額免除となる。なお、法定免除の事由に該当せず、妻と３人の子は夫の扶養親族等であるものとする。

○

テキスト▶②社会保険科目P134

本問のとおりです（法附則５条９項）。なお、国民年金の保険料免除者（産前産後期間の保険料免除者を除く）は、付加保険料を納付することができません（法附則５条９項）。

テキスト▶②社会保険科目P134

そのとおり正しい（法88条３項）。

椛島のワンポイント

配偶者の一方は、被保険者たる他方の保険料を連帯して納付する義務を負っています。

テキスト▶②社会保険科目P135

そのとおり正しい（法89条１項）。

椛島のワンポイント

法定免除の適用に当たっては、国民年金法上、世帯主又は配偶者の所得は問われません。

×

テキスト▶②社会保険科目P136

申請による保険料全額免除の所得要件は、所得が「（扶養親族等の数＋１）×35万円＋32万円」以下であることです（法90条１項、令６条の７）。本問の場合、扶養親族等の数は４人（妻と３人の子）であるため、所得は、（４＋１）×35万円＋32万円＝207万円以下でなければなりません。したがって、本問の夫婦の保険料について、**保険料全額免除の適用を受けることはできません。**

128  重要度 A [H29問4-B]

国民年金法第89条第２項に規定する、法定免除の期間の各月につき保険料を納付する旨の申出は、障害基礎年金の受給権者であることにより法定免除とされている者又は生活保護法による生活扶助を受けていることにより法定免除とされている者のいずれであっても行うことができる。

129  重要度 A [H27問6-エ]

第１号被保険者が生活保護法の保護のうち、医療扶助のみを受けた場合、保険料の法定免除の対象とされる。

130  重要度 A [H26問3-エ]

第１号被保険者が法定免除の事由に該当するに至ったときは、14日以内に、市町村長に所定の事項を記載した届書を提出しなければならない。ただし、法定免除の事由に該当することが確認されたときは、この限りではない。

131  重要度 AA [H26問5-C]

単身者である第１号被保険者について、その前年の所得（１月から６月までの月分の保険料については前々年の所得とする。）が168万円以下であれば保険料の４分の１免除が受けられる。

132 ☑☑☑ 重要度 A [H26問5-D]

法定免除の規定により納付することを要しないものとされた保険料については、被保険者又は被保険者であった者から当該保険料に係る期間の各月につき、保険料を納付する旨の申出があったときは、当該申出のあった期間に係る保険料に限り納付することができる。

○

テキスト▶②社会保険科目P135

そのとおり正しい（法89条２項）。いずれの法定免除事由に該当する場合であっても、本問の納付の申出をすることができます。

×

テキスト▶②社会保険科目P135

第１号被保険者が生活保護法による「**生活扶助**」を受けた場合は、保険料の法定免除の対象とされますが、同法による「**生活扶助以外の扶助**」のみを受けた場合には、保険料の法定免除の対象とはされません（法89条、法90条、則74条、則76条の２ほか）。なお、「**被保険者又は被保険者の属する世帯の他の世帯員が生活保護法による生活扶助以外の扶助を受けるとき**」は、申請免除の免除事由に該当します。

○

テキスト▶②社会保険科目P135

そのとおり正しい（法89条、則75条）。

○

テキスト▶②社会保険科目P136

そのとおり正しい（法90条の２第３項、令６条の９の２）。

○

テキスト▶②社会保険科目P135〜136

そのとおり正しい（法89条２項）。

133 ☑☑☑ 重要度 B

[H28問1-イ]

第１号被保険者が平成30年３月分の保険料の全額免除を受け、これを令和３年４月に追納するときには、追納すべき額に国民年金法第94条第３項の規定による加算は行われない。

134 ☑☑☑ 重要度 A

[H28問6-D]

被保険者又は被保険者であった者が、保険料の全額免除の規定により納付することを要しないものとされた保険料（追納の承認を受けようとする日の属する月前10年以内の期間に係るものに限る。）について厚生労働大臣の承認を受けて追納しようとするとき、その者が障害基礎年金の受給権者となった場合には追納することができない。

135 ☑☑☑ 重要度 A

[H26問3-イ]

保険料の前納は、厚生労働大臣が定める期間につき、６か月又は年を単位として行うものとされているが、厚生労働大臣が定める期間のすべての保険料（既に前納されたものを除く。）をまとめて前納する場合においては、６か月又は年を単位として行うことを要しない。

136 ☑☑☑ 重要度 B

[H27問3-D]

保険料の督促をしようとするときは、厚生労働大臣は、納付義務者に対して、督促状を発する。督促状により指定する期限は、督促状を発する日から起算して５日以上を経過した日でなければならない。

137 ☑☑☑ 重要度 A

[H24問5-A]

保険料その他国民年金法の規定による徴収金を滞納する者があるときは、厚生労働大臣は、期限を指定して、これを督促しなければならない。

×

テキスト▶②社会保険科目P138

本問の場合、平成30年３月分の保険料について免除を受け、その免除を受けた月の属する年（平成30年）の翌々年の４月（令和２年４月）よりも後に追納をしているため、法94条３項の**加算が行われます**（法94条３項、令10条）。保険料免除を受けた月が３月である場合に、法94条３項の加算が行われないのは、当該「**免除を受けた月の属する年の翌々年の４月まで**」に追納するときです。

×

テキスト▶②社会保険科目P137

保険料の追納は、**老齢基礎年金の受給権者はすることができません**が、障害基礎年金の受給権者は、他の要件を満たす限り、することができます（法94条１項）。

○

テキスト▶②社会保険科目P137

そのとおり正しい（令７条）。

×

テキスト▶②社会保険科目P139

督促状により指定する期限は、**督促状を発する日から起算して「10日」以上を経過した日**でなければなりません（法96条２項・３項）。

×

テキスト▶②社会保険科目P139

保険料その他国民年金法の規定による徴収金を滞納する者があるときは、厚生労働大臣は、期限を指定して、これを**督促することができます**（法96条１項）。

138 ☑☑☑ 重要度 C [H22問1-A]

日本年金機構は、滞納処分等を行う場合には、あらかじめ厚生労働大臣の認可を受けるとともに、滞納処分等実施規程に従い、日本年金機構の理事長が任命した徴収職員に行わせなければならない。

139 ☑☑☑ 重要度 B [椛島オリジナル]

積立金の運用は、積立金が国民年金の被保険者から徴収された保険料の一部であり、かつ、将来の給付の貴重な財源となるものであることに特に留意し、専ら国民年金の給付の受給権者の利益のために行うべきとされている。

140 ☑☑☑ 重要度 A [椛島オリジナル]

積立金の運用は、厚生労働大臣が、年金積立金管理運用独立行政法人（GPIF）に対し、積立金を寄託することにより行う。

141 ☑☑☑ 重要度 B [椛島オリジナル]

積立金の運用に係る行政事務に従事する厚生労働省の職員（以下「運用職員」という。）は、その職務に関して知り得た秘密を漏らし、又は盗用してはならず、これに違反した場合、国民年金法上の罰則の対象となる。

テキスト▶②社会保険科目P139

そのとおり正しい（法109条の６第１項・２項）。

椛島のワンポイント

本問の徴収職員は、滞納処分等に係る法令に関する知識並びに実務に必要な知識及び能力を有する機構の職員のうちから、厚生労働大臣の認可を受けて、日本年金機構の**理事長が任命**することとされています。

テキスト▶②社会保険科目P131

専ら「**国民年金の被保険者**」**の利益**のために行うべきとされています（法75条）。

テキスト▶②社会保険科目P131

そのとおり正しい（法76条）。

×

テキスト▶②社会保険科目P131～132

違反した場合には、「厚生労働大臣は、その職員に対し**国家公務員法**に基づく懲戒処分をしなければならない」、と規定されています（法78条、79条）。

6 不服申立て及び雑則等

142 ☑☑☑ 重要度A [H29問6-B]

厚生労働大臣が行った年金給付に関する処分の取消しの訴えは、当該処分についての再審査請求に対する社会保険審査会の裁決を経た後でなければ、提起することができない。

143 ☑☑☑ 重要度A [H27問5-E]

年金給付を受ける権利は、その支給すべき事由が生じた日から5年を経過したとき、死亡一時金を受ける権利は、これを行使することができる時から5年を経過したときは、それぞれ時効によって消滅する。

144 ☑☑☑ 重要度A [H24問6-D]

脱退一時金は国民年金法第15条に定める給付ではないので、その処分に不服があっても、社会保険審査会に対して審査請求することはできない。

×

テキスト▶②社会保険科目P141

厚生労働大臣が行った年金給付に関する処分の取消しの訴えは、当該処分についての「**審査請求**」に対する「**社会保険審査官の決定**」を経た後でなければ、提起することができません（法101条の２）。

×

テキスト▶②社会保険科目P143

年金給付を受ける権利は、その支給すべき事由が生じた日から**５年**を経過したとき、**死亡一時金**を受ける権利は、これを行使することができる時から「**２年**」を経過したときは、それぞれ時効によって消滅します（法102条１項・４項）。

×

テキスト▶②社会保険科目P141

脱退一時金に関する処分に不服がある者は、社会保険審査会に対して**審査請求をすることができます**（法附則９条の３の２第５項）。

⑦ 国民年金基金

145 ☑☑☑ 重要度 B [H30問1-B]

国民年金基金（以下「基金」という。）における「中途脱退者」とは、当該基金の加入員期間の年数にかかわらず、当該基金の加入員の資格を喪失した者（当該加入員の資格を喪失した日において当該基金が支給する年金の受給権を有する者を除く。）をいう。

146 ☑☑☑ 重要度 B [H30問7-A]

国民年金基金（以下本問において「基金」という。）は、厚生労働大臣の認可を受けて、他の基金と吸収合併をすることができる。ただし、地域型国民年金基金と職能型国民年金基金との吸収合併については、その地区が全国である地域型国民年金基金が国民年金法第137条の３の２に規定する吸収合併存続基金となる場合を除き、これをすることができない。

147 ☑☑☑ 重要度 A [R3問1-E]

国民年金基金は、加入員又は加入員であった者の老齢に関し年金の支給を行い、あわせて加入員又は加入員であった者の障害に関し、一時金の支給を行うものとされている。

148 ☑☑☑ 重要度 A [H29問5-A]

日本国籍を有し、日本国内に住所を有しない20歳以上65歳未満の任意加入被保険者は、地域型国民年金基金の加入員となることができない。

テキスト▶②社会保険科目P147

「**中途脱退者**」とは、当該国民年金基金の加入員の資格を喪失した者（当該加入員の資格を喪失した日において当該国民年金基金が支給する年金の受給権を有する者を除く）であって、その者の当該国民年金基金の「**加入員期間が15年に満たないもの**」をいいます（法137条の17第１項、国民年金基金令45条１項）。

テキスト▶②社会保険科目P147

そのとおり正しい（法137条の３第１項）。

テキスト▶②社会保険科目P146

国民年金基金は、「加入員又は加入員であった者に対し、年金の支給」を行い、あわせて加入員又は加入員であった者の「死亡」に関し、一時金の支給を行うものとされています。（法128条１項）

×

テキスト▶②社会保険科目P145

本問の任意加入被保険者は、他の要件を満たす限り、国民年金基金の加入員となることができます（法附則５条11項）。国民年金基金の加入員となることができない任意加入被保険者は、日本国内に住所を有する20歳以上60歳未満の者であって、厚生年金保険法に基づく**老齢給付等を受けることができる者**です。

椛島のワンポイント

「日本国内に住所を有する20歳以上60歳未満の者であって、厚生年金保険法に基づく老齢給付等を受けることができる任意加入被保険者」は基金には入れません。なお、特例任意加入被保険者は、すべて基金に入ることができません。

149

重要度 B　[R2問2-C]

日本国籍を有する者であって、日本国内に住所を有しない20歳以上65歳未満の任意加入被保険者は、その者が住所を有していた地区に係る地域型国民年金基金又はその者が加入していた職能型国民年金基金に申し出て、地域型国民年金基金又は職能型国民年金基金の加入者となることができる。

150

重要度 A　[H29問5-B]

国民年金基金が徴収する掛金の額は、額の上限の特例に該当する場合を除き、1か月につき68,000円を超えることはできない。

151

重要度 A　[H27問4-D]

国民年金基金は、基金の事業の継続が不能となって解散しようとするときは、厚生労働大臣の認可を受けなければならない。

152

重要度 B　[H25問8-E]

20歳から60歳まで国民年金の被保険者として保険料を滞納することなく納付していた昭和29年4月2日生まれの者が希望すれば、65歳まで国民年金基金に加入することができる。なお、この者は、保険料免除の適用を受けたことがない。

テキスト▶②社会保険科目P145

そのとおり正しい（法附則５条12項）。なお、日本国内に住所を有する20歳以上60歳未満の者であって、厚生年金保険法に基づく老齢給付等を受けることができる任意加入被保険者は、国民年金基金の加入に関して第１号被保険者はみなされず、国民年金基金に加入することはできません（法附則５条11項）。

テキスト▶②社会保険科目P146

そのとおり正しい（基金令34条）。

椛島のワンポイント

本問の掛金は、年金の額の計算の基礎となる各月につき、徴収するものとされています（法134条２項）。

テキスト▶②社会保険科目P147

そのとおり正しい（法135条）。

椛島のワンポイント

国民年金基金は、次の①～③の理由により解散します。このうち、①又は②の理由により解散しようとするときは、厚生労働大臣の認可を受けなければなりません。
①代議員の定数の**４分の３以上**の多数による**代議員会の議決**
②当該基金の**事業の継続の不能**
③**厚生労働大臣の解散の命令**

×

テキスト▶②社会保険科目P145

本問の者は、20歳から60歳になるまでの480月間保険料を滞納することなく納付していることから、60歳以降は任意加入をすることができません（法27条各号の月数の合計が**480月に達している**ため）。したがって、**国民年金基金に加入することはできません**（法127条１項、法附則５条11項）。

153 ☑☑☑  [H22問4-C]

国民年金基金が支給する年金額は200円に加入員の加入月数を乗じて得た額を超えるものでなければならないが、国民年金基金の支給する一時金の額については下限は定められていない。

×

テキスト▶②社会保険科目P146

国民年金基金の支給する一時金の額は、**8,500円を超えるもの**でなければならないとされています（法130条２項・３項）。なお、前段部分の記述については正しい。

MEMO

MEMO

第8編

厚生年金保険法

項　目	問題番号
総則	問題 1 ～問題 2
被保険者	問題 3 ～問題 18
標準報酬月額及び標準賞与額	問題 19～問題 26
届出等	問題 27～問題 34
保険給付（通則）	問題 35～問題 45
60歳台前半の老齢厚生年金	問題 46～問題 62
老齢厚生年金	問題 63～問題 67
障害厚生年金及び障害手当金	問題 68～問題 87
遺族厚生年金	問題 88～問題 110
離婚分割制度	問題 111～問題 115
その他保険給付関連	問題 116～問題 125
2以上種別の期間を有する者の特例	問題 126
積立金の運用及び費用の負担	問題 127～問題 139
不服申立て及び雑則等	問題 140～問題 144

 総則

1

重要度 A [H30問7-D]

厚生年金保険制度は、老齢、障害又は死亡によって国民生活の安定がそこなわれることを国民の共同連帯によって防止し、もって健全な国民生活の維持及び向上に寄与することを目的としている。

2

重要度 AA [H30問7-E]

厚生年金保険は、厚生年金保険法に定める実施機関がそれぞれ管掌することとされている。

×

テキスト ▶ ②社会保険科目P154

厚生年金保険法は、「**労働者の老齢、障害又は死亡について保険給付を行い、労働者及びその遺族の生活の安定と福祉の向上に寄与すること**」を目的としています（法１条）。

×

テキスト ▶ ②社会保険科目P154〜155

厚生年金保険は、「**政府**」**が管掌**することとされています（法２条）。

② 被保険者

[R元問4-A]

常時５人以上の従業員を使用する個人経営の畜産業者である事業主の事業所は、強制適用事業所となるので、適用事業所となるために厚生労働大臣から任意適用事業所の認可を受ける必要はない。

4

[R2問6-E]

株式会社の代表取締役は、70歳未満であっても被保険者となることはないが、代表取締役以外の取締役は被保険者となることがある。

5

[R4問7-B]

代表者の他に従業員がいない法人事業所において、当該法人の経営への参画を内容とする経常的な労務を提供し、その対価として、社会通念上労務の内容にふさわしい報酬が経常的に支払われている代表者Ｙ（50歳）は、厚生年金保険の被保険者となる。

6

[R元問5-ウ]

適用事業所に使用される70歳未満の被保険者が70歳に達したときは、それに該当するに至った日の翌日に被保険者の資格を喪失する。

×

テキスト▶②社会保険科目P158～159

本問の事業所（畜産業者）は、**法定17業種以外**の事業所であり、個人経営であることから、**「強制適用事業所には該当しない」ため**、適用事業所となるためには厚生労働大臣から**任意適用事業所の認可を受ける必要があります**（法６条１項・３項）。

×

テキスト▶②社会保険科目P158

法人の理事、監事、取締役、代表社員及び無限責任社員等法人の代表者又は業務執行者であっても、法人から、労務の対償として報酬を受けている者は、70歳未満であり、適用除外事由のいずれにも該当しない場合には、被保険者とされます（法９条、昭24.7.28保発74号ほか）。したがって、70歳未満であれば、株式会社の代表取締役以外の取締役のみならず、株式会社の代表取締役も被保険者となることがあります。

○

テキスト▶②社会保険科目P158

そのとおり正しい（昭24.7.28保発74号）。代表者１人の法人の事業所であっても、その代表者が労務の対償として報酬を受けていれば、法人に使用される者が存在することとなり、よって適用事業所となります。

×

テキスト▶②社会保険科目P160

適用事業所に使用される70歳未満の被保険者が70歳に達したときは、それに該当するに至った**「その日」**に、被保険者の資格を**喪失**します（法14条１号）。

7  重要度 B [H25問5-B]

任意適用事業所の事業主は、厚生労働大臣の認可を受けて、当該事業所を適用事業所でなくすることができるが、その認可を受けようとするときは、当該事業主は、当該事業所に使用される者（同法第12条の規定により適用除外となる一定の者を除く。）の3分の2以上の同意を得て、厚生労働大臣に申請しなければならない。

8  重要度 A [H27問2-A]

民間企業に使用される任意単独被保険者が厚生労働大臣の認可を受けてその資格を喪失するには、事業主の同意を得た上で、所定の事項を記載した申請書を提出しなければならない。

9  重要度 A [H24問2-A]

適用事業所以外の事業所に使用される70歳未満の者が被保険者になるためには、保険料を全額負担し、厚生労働大臣の認可を受けなければならない。

10  重要度 A [H30問1-B]

船員法に規定する船員として船舶所有者に2か月以内の期間を定めて臨時に使用される70歳未満の者は、当該期間を超えて使用されないときは、厚生年金保険の被保険者とならない。

11  重要度 A [H27問2-D]

季節的業務に使用される者（船舶所有者に使用される船員を除く。）は、当初から継続して6か月を超えて使用されるべき場合を除き、被保険者とならない。

×

テキスト▶②社会保険科目P160

任意適用事業所の事業主は、厚生労働大臣の認可を受けて、当該事業所を適用事業所でなくすることができますが、その認可を受けようとするときは、当該事業主は、当該事業所に使用される者（一定の適用除外となる者を除く）の「**4分の3以上**」**の同意**を得て、厚生労働大臣に申請しなければなりません（法8条）。

×

テキスト▶②社会保険科目P161

本問の任意単独被保険者が厚生労働大臣の認可を受けてその資格を喪失する場合に、**事業主の同意は必要とされていません**（法11条）。

椛島のワンポイント

本問の任意単独被保険者がその資格喪失の認可を受けようとするときは、事業主にその旨を申し出た上、所定の事項を記載した申請書を日本年金機構に提出しなければなりません（則5条）。

×

テキスト▶②社会保険科目P161

本問の被保険者（任意単独被保険者）は、保険料を全額負担する必要はなく、一般の被保険者の場合と同様、事業主と任意単独被保険者とで、**2分の1ずつ負担します**（法10条1項、法82条1項）。

×

テキスト▶②社会保険科目P163

船員法に規定する船員として船舶所有者に使用される70歳未満の者は、2月以内の期間を定めて臨時に使用される場合であっても、他の適用除外事由に該当するときを除き、**雇入れ当初から被保険者となります**（法12条1号）。

×

テキスト▶②社会保険科目P163

季節的業務に使用される者（船舶所有者に使用される船員を除く）は、当初から継続して「**4か月**」**を超えて**使用されるべき場合を除き、被保険者となりません（法12条3号）。

12 ☑☑☑ 重要度 A [H25問1-ア]

船舶所有者に使用される船員であって、その者が継続して４か月を超えない期間季節的業務に使用される場合、その者は厚生年金保険の被保険者とならない。

13 ☑☑☑ 重要度 AA [R2問7-ア]

特定適用事業所に使用される者は、その１週間の所定労働時間が同一の事業所に使用される通常の労働者の１週間の所定労働時間の４分の３未満であって、厚生年金保険法の規定により算定した報酬の月額が88,000円未満である場合は、厚生年金保険の被保険者とならない。

14 ☑☑☑ 重要度 AA [R2問7-イ]

特定適用事業所に使用される者は、その１か月間の所定労働日数が同一の事業所に使用される通常の労働者の１か月間の所定労働日数の４分の３未満であって、当該事業所に継続して１年以上使用されることが見込まれない場合は、厚生年金保険の被保険者とならない。

15 ☑☑☑ 重要度 A [H24問10-A]

適用事業所に使用される70歳以上の高齢任意加入被保険者は、保険料の全額を負担し、自己の負担する保険料を納付する義務を負うものとする。ただし、その者の事業主（第２号厚生年金被保険者又は第３号厚生年金被保険者に係る事業主を除く）が当該保険料の半額を負担し、かつその被保険者及び自己の負担する保険料を納付する義務を負うことにつき同意したときはこの限りではない。

テキスト▶②社会保険科目P163

本問の者は、厚生年金保険の被保険者となります（法９条）。船舶所有者に使用される船員については、季節的業務に使用される場合の**適用除外規定は適用されません**（法12条３号）。

テキスト▶②社会保険科目P163

そのとおり正しい（法12条５号）。本問の「特定適用事業所」とは、事業主が同一である１又は２以上の適用事業所であって、当該１又は２以上の適用事業所に使用される特定労働者の総数が常時100人を超えるものの各適用事業所をいいます（平24法附則17条12項）。

テキスト▶②社会保険科目P163

特定適用事業所に使用される者であって、その１か月間の所定労働日数が同一の事業所に使用される通常の労働者の１か月間の所定労働日数の４分の３未満の者は、当該事業所に継続して１年以上使用されることが見込まれていない場合であっても、**他の適用除外事由に該当しない限り、被保険者となります**（法12条５号）。

テキスト▶②社会保険科目P162

そのとおり正しい（法附則４条の３第７項・10項）。

椛島のワンポイント

適用事業所に使用される高齢任意加入被保険者は、原則として、自己の保険料の全額を負担し納付する義務を負いますが、**事業主**（第２号厚生年金被保険者又は第３号厚生年金被保険者に係る事業主を除く。以下本問において同じ）**が半額負担と納付義務の同意をしたときは、保険料は折半負担**となり、**その納付義務も事業主が負うこと**となります。

16   [H28問10-A]

第１号厚生年金被保険者の資格の取得及び喪失に係る厚生労働大臣の確認は、事業主による届出又は被保険者若しくは被保険者であった者からの請求により、又は職権で行われる。

17   [H30問9-B改題]

被保険者期間を計算する場合には、月によるものとし、例えば、令和３年10月１日に資格取得した被保険者が、令和４年３月30日に資格喪失した場合の被保険者期間は、令和３年10月から令和４年２月までの５か月間であり、令和４年３月は被保険者期間には算入されない。なお、令和４年３月30日の資格喪失以後に被保険者の資格を取得していないものとする。

18 ☑☑☑ 重要度B [R4問2-D]

適用事業所に使用される高齢任意加入被保険者の被保険者資格の取得は、厚生労働大臣の確認によってその効力を生ずる。

○

テキスト▶②社会保険科目P164

そのとおり正しい（法18条２項）。

桜島のワンポイント

第２号厚生年金被保険者、第３号厚生年金被保険者及び第４号厚生年金被保険者の資格の取得及び喪失については、確認の規定は適用されません。

テキスト▶②社会保険科目P164

そのとおり正しい（法19条１項）。

桜島のワンポイント

被保険者期間を計算する場合、原則として、被保険者の資格を**取得した月から**その資格を**喪失した月の前月まで**が被保険者期間に算入されます。本問の場合の被保険者期間は、被保険者の資格を取得した月である令和３年10月から、被保険者の資格を喪失した月の前月である令和４年２月までの５か月間です。

テキスト▶該当ページなし

本問のケースでは、「個別に確認の手続がなくとも」、資格取得の効力を生じます（法18条１項、令６条１項、法附則４条の３第１項）。

③ 標準報酬月額及び標準賞与額

19

重要度 A　[R元問7-B]

実施機関は、被保険者が現に使用される事業所において継続した３か月間（各月とも、報酬支払の基礎となった日数が、17日以上であるものとする。）に受けた報酬の総額を３で除して得た額が、その者の標準報酬月額の基礎となった報酬月額に比べて、著しく高低を生じた場合において、必要があると認めるときは、その額を報酬月額として、その著しく高低を生じた月の翌月から、標準報酬月額を改定することができる。

20

重要度 B　[H30問8-A]

被保険者の配偶者が出産した場合であっても、所定の要件を満たす被保険者は、厚生年金保険法第26条に規定する３歳に満たない子を養育する被保険者等の標準報酬月額の特例の申出をすることができる。

21

重要度 B　[H29問4-C]

同時に２か所の適用事業所Ａ及びＢに使用される第１号厚生年金被保険者について、同一の月に適用事業所Ａから200万円、適用事業所Ｂから100万円の賞与が支給された。この場合、適用事業所Ａに係る標準賞与額は150万円、適用事業所Ｂに係る標準賞与額は100万円として決定され、この合計である250万円が当該被保険者の当該月における標準賞与額とされる。

22

重要度 A　[H23問8-C]

毎年３月31日における全被保険者の標準報酬月額を平均した額の100分の200に相当する額が標準報酬月額等級の最高等級の標準報酬月額を超える場合において、その状態が継続すると認められるときは、その年の９月１日から、健康保険法第40条第１項に規定する標準報酬月額の等級区分を参酌して、政令で、当該最高等級の上に更に等級を加える標準報酬月額の等級区分の改定を行うことができる。

テキスト ▶ ②社会保険科目P168

そのとおり正しい（法23条１項）。

椛島のワンポイント

本問の「その著しく高低を生じた月の翌月」とは、イコール「昇給月または降給月から数えて４か月目」のことです。

テキスト ▶ ②社会保険科目P169

そのとおり正しい（法26条）。

テキスト ▶ ②社会保険科目P170

本問の場合、各事業所についての賞与額の「**合算額をその者の賞与額としてその月の標準賞与額が決定される**」こととなり、200万円＋100万円＝300万円>150万円であることから、当該標準賞与額は150万円となります（法24条の４）。

テキスト ▶ ②社会保険科目P167

そのとおり正しい（法20条２項）。

23 ☑☑☑  [椛島オリジナル]

標準報酬月額は、被保険者の報酬月額に基づき、現在、最低88,000円（第１級）から最高1,390,000円（第50級）の範囲で、50等級に区分されている。

24 ☑☑☑  [椛島オリジナル]

随時改定の要件のひとつに、「継続した３月間のいずれかの月における報酬支払基礎日数が17日以上（短時間労働者である被保険者にあっては、11日以上）であること」がある。

25 ☑☑☑  [R3問6-D]

育児休業等を終了した際の標準報酬月額の改定若しくは産前産後休業を終了した際の標準報酬月額の改定を行うためには、被保険者が現に使用される事業所において、育児休業等終了日又は産前産後休業終了日の翌日が属する月以後３か月間の各月とも、報酬支払の基礎となった日数が17日以上でなければならない。

26 ☑☑☑   [R3問7-C]

実施機関は、被保険者が賞与を受けた月において、その月に当該被保険者が受けた賞与額に基づき、これに千円未満の端数を生じたときはこれを切り捨てて、その月における標準賞与額を決定する。この場合において、当該標準賞与額が１つの適用事業所において年間の累計額が150万円（厚生年金保険法第20条第２項の規定による標準報酬月額の等級区分の改定が行われたときは、政令で定める額とする。以下本問において同じ。）を超えるときは、これを150万円とする。

×

テキスト▶②社会保険科目P167

標準報酬月額は、被保険者の報酬月額に基づき、現在、**最低88,000円（第１級）から最高650,000円（第32級）**の範囲で、**32等級に区分**されています。

×

テキスト▶②社会保険科目P168

随時改定の要件のひとつに、「**継続した３月間のいずれの月も**報酬支払基礎日数が**17日以上**（短時間労働者である被保険者にあっては、11日以上）であること」があります。つまり、連続３か月で、**１か月でも**報酬支払基礎日数が**17日未満**の月があったら、**随時改定はなされません。**

テキスト▶②社会保険科目P169

育児休業等を終了した際の標準報酬月額の改定若しくは産前産後休業を終了した際の標準報酬の改定を行うためには、育児休業等終了日の翌日又は産前産後休業終了日の翌日が属する月以後３か月間の各月とも報酬支払基礎日数が17日以上である必要はありません（法23条の２第１項、法23条の３第１項）。これらの終了日の翌日が属する月以後３月間に報酬支払基礎日数が17日未満である月があるときは、「その月を除いて」報酬月額が算定され、その他の要件を満たしていれば、当該報酬月額を基に、標準報酬月額が改定されます。

×

テキスト▶②社会保険科目P170

標準賞与額の上限は、年間の累計額についての上限ではなく、「その賞与を受けた月における標準賞与額についての上限」であり、当該「賞与を受けた月」における標準賞与額が150万円（法20条２項の規定による標準報酬月額の等級区分の改定が行われたときは、政令で定める額。以下本問において同じ）を超えるときは、これを150万円とします（法24条の４第１項）。

❹ 届出等

27 ☑☑☑ 重要度 B [R元問4-D]

初めて適用事業所（第1号厚生年金被保険者に係るものに限る。）となった事業所の事業主は、当該事実があった日から5日以内に日本年金機構に所定の事項を記載した届書を提出しなければならないが、それが船舶所有者の場合は10日以内に提出しなければならないとされている。

28 ☑☑☑ 重要度 C [R元問10-ア]

第1号厚生年金被保険者又は厚生年金保険法第27条に規定する70歳以上の使用される者（法律によって組織された共済組合の組合員又は私立学校教職員共済法の規定による私立学校教職員共済制度の加入者を除く。）は、同時に2以上の事業所（第1号厚生年金被保険者に係るものに限る。）に使用されるに至ったとき、当該2以上の事業所に係る日本年金機構の業務が2以上の年金事務所に分掌されている場合は、その者に係る日本年金機構の業務を分掌する年金事務所を選択しなければならない。

29 ☑☑☑ 重要度 A [H29問4-E]

第1号厚生年金被保険者に係る適用事業所の事業主は、厚生年金保険に関する書類を原則として、その完結の日から2年間、保存しなければならないが、被保険者の資格の取得及び喪失に関するものについては、保険給付の時効に関わるため、その完結の日から5年間、保存しなければならない。

30 ☑☑☑ 重要度 A [H27問1-イ]

厚生年金保険法第27条の規定による第1号厚生年金被保険者（船員被保険者を除く。）の資格取得の届出は、当該事実があった日から5日以内に、厚生年金保険被保険者資格取得届又は当該届書に記載すべき事項を記録した磁気ディスクを日本年金機構に提出することによって行うものとする。

○

テキスト▶②社会保険科目P172

そのとおり正しい（則13条１項・４項）。

テキスト▶②社会保険科目P172

そのとおり正しい（則１条１項）。

椛島のワンポイント

本問の選択は、２以上の事業所に使用されるに至った日から10日以内に、所定の事項を記載した届書を、日本年金機構に提出することによって行うものとします（同条２項）。

テキスト▶②社会保険科目P172

事業主は、その厚生年金保険に関する書類を、その完結の日から**２年間保存**しなければならず、本問後段のような**例外規定は設けられていません**（則28条）。

テキスト▶②社会保険科目P171

そのとおり正しい（則15条１項）。

31  重要度 B [R3問2-C]

第1号厚生年金被保険者（船員被保険者を除く。）の資格喪失の届出が必要な場合は、当該事実があった日から10日以内に、所定の届書又は所定の届書に記載すべき事項を記録した光ディスクを日本年金機構に提出しなければならない。

32 重要度 B [H25問9-ウ]

事業主が第1号厚生年金被保険者（船員被保険者を除く。）に賞与を支払ったときの「被保険者の賞与額の届出」は、厚生年金保険法に基づき5日以内に届け出なければならないとされている。

33 重要度 A [H25問9-エ]

第1号厚生年金被保険者（船員被保険者を除く。）が厚生年金保険法第23条に基づく改定（いわゆる随時改定）に該当したときの「被保険者の報酬月額変更の届出」は、厚生年金保険法に基づき5日以内に届け出なければならないとされている。

34  重要度 C [H30問6-A]

第2号厚生年金被保険者であった者は、その第2号厚生年金被保険者期間について厚生労働大臣に対して厚生年金保険原簿の訂正の請求をすることができない。

×

テキスト▶②社会保険科目P171

第１号厚生年金被保険者（船員被保険者を除く）の資格喪失の届出は、当該事実があった日から「５日以内」に行わなければなりません（則22条１項）。

テキスト▶②社会保険科目P171

そのとおり正しい（則19条の５）。

椛島のワンポイント

本問の賞与額の届出は、賞与を支払った日から５日以内に、届け出なければなりません。

テキスト▶②社会保険科目P171

随時改定に該当したときの本問の報酬月額変更の届出は、「**速やかに**」、届け出なければなりません（則19条）。

テキスト▶②社会保険科目P174

そのとおり正しい（法31条の３）。

35

☑☑☑ 重要度 B [H22問1-E]

保険給付を受ける権利は、その権利を有する者の請求に基づいて、実施機関が裁定する。

36

☑☑☑ 重要度 A [H30問9-C]

保険給付の受給権者が死亡した場合において、その死亡した者に支給すべき保険給付でまだその者に支給しなかったものがあるときは、その者の死亡の当時その者と生計を同じくしていた者であれば、その者の配偶者、子、父母、孫、祖父母、兄弟姉妹又はこれらの者以外の３親等内の親族は、自己の名で、その未支給の保険給付の支給を請求することができる。

37

☑☑☑ 重要度 B [H30問5-D]

障害厚生年金及び当該障害厚生年金と同一の支給事由に基づく障害基礎年金の受給権者が60歳に達して特別支給の老齢厚生年金の受給権を取得した場合、当該障害厚生年金と当該特別支給の老齢厚生年金は併給されないのでどちらか一方の選択になるが、いずれを選択しても当該障害基礎年金は併給される。

38

☑☑☑ 重要度 B [H28問9-B]

障害等級３級の障害厚生年金の受給権者が65歳になり、老齢基礎年金の受給権を取得したとしても、それらは併給されないため、いずれか一方のみを受給することができるが、遺族厚生年金の受給権者が65歳になり、老齢基礎年金の受給権を取得したときは、それらの両方を受給することができる。

テキスト▶②社会保険科目P175

そのとおり正しい（法33条）。

椛島のワンポイント

原則として各保険給付の支給要件に該当したときに保険給付を受ける権利は発生しますが、自動的に支給されるものではなく本問による**請求が必要**とされます。

テキスト▶②社会保険科目P177

そのとおり正しい（法37条）。

×

テキスト▶②社会保険科目P178

障害厚生年金と当該障害厚生年金と同一の支給事由に基づく障害基礎年金は併給されますが、受給権者が**65歳未満**の場合には、**老齢厚生年金と障害基礎年金は併給されません**（法38条1項、法附則17条）。

テキスト▶②社会保険科目P178

そのとおり正しい（法38条、法附則17条）。

39 ☑☑☑ 重要度 B [H26問10-C]

障害基礎年金の受給権者である男性が65歳で遺族厚生年金の受給権を得た場合、それぞれを併給することができる。

40 ☑☑☑ 重要度 B [H25問6-C]

老齢厚生年金の受給権者に対し、在職老齢年金の仕組みにより、年金の支給を停止すべき事由が生じたにもかかわらず、その停止すべき期間の分として年金が支払われたときは、その支払われた年金は、その後に支払うべき年金の内払とみなすことができる。なお、「受給権者」とあるのは、第1号厚生年金被保険者期間のみ有する者とし、保険給付については、すべて厚生労働大臣が支給する保険給付であるものとする。

41 ☑☑☑ 重要度 B [H22問7-A]

政府等は、事故が第三者の行為によって生じた場合において、保険給付をしたときは、受給権者が第三者に対して有する損害賠償の請求権を取得する。また、この場合において、受給権者が既に当該第三者から同一の事由について損害賠償を受けていたときは、政府等は保険給付をしないことができる。

42 ☑☑☑ 重要度 A [H27問8-C]

障害厚生年金を受ける権利は、譲り渡し、又は差し押さえることはできず、また、障害厚生年金として支給を受けた金銭を標準として、租税その他の公課を課すこともできない。

テキスト▶②社会保険科目P178

そのとおり正しい（法38条１項、法附則17条）。

テキスト▶②社会保険科目P179

そのとおり正しい（法39条２項ほか）。

椛島のワンポイント

年金を減額して改定すべき事由が生じたにもかかわらず、その事由が生じた月の翌月以後の分として減額しない額の年金が支払われた場合には、当該年金の当該減額すべきであった部分についても、本問の場合と同様に、その支払われた年金は、その後に支払うべき年金の**内払とみなす**ことができます。

テキスト▶②社会保険科目P180

政府等は、事故が第三者の行為によって生じた場合において、保険給付をしたときは、「**その給付の価額の限度で**」、受給権者が第三者に対して有する損害賠償の請求権を取得します（法40条）。また、この場合において、受給権者が、当該第三者から同一の事由について損害賠償を受けたときは、政府等は、「**その価額の限度で**」、保険給付をしないことができます。

テキスト▶②社会保険科目P181

そのとおり正しい（法41条）。

椛島のワンポイント

保険給付を受ける権利は、原則として、譲り渡し、担保に供し、又は差し押さえることができず、保険給付として支給を受けた金銭を標準として租税その他の公課を課することもできません。ただし、老齢厚生年金を受ける権利を**国税滞納処分**（その例による処分を含む）により差し押さえる場合には当該権利を差し押さえることができます。また、**租税その他の公課**は、**老齢厚生年金**として支給を受けた金銭を標準として、課することができるものとされています。

43 ☑☑☑  [R2問5-E]

老齢厚生年金の保険給付として支給を受けた金銭を標準として、租税その他の公課を課することはできない。

44 ☑☑☑  [H26問7-E]

障害厚生年金を受ける権利は、独立行政法人福祉医療機構法の定めるところにより、担保に供することができる。

45 ☑☑☑  [R2問5-D]

障害厚生年金の保険給付を受ける権利は、国税滞納処分による差し押さえはできない。

×

テキスト▶②社会保険科目P181

租税その他の公課は、原則として、保険給付として支給を受けた金銭を標準として、課することができませんが、「老齢厚生年金については、この限りでない」ものとされています（法41条2項）。

×

テキスト▶②社会保険科目P182

独立行政法人福祉医療機構による年金担保融資制度は、改正により廃止されました。

テキスト▶②社会保険科目P181～182

そのとおり正しい（法41条1項）。

46

☑☑☑ 重要度S [R3問3-C]

厚生年金保険法附則第８条の２に定める「特例による老齢厚生年金の支給開始年齢の特例」の規定によると、昭和35年８月22日生まれの第１号厚生年金被保険者期間のみを有する女子と、同日生まれの第１号厚生年金被保険者期間のみを有する男子とでは、特別支給の老齢厚生年金の支給開始年齢が異なる。なお、いずれの場合も、坑内員たる被保険者であった期間及び船員たる被保険者であった期間を有しないものとする。

47

☑☑☑ 重要度S [R3問3-D]

厚生年金保険法附則第８条の２に定める「特例による老齢厚生年金の支給開始年齢の特例」の規定によると、昭和35年８月22日生まれの第４号厚生年金被保険者期間のみを有する女子と、同日生まれの第４号厚生年金被保険者期間のみを有する男子とでは、特別支給の老齢厚生年金の支給開始年齢は同じである。

48

☑☑☑ 重要度A [R5問6-A]

第２号厚生年金被保険者期間のみを有する昭和36年１月１日生まれの女性で、特別支給の老齢厚生年金の受給資格要件を満たす場合、報酬比例部分の支給開始年齢は64歳である。

49

☑☑☑ 重要度A [H26問9-A]

特別支給の老齢厚生年金は報酬比例部分と定額部分で構成されるが、第１号厚生年金被保険者期間（第３種被保険者期間はない）が30年ある、昭和28年４月２日生まれの男性（障害等級に該当しない。）には定額部分は支給されず、60歳から報酬比例部分のみが支給される。

○

テキスト▶②社会保険科目P185

そのとおり正しい（法附則８条の２第１項・２項）。60歳台前半の老齢厚生年金の支給開始年齢は、本問の女子の場合は62歳であり、本問の男子の場合は64歳です。

※なお、問題文中の「特別支給の老齢厚生年金」は、「60歳台前半の老齢厚生年金」と同義ととらえてよい（以下同じ）。

テキスト▶②社会保険科目P185

そのとおり正しい（法附則８条の２第１項）。60歳台前半の老齢厚生年金の支給開始年齢は、本問の女子の場合も、本問の男子の場合も、64歳です。

テキスト▶②社会保険科目P185

そのとおり正しい（法附則８条の２）。第２号厚生年金被保険者期間のみを有する女性は、男性との５年のズレはありません。

テキスト▶②社会保険科目P185

本問の男性には、定額部分は支給されず、「**61歳**」から報酬比例部分のみが支給されます（法附則８条の２）。

50

[H24問7-C]

第１号厚生年金被保険者期間のみ有する女子であって、昭和33年４月２日に生まれた者については、厚生年金保険法附則第８条の２に定める特例による報酬比例部分相当の60歳台前半の老齢厚生年金が支給される年齢は、61歳以上に該当するに至ったときである。

51

[H28問2-B]

被保険者である障害厚生年金の受給権者が被保険者資格を喪失した後、被保険者となることなく１か月を経過したときは、資格を喪失した日から起算して１か月を経過した日の属する月から障害厚生年金の額が改定される。

52

[H22問2-A]

老齢厚生年金の定額部分の額の計算について、当該老齢厚生年金の受給権者が昭和９年４月２日から昭和20年４月１日までの間に生まれた者である場合には、被保険者期間の月数の上限を444か月として計算する。

53

[R4問6-D]

報酬比例部分のみの特別支給の老齢厚生年金の年金額には、加給年金額は加算されない。また、本来支給の老齢厚生年金の支給を繰り上げた場合でも、受給権者が65歳に達するまで加給年金額は加算されない。

テキスト▶②社会保険科目P185

そのとおり正しい（法附則８条の２第２項）。

椛島のワンポイント

第１号厚生年金被保険者期間のみ有する女子であって、昭和33年４月２日から昭和35年４月１日までの間に生まれた者について報酬比例部分相当の60歳台前半の老齢厚生年金が支給される年齢は、61歳以上に該当するに至ったときです。

テキスト▶②社会保険科目P187

障害厚生年金については、60歳台前半の老齢厚生年金にみられる、いわゆる**退職時改定の規定は設けられていません**（法51条ほか）。障害厚生年金の額の計算の基礎となるのは、あくまでもその支給事由となった障害に係る障害認定日の属する月以前の被保険者であった期間であり、当該**障害認定日の属する月後**における被保険者であった期間はその額の**計算の基礎とはされません。**

テキスト▶②社会保険科目P188

老齢厚生年金の定額部分の額の計算については、当該老齢厚生年金の受給権者が昭和９年４月２日から「**昭和19年４月１日**」までの間に生まれた者である場合には、被保険者期間の月数の上限を444か月として計算することとされています（平16法附則36条ほか）。

テキスト▶該当ページなし

そのとおり正しい（法44条１項、法附則７条の３第６項）。60歳台前半の老齢厚生年金において、加給年金額が加算されるのは、定額部分が支給される場合だけです。

54

[H26問5-A]

老齢厚生年金に加算される加給年金額について、加給年金額の対象となる配偶者（昭和26年４月２日生まれ）が受給資格期間を満たさないため老齢基礎年金を受給できない場合には、当該配偶者が65歳に達した日の属する月の翌月以後も引き続き加給年金が加算される。

55

[H26問5-B]

老齢厚生年金に加算される加給年金額について、加給年金額の対象となる子が３人いる場合は、対象となる子が１人のときに加算される加給年金額の３倍の額の加給年金額が加算される。

56

[R3問3-A]

障害等級２級に該当する程度の障害の状態であり老齢厚生年金における加給年金額の加算の対象となっている受給権者の子が、17歳の時に障害の状態が軽減し障害等級２級に該当する程度の障害の状態でなくなった場合、その時点で加給年金額の加算の対象から外れ、その月の翌月から年金の額が改定される。

57

重要度 B

[H23問9-A]

60歳台前半の特別支給の老齢厚生年金の支給開始年齢が61歳となる昭和28年４月２日から昭和30年４月１日までに生まれた男子であって、その者が被保険者でない場合、当該老齢厚生年金の定額部分が支給されることはない。

×

テキスト▶②社会保険科目P188

配偶者加給年金額は、原則として、老齢厚生年金の受給権者が65歳未満の配偶者を有する場合に、当該老齢厚生年金に加算されるものであるため、**配偶者が65歳に達すると、原則として、加給年金額は加算されなくなります**（法44条4項)。また、本問にあるような配偶者が老齢基礎年金の受給権を有さないときは65歳に達した後も引き続き配偶者加給年金額が加算されるという規定はありません。

×

テキスト▶②社会保険科目P188

加給年金額の対象となる子が3人いる場合の加給年金額は、1人目及び2人目の子については、1人につき「224,700円×改定率」となり、3人目の子については「74,900円×改定率」となるため、総額は「524,300円×改定率」となります(法44条2項)。一方、子が1人の場合の加給年金額は「224,700円×改定率」となるため、**3倍ではありません。**

×

テキスト▶該当ページなし

本問の子の障害が軽減して障害等級2級に該当する程度の障害の状態でなくなった時点では、当該子は17歳（18歳に達する日以後の最初の3月31日までの間にある）であるため、その時点では、老齢厚生年金の加給年金額の加算の対象となっています。したがって、その月の翌月から年金の額は改定されません（法44条4項)。

×

テキスト▶②社会保険科目P189

本問の生年月日の男子で報酬比例部分相当の老齢厚生年金の受給権者が、被保険者でなく「**障害等級3級以上**」又は「**被保険者期間が44年以上**」など一定の要件を満たすときは、いわゆる「**障害者の特例**」や「**長期加入者の特例**」として、定額部分と報酬比例部分を合算した特別支給の老齢厚生年金に相当する額の老齢厚生年金が61歳から支給されることがあります（法附則9条の2第1項ほか)。

[H22問2-D]

厚生年金保険の被保険者である老齢厚生年金の受給権者について、支給される年金額を調整する仕組みは、在職老齢年金と呼ばれる。

59

[R元問9-C]

老齢厚生年金と雇用保険法に基づく給付の調整は、特別支給の老齢厚生年金又は繰上げ支給の老齢厚生年金と基本手当又は高年齢求職者給付金との間で行われ、高年齢雇用継続給付との調整は行われない。

60

[H30問4-ア]

在職老齢年金の仕組みにより支給停止が行われている特別支給の老齢厚生年金の受給権を有している63歳の者が、雇用保険法に基づく高年齢雇用継続基本給付金を受給した場合、当該高年齢雇用継続基本給付金の受給期間中は、当該特別支給の老齢厚生年金には、在職による支給停止基準額に加えて、最大で当該受給権者に係る標準報酬月額の10%相当額が支給停止される。

61

[H29問10-C]

特別支給の老齢厚生年金は、その受給権者が雇用保険法の規定による基本手当の受給資格を有する場合であっても、当該受給権者が同法の規定による求職の申込みをしないときは、基本手当との調整の仕組みによる支給停止は行われない。

テキスト▶②社会保険科目P190

そのとおり正しい（法46条、法附則11条ほか）。

椛島のワンポイント

60歳台前半の老齢厚生年金の受給権者が被保険者（前月以前の月に属する日から引き続き当該被保険者の資格を有する者に限る）である日（厚生労働省令で定める日を除く）又は国会議員若しくは地方公共団体の議員（前月以前の月に属する日から引き続き当該国会議員又は地方公共団体の議会の議員であるものに限る）である日が属する月において、その者の総報酬月額相当額と基本月額との合計額が**支給停止調整額を超える**ときは、その月の分の当該老齢厚生年金について、**支給停止基準額に相当する部分の支給が停止されます。**

×

テキスト▶②社会保険科目P191

老齢厚生年金と雇用保険法に基づく給付の調整は、特別支給の老齢厚生年金（60歳台前半の老齢厚生年金）又は繰上げ支給の老齢厚生年金と基本手当又は「**高年齢雇用継続給付**」との間で行われます（法附則７条の４、法附則７条の５、法附則11条の５、法附則11条の６）。

×

テキスト▶②社会保険科目P191

本問の特別支給の老齢厚生年金については、在職老齢年金の仕組みによる支給停止基準額に加えて、最大で当該受給権者に係る標準報酬月額の「**６％**」相当額が支給停止されます（法附則11条の６第１項）。

テキスト▶②社会保険科目P191

そのとおり正しい（法附則11条の５）。

椛島のワンポイント

60歳台前半の老齢厚生年金は、その受給権者が雇用保険法に規定する基本手当の受給資格を有する場合において、同法の規定による求職の申込みをしたときは、当該求職の申込みがあった月の翌月から一定の期間、その支給が停止されます。

62 ☑☑☑ 重要度 B [H27問3-ウ]

60歳台前半において、障害等級２級の障害基礎年金及び障害厚生年金の受給権者が雇用保険の基本手当を受けることができるときは、障害厚生年金のみが支給停止の対象とされる。

×

テキスト ▶ ②社会保険科目P191

障害基礎年金及び障害厚生年金は、**雇用保険の基本手当との調整の対象とはされていません**（法附則11条の５ほか）。

63

[H30問2-ア]

老齢基礎年金を受給している66歳の者が、平成31年４月１日に被保険者の資格を取得し、同月20日に喪失した（同月に更に被保険者の資格を取得していないものとする。）。当該期間以外に被保険者期間を有しない場合、老齢厚生年金は支給されない。

64

[R4問9-B]

65歳以上の老齢厚生年金受給者については、毎年基準日である７月１日において被保険者である場合、基準日の属する月前の被保険者であった期間をその計算の基礎として、基準日の属する月の翌月から、年金の額を改定する在職定時改定が導入された。

65

[H27問3-オ]

60歳台後半の老齢厚生年金の受給権者が、雇用保険の高年齢求職者給付金を受給した場合、当該高年齢求職者給付金の支給額に一定の割合を乗じて得た額に達するまで老齢厚生年金が支給停止される。

66

[H26問6-C]

66歳で支給繰下げの申出を行った68歳の老齢厚生年金の受給権者が被保険者となった場合、当該老齢厚生年金の繰下げ加算額は在職老齢年金の仕組みによる支給停止の対象とならない。

67

[R4問5-D]

老齢厚生年金の支給繰下げの申出を行った場合でも、経過的加算として老齢厚生年金に加算された部分は、当該老齢厚生年金の支給繰下げの申出に応じた増額の対象とはならない。

×

テキスト▶②社会保険科目P192

老齢厚生年金は、１月でも被保険者期間を有する者が、65歳以上であり、受給資格期間を満たしている場合に支給されます（法19条２項、法42条）。本問の場合、いわゆる被保険者資格の同月得喪に該当するため、平成31年４月は原則として１月として被保険者期間に算入されます。また、本問の者は、65歳以上（66歳）で、老齢基礎年金を受給している（すなわち受給資格期間を満たしている）ため、本問の者に**老齢厚生年金が支給され得ます。**

テキスト▶該当ページなし

基準日は「９月１日」です（法43条２項）。

×

テキスト▶②社会保険科目P191

60歳台後半に支給される老齢厚生年金について、本問のような調整規定は設けられていません（法附則７条の４、法附則11条の５ほか）。

○

テキスト▶②社会保険科目P195

そのとおり正しい（法46条１項、昭60法附則62条１項）。

×

テキスト▶該当ページなし

経過的加算額も繰下げ増額の対象となります（法44条の３第４項、令３条の５の２）。

68

☑☑☑ 重要度A [R2問4-E]

厚生年金保険の被保険者であった者が資格を喪失して国民年金の第1号被保険者の資格を取得したが、その後再び厚生年金保険の被保険者の資格を取得した。国民年金の第1号被保険者であった時に初診日がある傷病について、再び厚生年金保険の被保険者となってから障害等級3級に該当する障害の状態になった場合、保険料納付要件を満たしていれば当該被保険者は障害厚生年金を受給することができる。

69

☑☑☑ 重要度B [R元問3-A]

傷病に係る初診日に厚生年金保険の被保険者であった者であって、かつ、当該初診日の属する月の前々月までに、国民年金の被保険者期間を有しない者が、障害認定日において障害等級に該当する程度の障害の状態になかったが、障害認定日後から65歳に達する日までの間に、その傷病により障害等級に該当する程度の障害の状態に該当するに至った場合、その期間内に、障害厚生年金の支給を請求することができる。

70

☑☑☑ 重要度B [H29問7-D]

いわゆる事後重症による障害厚生年金について、障害認定日に障害等級に該当しなかった者が障害認定日後65歳に達する日の前日までに当該傷病により障害等級3級に該当する程度の障害の状態となり、初診日の前日において保険料納付要件を満たしている場合は、65歳に達した日以後であっても障害厚生年金の支給を請求できる。

×

テキスト▶②社会保険科目P196

障害厚生年金は、「初診日に厚生年金保険の被保険者であった者」でなければ支給されません（法47条1項、法47条の2第1項）。したがって、本問の者は、障害厚生年金を受給することはできません。

×

テキスト▶②社会保険科目P197

事後重症による障害厚生年金は、障害認定日後65歳に達する日**「の前日」**までの間において、その傷病により障害等級に該当する程度の障害の状態に該当するに至ったときは、その期間内に請求することができます（法47条の2第1項）。

×

テキスト▶②社会保険科目P197

いわゆる事後重症による障害厚生年金は、65歳に達した日以後においては**請求することができません**（法47条の2）。

71

重要度 A

[H25問2-E]

厚生年金保険法第47条に定める障害認定日は、初診日から起算して１年６か月を経過した日又は当該障害の原因となった傷病が治った日（その症状が固定し、治療の効果が期待できない状態に至った日を含む。）のいずれか早い方である。

72

重要度 A

[R元問3-C]

障害等級１級に該当する者に支給する障害厚生年金の額は、老齢厚生年金の額の計算の例により計算した額（当該障害厚生年金の額の計算の基礎となる被保険者期間の月数が300に満たないときは、これを300とする。）の100分の125に相当する額とする。

73

重要度 A

[H29問8-D]

障害等級１級又は２級の障害厚生年金の額は、受給権者によって生計を維持している子（18歳に達する日以後の最初の３月31日までの間にある子及び20歳未満で障害等級の１級又は２級に該当する障害の状態にある子に限る。）があるときは、当該子に係る加給年金額が加算された額とする。

74

重要度 B

[H28問10-B]

障害厚生年金の年金額の計算に用いる給付乗率は、平成15年３月以前の被保険者期間と、いわゆる総報酬制が導入された平成15年４月以降の被保険者期間とでは適用される率が異なる。

テキスト▶②社会保険科目P196

そのとおり正しい（法47条）。障害認定日とは、初診日から起算して１年６月を経過した日（その期間内にその傷病が治った日（その症状が固定し、治療の効果が期待できない状態に至った日を含む。以下同じ）があるときは、その日）をいいます。つまり、**初診日から起算して１年６月を経過した日**と当該障害の原因となった**傷病が治った日のいずれか早い日**が障害認定日となります。

テキスト▶②社会保険科目P199

そのとおり正しい（法50条１項・２項）。

×

テキスト▶②社会保険科目P199

障害厚生年金の額には、**子に係る加給年金額は加算されません**（法50条の２第１項ほか）。

椛島のワンポイント

障害等級２級以上の障害厚生年金の受給権者に一定の要件を満たす配偶者があるときは、当該障害厚生年金の額に配偶者加給年金額が加算されます。

テキスト▶②社会保険科目P199

そのとおり正しい（法50条、平12法附則20条１項ほか）。総報酬制導入前（平成15年３月以前）の被保険者期間に係る部分の額を計算する場合の給付乗率は、原則として1,000分の7.125、総報酬制導入以降（平成15年４月以降）の被保険者期間に係る部分の額を計算する場合の給付乗率は、**原則として1,000分の5.481とされています。**

75

☑☑☑ 重要度 A [H22問5-C]

障害厚生年金の額の計算の基礎となる被保険者期間の月数が240か月に満たないときは、これを240か月とする。

76

☑☑☑ 重要度 A [H22問5-D]

障害の程度が障害等級の３級に該当する者に支給する障害厚生年金の額は、２級に該当する者に支給する額の100分の50に相当する額とする。

77

☑☑☑ 重要度 B [R2問4-D]

障害等級３級の障害厚生年金には、配偶者についての加給年金額は加算されないが、最低保障額として障害等級２級の障害基礎年金の年金額の３分の２に相当する額が保障されている。

78

☑☑☑ 重要度 C [H23問4-B]

障害厚生年金（その権利を取得した当時から１級又は２級に該当しないものを除く。以下本問において同じ。）の受給権者が、更に障害厚生年金の受給権を取得した場合に、新たに取得した障害厚生年金が、労働基準法第77条の規定に定める障害補償を受ける権利を取得したことによりその支給を停止すべきものであるときは、その停止すべき期間、その者に対して従前の障害厚生年金を支給する。

79

☑☑☑ 重要度 B [H28問9-D]

障害厚生年金は、その受給権者が当該障害厚生年金に係る傷病と同一の傷病について労働者災害補償保険法の規定による障害補償給付を受ける権利を取得したときは、６年間その支給を停止する。

×

テキスト▶②社会保険科目P199

障害厚生年金の額の計算の基礎となる被保険者期間の月数が「300月」に満たないときは、これを「**300月**」として計算されます（法50条１項）。

×

テキスト▶②社会保険科目P199

障害の程度が障害等級の３級に該当する者に支給する障害厚生年金の額は、２級に該当する者に支給する障害厚生年金の額と「**同額**」です（法50条１項）。ただし、３級に該当する者に支給する障害厚生年金には、配偶者の加給年金額は加算されません（法50条の２第１項）。

テキスト▶該当ページなし

障害等級３級の障害厚生年金には、配偶者についての加給年金額は加算されませんが、最低保障額として障害等級２級の障害基礎年金の年金額の「４分の３」に相当する額が保障されています（法50条３項、法50条の２第１項）。

テキスト▶②社会保険科目P200

そのとおり正しい（法49条２項）。

椛島のワンポイント

労働基準法の障害補償を受ける場合の障害厚生年金の支給停止期間は**６年間**とされています（法54条１項）。

×

テキスト▶②社会保険科目P200

本問の場合、障害厚生年金は**支給停止されません**（法54条１項、労災保険法別表第１ほか）。なお、障害厚生年金は、その受給権者が当該傷病について「**労働基準法の規定による障害補償**」を受けることができるときは、**６年間**、その支給が停止されます。

80 ☑☑☑ 重要度 A

[H27問4-E]

障害等級３級の障害厚生年金の支給を受けていた者が、63歳の時に障害の程度が軽減したためにその支給が停止された場合、当該障害厚生年金の受給権はその者が65歳に達した日に消滅する。

81 ☑☑☑ 重要度 B

[H30問2-イ]

在職老齢年金の仕組みにより支給停止が行われている老齢厚生年金を受給している65歳の者が、障害の程度を定めるべき日において障害手当金に該当する程度の障害の状態になった場合、障害手当金は支給される。

82 ☑☑☑ 重要度 B

[H27問7-B]

障害手当金の額の計算に当たって、給付乗率は生年月日に応じた読み替えは行わず、計算の基礎となる被保険者期間の月数が300か月に満たないときは、これを300か月として計算する。

83 ☑☑☑ 重要度 B

[R3問4-E]

厚生年金保険法第48条第２項の規定によると、障害等級２級の障害厚生年金の受給権者が、更に障害等級２級の障害厚生年金を支給すべき事由が生じたことにより、同法第48条第１項に規定する前後の障害を併合した障害の程度による障害厚生年金の受給権を取得したときは、従前の障害厚生年金の支給は停止するものとされている。

テキスト▶②社会保険科目P201

本問の者は、65歳に達した時点では、障害等級に該当する程度の障害の状態に該当しなくなった日から起算して障害等級に該当する程度の障害の状態に該当することなく**3年を経過していない**ため、65歳に達した日には障害厚生年金の受給権は**消滅しません**（法53条）。

テキスト▶②社会保険科目P202

障害手当金の障害の程度を定めるべき日において、年金たる保険給付の受給権者（一定の障害厚生年金の受給権者を除く）に該当する者には、障害手当金は支給されないこととされています（法56条）。本問の者は当該障害の程度を定めるべき日において老齢厚生年金の受給権者である（在職老齢年金の仕組みにより年金が支給停止されていても老齢厚生年金の受給権者であることに変わりはない）ため、本問の者には**障害手当金は支給されません。**

テキスト▶②社会保険科目P199

そのとおり正しい（法57条）。

椛島のワンポイント

障害手当金の額は、原則として、障害厚生年金の額の規定の例によって計算した額の**100分の200**に相当する額とされており、障害厚生年金の額の計算においては、給付乗率は生年月日に応じた読み替えは行わず、計算の基礎となる被保険者期間の**月数が300に満たない**ときは、これを**300として計算**します。

テキスト▶該当ページなし

障害厚生年金の受給権者が法48条１項の規定により前後の障害を併合した障害の程度による障害厚生年金の受給権を取得したときは、従前の障害厚生年金の受給権は消滅します（法48条２項）。

84

[R2問1-D]

障害厚生年金の受給権者が障害厚生年金の額の改定の請求を行ったが、診査の結果、その障害の程度が従前の障害の等級以外の等級に該当すると認められず改定が行われなかった。この場合、当該受給権者は実施機関の診査を受けた日から起算して１年６か月を経過した日後でなければ再び改定の請求を行うことはできない。

85

[R2問10-エ]

障害厚生年金は、その傷病が治らなくても、初診日において被保険者であり、初診日から１年６か月を経過した日において障害等級に該当する程度の状態であって、保険料納付要件を満たしていれば支給対象となるが、障害手当金は、初診日において被保険者であり、保険料納付要件を満たしていたとしても、初診日から起算して５年を経過する日までの間に、その傷病が治っていなければ支給対象にならない。

86

[R3問10-B]

第１号厚生年金被保険者期間中の60歳の時に業務上災害で負傷し、初診日から１年６か月が経過した際に傷病の症状が安定し、治療の効果が期待できない状態（治癒）になった。その障害状態において障害手当金の受給権を取得することができ、また、労災保険法に規定されている障害補償給付の受給権も取得することができた。この場合、両方の保険給付が支給される。

87

[R4問3-D]

障害手当金の受給要件に該当する被保険者が、障害手当金の障害の程度を定めるべき日において遺族厚生年金の受給権者である場合は、その者には障害手当金は支給されない。

×

テキスト▶該当ページなし

本問の場合、当該障害厚生年金の受給権者は、その障害の程度が増進したことが明らかである場合として厚生労働省令で定める場合を除き、実施機関の診査を受けた日から起算して「1年」を経過した日後でなければ、再び障害厚生年金の額改定の請求を行うことはできません（法52条3項）。

テキスト▶②社会保険科目P196、202

そのとおり正しい（法47条1項、法55条）。なお、本問の傷病については、業務上外を問いません。

テキスト▶②社会保険科目P200

本問の者は、障害手当金に係る障害の程度を定めるべき日において、同一の負傷について労災保険法の規定による障害補償給付を受ける権利を有しているため、本問の者には障害手当金は支給されません（法56条）。

テキスト▶②社会保険科目P202

そのとおり正しい（法56条）。国民年金および厚生年金保険法の年金たる保険給付の受給権者や、同一傷病における労災保険法の障害補償給付の受給権者などは、障害手当金の対象外です。

⑤−5 遺族厚生年金

88

[R2問10-ア]

被保険者であった者が、被保険者の資格を喪失した後に、被保険者であった間に初診日がある傷病により当該初診日から起算して5年を経過する日前に死亡したときは、死亡した者が遺族厚生年金の保険料納付要件を満たしていれば、死亡の当時、死亡した者によって生計を維持していた一定の遺族に遺族厚生年金が支給される。

89

[R元問3-D]

障害等級1級又は2級に該当する障害の状態にある障害厚生年金の受給権者が死亡したときは、遺族厚生年金の支給要件について、死亡した当該受給権者の保険料納付要件が問われることはない。

90

[H28問3-エ]

保険料納付要件を満たした厚生年金保険の被保険者であった者が被保険者の資格を喪失した後に、被保険者であった間に初診日がある傷病により、当該初診日から起算して5年を経過する日前に死亡した場合、死亡した者によって生計を維持していた一定の遺族に遺族厚生年金が支給される。

91

[R3問5-ア]

老齢厚生年金の受給権者（被保険者ではないものとする。）が死亡した場合、国民年金法に規定する保険料納付済期間と保険料免除期間とを合算した期間が10年であったとしても、その期間と同法に規定する合算対象期間を合算した期間が25年以上である場合には、厚生年金保険法第58条第1項第4号に規定するいわゆる長期要件に該当する。

○

テキスト▶②社会保険科目P203

そのとおり正しい（法58条１項１号、法59条１項）。なお、本問の「初診日」とは、傷病について初めて医師又は歯科医師の診療を受けた日をいいます（法47条１項）。

テキスト▶②社会保険科目P203

そのとおり正しい（法58条１項２号）。

テキスト▶②社会保険科目P203

そのとおり正しい（法58条１項１号）。

テキスト▶②社会保険科目P203

そのとおり正しい（法58条、法附則14条１項）。なお、法58条１項３号・４号に規定するいわゆる長期要件に該当する者が死亡した場合、遺族厚生年金に係る保険料納付要件は問われません。

92  [H26問10-D]

障害等級２級の障害厚生年金を受給する者が死亡した場合、遺族厚生年金を受けることができる遺族の要件を満たした者は、死亡した者の保険料納付要件を問わず、遺族厚生年金を受給することができる。この場合、遺族厚生年金の額の計算の基礎となる被保険者期間の月数が300か月に満たないときは、これを300か月として計算する。

93  [H23問9-E]

障害等級３級に該当する障害厚生年金の受給権者である被保険者が死亡したときは、保険料納付要件を満たしていない場合であっても、その者の遺族に遺族厚生年金を支給する。

94  [R元問2-D]

被保険者であった妻が死亡した当時、当該妻により生計を維持していた54歳の夫と21歳の当該妻の子がいた場合、当該子は遺族厚生年金を受けることができる遺族ではないが、当該夫は遺族厚生年金を受けることができる遺族である。

95   [R2問5-B]

被保険者の死亡当時10歳であった遺族厚生年金の受給権者である被保険者の子が、18歳に達した日以後の最初の３月31日が終了したことによりその受給権を失った場合において、その被保険者の死亡当時その被保険者によって生計を維持していたその被保険者の父がいる場合でも、当該父が遺族厚生年金の受給権者となることはない。

○

テキスト▶②社会保険科目P199、203

そのとおり正しい（法58条１項、法60条１項ほか）。

椛島のワンポイント

本問の遺族厚生年金は**短期要件**による遺族厚生年金に該当するため、いわゆる**300月のみなし規定**が適用されます。

テキスト▶②社会保険科目P203

障害等級３級に該当する障害厚生年金の受給権者が死亡したことは遺族厚生年金の支給要件に該当せず、本問の場合には、**被保険者が死亡したことが支給要件**となります。この場合には、**保険料納付要件**を満たしていなければ遺族厚生年金は支給されません（法58条１項）。なお、障害等級１級又は２級に該当する障害厚生年金の受給権者が死亡したときは、その者につき保険料納付要件は問われません。

×

テキスト▶②社会保険科目P204

本問の子は20歳以上（21歳）であり、本問の夫は55歳未満（54歳）であることから、当該子のみならず、**当該夫も、遺族厚生年金を受けることができる遺族ではありません**（法59条１項）。

テキスト▶②社会保険科目P204

そのとおり正しい（法59条２項）。遺族厚生年金には、いわゆる転給の制度は設けられておらず、死亡した被保険者の父は、当該被保険者の子が遺族厚生年金の受給権を取得したときは、遺族厚生年金を受けることができる遺族とされません。

96

[H29問10-E]

被保険者が死亡した当時、妻、15歳の子及び65歳の母が当該被保険者により生計を維持していた。妻及び子が当該被保険者の死亡により遺族厚生年金の受給権を取得したが、その1年後に妻が死亡した。この場合、母が当該被保険者の死亡による遺族厚生年金の受給権を取得することはない。

97

[R元問9-E]

被保険者又は被保険者であった者の死亡の当時胎児であった子が出生したときは、その妻の有する遺族厚生年金に当該子の加給年金額が加算される。

98

[H27問5-A]

老齢厚生年金の受給権者が死亡したことにより支給される遺族厚生年金の額の計算における給付乗率については、死亡した者が昭和21年4月1日以前に生まれた者であるときは、生年月日に応じた読み替えを行った乗率が適用される。

99

[R3問1-A]

夫の死亡により、厚生年金保険法第58条第1項第4号に規定するいわゆる長期要件に該当する遺族厚生年金（その額の計算の基礎となる被保険者期間の月数が240以上であるものとする。）の受給権者となった妻が、その権利を取得した当時60歳であった場合は、中高齢寡婦加算として遺族厚生年金の額に満額の遺族基礎年金の額が加算されるが、その妻が、当該夫の死亡により遺族基礎年金も受給できるときは、その間、当該加算される額に相当する部分の支給が停止される。

○

テキスト▶②社会保険科目P205

そのとおり正しい（法59条１項・２項）。遺族厚生年金には、いわゆる**転給の制度は設けられておらず**、父母は、配偶者又は子が遺族厚生年金の受給権を取得したときは、遺族厚生年金を受けることができる遺族とされません。

×

テキスト▶②社会保険科目P205

遺族厚生年金には、加給年金額は加算されません（法60条１項）。

○

テキスト▶②社会保険科目P206

そのとおり正しい（法60条、昭60法附則59条１項ほか）。

×

テキスト▶②社会保険科目P206

中高齢寡婦加算の額は、「遺族基礎年金の額に４分の３を乗じて得た額」です（法62条１項、法65条）。その他の記述は正しい。

100  重要度 B [R元問1-E]

平成26年４月１日以後に被保険者又は被保険者であった者が死亡し、その者の夫と子に遺族厚生年金の受給権が発生した。当該夫に対する当該遺族厚生年金は、当該被保険者又は被保険者であった者の死亡について、当該夫が国民年金法の規定による遺族基礎年金の受給権を有する場合でも、60歳に到達するまでの間、その支給を停止する。

101  重要度 A [R5問10-B]

遺族厚生年金を受けることができる遺族のうち、夫については、被保険者又は被保険者であった者の死亡の当時その者によって生計を維持していた者で、55歳以上であることが要件とされており、かつ、60歳に達するまでの期間はその支給が停止されるため、国民年金法による遺族基礎年金の受給権を有するときも、55歳から遺族厚生年金を受給することはない。

102  重要度 A [R元問7-E]

遺族厚生年金は、当該被保険者又は被保険者であった者の死亡について労働基準法第79条の規定による遺族補償の支給が行われるべきものであるときは、死亡の日から６年間、その支給を停止する。

103  重要度 A [H24問1-C]

遺族厚生年金の受給権者が、死亡した被保険者又は被保険者であった者の夫、父母又は祖父母であった場合、原則として受給権者が60歳に達するまでの間、その支給は停止される。

テキスト▶②社会保険科目P207

夫に対する遺族厚生年金については、当該被保険者又は被保険者であった者の死亡について、夫が国民年金法の規定による遺族基礎年金の受給権を有するときは、当該夫が55歳以上60歳未満であっても、その支給は**停止されません**（法65条の2）。

テキスト▶②社会保険科目P207

夫に対する遺族厚生年金については、当該被保険者又は被保険者であった者の死亡について、**夫が国民年金法による遺族基礎年金の受給権を有するときは、夫の遺族厚生年金は支給停止されません。**（法65条の2）。前半はそのとおり正しいです。

○

テキスト▶②社会保険科目P207

そのとおり正しい（法64条）。

テキスト▶②社会保険科目P208

そのとおり正しい（法65条の2）。

椛島のワンポイント

被保険者の死亡の当時、55歳以上の夫、父母、祖父母は受給権者となり得ますが、55歳以上60歳未満で受給権者となった場合には**60歳に達するまでの間、遺族厚生年金は支給停止**となります。ただし、夫に対する遺族厚生年金については、当該被保険者又は被保険者であった者の死亡について、夫が遺族基礎年金の受給権を有するときは、支給停止されません。

104　　重要度 B　[R5問3-B]

死亡した被保険者に死亡の当時生計を維持していた妻と子があった場合、妻が国民年金法による遺族基礎年金の受給権を有しない場合であって、子が当該遺族基礎年金の受給権を有していても、その間、妻に対する遺族厚生年金は支給される。

105　☑☑☑　重要度 B　[H29問1-A]

遺族厚生年金及び当該遺族厚生年金と同一の支給事由に基づく遺族基礎年金の受給権を取得した妻について、当該受給権の取得から１年後に子の死亡により当該遺族基礎年金の受給権が消滅した場合であって、当該消滅した日において妻が30歳に到達する日前であった場合は、当該遺族厚生年金の受給権を取得した日から起算して５年を経過したときに当該遺族厚生年金の受給権は消滅する。

106　☑☑☑　重要度 B　[R3問5-オ]

厚生年金保険の被保険者の死亡により、被保険者の死亡当時27歳で子のいない妻が遺族厚生年金の受給権者となった。当該遺族厚生年金の受給権は、当該妻が30歳になったときに消滅する。

107　☑☑☑　重要度 A　[H27問7-D]

老齢厚生年金の受給権者が死亡したことにより、子が遺族厚生年金の受給権者となった場合において、その子が障害等級３級に該当する障害の状態にあるときであっても、18歳に達した日以後の最初の３月31日が終了したときに、子の有する遺族厚生年金の受給権は消滅する。

×

テキスト▶②社会保険科目P207

配偶者に対する遺族厚生年金は、当該被保険者又は被保険者であった者の死亡について、「配偶者が国民年金法による遺族基礎年金の受給権を有しない場合」であって、「子が当該遺族基礎年金の受給権を有するとき」は、**その間、支給停止されます。**（法66条２項）。つまり、設問の妻は支給停止となります。

×

テキスト▶②社会保険科目P208

本問の場合、妻の遺族厚生年金の受給権が消滅するのは、当該「**遺族基礎年金の受給権が消滅した日**」から起算して**５年**を経過したときです（法63条１項５号）。

×

テキスト▶②社会保険科目P208

本問の妻の遺族厚生年金の受給権は、「当該遺族厚生年金の受給権を取得した日から起算して５年を経過したとき」は消滅します（法63条１項５号）。

テキスト▶②社会保険科目P208

そのとおり正しい（法63条２項）。

108 ☑☑☑ 重要度 B [H26問1-E]

遺族厚生年金の受給権は、受給権発生後に直系姻族の養子となった場合であっても、消滅しない。なお、本問において遺族基礎年金及び遺族厚生年金の受給権者の所在が明らかでない場合を考慮する必要はない。

109 ☑☑☑ 重要度 A [H24問1-E]

被保険者又は被保険者であった者の死亡の当時胎児であった子が出生したときは、父母、孫、祖父母の遺族厚生年金の受給権は消滅するが、妻の受給権は消滅しない。

110  重要度 A [R2問2-E]

被保険者又は被保険者であった者の死亡の当時胎児であった子が出生したときは、父母、孫又は祖父母の有する遺族厚生年金の受給権は消滅する。一方、被保険者又は被保険者であった者の死亡の当時胎児であった子が出生したときでも、妻の有する遺族厚生年金の受給権は消滅しない。

〇

テキスト▶②社会保険科目P208

そのとおり正しい（法63条）。

〇

テキスト▶②社会保険科目P209

そのとおり正しい（法63条１項・３項）。

〇

テキスト▶②社会保険科目P209

そのとおり正しい（法63条１項・３項）。なお、被保険者又は被保険者であった者の死亡の当時胎児であった子が出生したときは、将来に向かって、その子は、被保険者又は被保険者であった者の死亡の当時その者によって生計を維持していた子とみなされます（法59条３項）。

⑤−6 離婚分割制度

111

重要度A　[H29問6-C]

離婚時みなし被保険者期間は、特別支給の老齢厚生年金の定額部分の額の計算の基礎とはされない。

112

[H27問10-C]

離婚等をした場合に当事者が行う標準報酬の改定又は決定の請求について、請求すべき按分割合の合意のための協議が調わないときは、当事者の一方の申立てにより、家庭裁判所は当該対象期間における保険料納付に対する当事者の寄与の程度その他一切の事情を考慮して、請求すべき按分割合を定めることができる。

113

[H24問5-イ]

60歳台前半の老齢厚生年金の支給要件（被保険者期間１年以上）となる被保険者期間については、離婚時みなし被保険者期間及び被扶養配偶者みなし被保険者期間が含まれる。

114

[H29問6-E]

第１号改定者及び第２号改定者又はその一方は、実施機関に対して、厚生労働省令の定めるところにより、標準報酬改定請求を行うために必要な情報の提供を請求することができるが、その請求は、離婚等が成立した日の翌日から起算して３か月以内に行わなければならない。

テキスト▶②社会保険科目P213

そのとおり正しい（法附則17条の10）。

椛島のワンポイント

「離婚時みなし被保険者期間」とは、合意分割（離婚時分割）の規定により第１号改定者から第２号改定者に標準報酬が分割された場合、対象期間のうち第１号改定者の被保険者期間であって第２号改定者の被保険者期間でない期間について、第２号改定者の被保険者期間であったものとみなされた期間をいいます（法78条の６第３項）。

○

テキスト▶②社会保険科目P213

そのとおり正しい（法78条の２第２項）。

テキスト▶②社会保険科目P213

60歳台前半の老齢厚生年金の支給要件の１つとして、被保険者期間が１年以上必要ですが、この「１年」には、離婚時みなし被保険者期間及び被扶養配偶者みなし被保険者期間は**含まれません**（法78条の11ほか）。

テキスト▶②社会保険科目P211

本問の情報の提供の請求は、当該請求が標準報酬改定請求後に行われた場合、離婚等をしたときから「**２年**」を経過したときその他の厚生労働省令で定める場合及び当該情報の提供を受けた日の翌日から起算して３月を経過していない場合（一定の場合を除く）においては、行うことができません（法78条の４、則78条の７）。

115   [R3問1-E]

厚生年金保険法第78条の14に規定する特定被保険者が、特定期間の全部をその額の計算の基礎とする障害厚生年金の受給権者であったとしても、当該特定被保険者の被扶養配偶者は３号分割標準報酬改定請求をすることができる。

×

テキスト▶②社会保険科目P213

本問の特定被保険者は、特定期間の全部をその額の計算の基礎とする障害厚生年金の受給権者であるため、当該特定被保険者の被扶養配偶者は、３号分割標準報酬改定請求をすることはできません（法78条の14第１項ただし書、令３条の12の11、則78条の17第１項)。

5－7 その他保険給付関連

116 ☑☑☑ 重要度 B [R元問9-D]

被保険者期間が６か月以上ある日本国籍を有しない者は、所定の要件を満たす場合に脱退一時金の支給を請求することができるが、かつて、脱退一時金を受給した者が再入国し、適用事業所に使用され、再度、被保険者期間が６か月以上となり、所定の要件を満たした場合であっても、再度、脱退一時金の支給を請求することはできない。

117 ☑☑☑ 重要度 B [H26問4-A]

日本国籍を有しない者に対する脱退一時金に関し、老齢厚生年金の受給資格期間を満たしているが、受給開始年齢に達していないため、老齢厚生年金の支給を受けていない者は、脱退一時金を請求することができる。

118 ☑☑☑ 重要度 B [R3問9-C]

ある日本国籍を有しない者について、最後に厚生年金保険の被保険者資格を喪失した日から起算して２年が経過しており、かつ、最後に国民年金の被保険者資格を喪失した日（同日において日本国内に住所を有していた者にあっては、同日後初めて、日本国内に住所を有しなくなった日）から起算して１年が経過した。この時点で、この者が、厚生年金保険の被保険者期間を６か月以上有しており、かつ、障害厚生年金等の受給権を有したことがない場合、厚生年金保険法に定める脱退一時金の請求が可能である。

119 ☑☑☑ 重要度 C [H26問4-E]

日本国籍を有しない者に対する脱退一時金に関し、脱退一時金の額は、最後に被保険者の資格を喪失した日の属する月の前月の標準報酬月額に、被保険者であった期間に応じた支給率を乗じて得た額とする。

×

テキスト▶②社会保険科目P214

脱退一時金には、受給回数の制限は設けられておらず、かつて脱退一時金を受給した者が再入国して適用事業所に使用され、再度、所定の要件を満たしたときは、**再度、脱退一時金の支給を請求することができます**（法附則29条）。

×

テキスト▶②社会保険科目P214

老齢厚生年金の受給資格期間を満たしている者は、**脱退一時金を請求することができません**（法附則29条１項）。

○

テキスト▶②社会保険科目P214

そのとおり正しい（法附則29条）。本問の者は、最後に国民年金の被保険者の資格を喪失した日（同日において日本国内に住所を有していた者にあっては、同日後初めて、日本国内に住所を有しなくなった日）から起算して２年を経過していないため、その他の要件を満たしていれば、脱退一時金の支給を請求することができます。

×

テキスト▶②社会保険科目P214

脱退一時金の額は、**被保険者であった期間に応じて、その期間の平均標準報酬額に支給率を乗じて得た額**とされています（法附則29条３項）。

120   [R3問9-D]

脱退一時金の額の計算における平均標準報酬額の算出に当たっては、被保険者期間の計算の基礎となる各月の標準報酬月額と標準賞与額に再評価率を乗じることはない。

121   [H30問7-A]

財政の現況及び見通しにおける財政均衡期間は、財政の現況及び見通しが作成される年以降おおむね100年間とされている。

122   [R元問6-E]

被保険者が故意に障害を生ぜしめたときは、当該障害を支給事由とする障害厚生年金又は障害手当金は支給されない。また、被保険者が重大な過失により障害を生ぜしめたときは、保険給付の全部又は一部を行わないことができる。

123   [H29問5-B]

実施機関は、障害厚生年金の受給権者が、故意若しくは重大な過失により、又は正当な理由がなくて療養に関する指示に従わないことにより、その障害の程度を増進させ、又はその回復を妨げたときは、実施機関の診査による改定を行わず、又はその者の障害の程度が現に該当する障害等級以下の障害等級に該当するものとして、改定を行うことができる。

○

テキスト▶該当ページなし

そのとおり正しい（法附則29条３項）。なお、厚生労働大臣による脱退一時金に関する処分取消しの訴えは、当該処分についての審査請求に対する社会保険審査会の裁決を経た後でなければ、提起することができません（法附則29条８項、令13条）。

テキスト▶②社会保険科目P214～215

そのとおり正しい（法２条の４第２項）。

テキスト▶②社会保険科目P217

そのとおり正しい（法73条、法73条の２）。

テキスト▶②社会保険科目P217～218

そのとおり正しい（法74条）。

椛島のワンポイント

被保険者又は被保険者であった者が、自己の故意の犯罪行為若しくは重大な過失により、又は正当な理由がなくて療養に関する指示に従わないことにより、障害若しくは死亡若しくはこれらの原因となった事故を生ぜしめ、若しくはその障害の程度を増進させ、又は回復を妨げたときは、保険給付の全部又は一部を行わないことができます（法73条の２）。

124 ☑☑☑

[H27問5-C]

被保険者が、自己の故意の犯罪行為により、死亡の原因となった事故を生じさせたときは、保険給付の全部又は一部を行わないことができることとなっており、被保険者が精神疾患のため自殺した場合には遺族厚生年金は支給されない。

125 ☑☑☑

[H27問7-E]

受給権者が、正当な理由がなくて厚生年金保険法第98条第３項の規定による届出をせず又は書類その他の物件を提出しないときは、保険給付の支払を一時差し止めることができる。

テキスト▶②社会保険科目P217

自殺により保険事故を生じた場合の遺族年金（遺族厚生年金）の給付制限については、自殺行為は何らかの精神異常に起因して行われる場合が多く、たとえ当該行為が外見上通常人と全く同様の状態にあったとしても、これをもって直ちに故意に保険事故を生じさせたものとして**給付制限を行うのは適当でない**とされています（法73条の２、昭35.10.6保険発123号）。

○

テキスト▶②社会保険科目P217

そのとおり正しい（法78条）。

5－8 2以上種別の期間を有する者の特例

126   ［H30問4-エ］

２つの被保険者の種別に係る被保険者であった期間を有する者に、一方の被保険者の種別に係る被保険者であった期間に基づく老齢厚生年金と他方の被保険者の種別に係る被保険者であった期間に基づく老齢厚生年金の受給権が発生した。当該２つの老齢厚生年金の受給権発生日が異なり、加給年金額の加算を受けることができる場合は、遅い日において受給権を取得した種別に係る老齢厚生年金においてのみ加給年金額の加算を受けることができる。

×

テキスト▶②社会保険科目P216

本問の場合、２つの老齢厚生年金のうち、「早い日」において受給権を取得した種別に係る老齢厚生年金においてのみ加給年金額の加算を受けることができます(法78条の27、令３条の13第２項ほか)。

6 積立金の運用及び費用の負担

127 ☑☑☑ 重要度 A [R元問2-C改題]

厚生年金保険の保険料率は段階的に引き上げられてきたが、上限が1000分の183.00に固定（統一）されることになっている。第１号厚生年金被保険者の保険料率は平成29年９月に、第２号及び第３号厚生年金被保険者の保険料率は平成30年９月にそれぞれ上限に達したが、第４号厚生年金被保険者の保険料率は令和２年度時点において上限に達していない。

128 ☑☑☑ 重要度 B [H30問8-B]

産前産後休業期間中の保険料の免除の適用を受ける場合、その期間中における報酬の支払いの有無は問われない。

129 ☑☑☑ 重要度 B [H25問7-A]

第１号厚生年金被保険者及び当該被保険者を使用する事業主は、それぞれ厚生年金保険料の半額を負担するが、事業主は自らの負担すべき保険料額の負担の割合を増加することができる。

130 ☑☑☑ 重要度 B [H25問7-B]

第１号厚生年金被保険者に係る保険料について、厚生労働大臣は、納入の告知をした保険料額が当該納付義務者が納付すべき保険料額を超えていることを知ったとき、又は納付した保険料額が当該納付義務者が納付すべき保険料額を超えていることを知ったときは、その超えている部分に関する納入の告知又は納付を、その納入の告知又は納付の日の翌日から１年以内の期日に納付されるべき保険料について納期を繰り上げてしたものとみなすことができる。

○ テキスト▶②社会保険科目P222

そのとおり正しい。

椛島のワンポイント

第４号厚生年金被保険者の保険料率が1,000分の183.00となるのは、原則として、令和９年４月以後の月分からです（法81条、平24法附則84条～85条）。

○ テキスト▶②社会保険科目P222

そのとおり正しい（法81条の２の２）。

× テキスト▶②社会保険科目P223

第１号厚生年金被保険者及び当該被保険者を使用する事業主は、それぞれ保険料の**半額を負担**するものとされています（法82条）。任意で事業主の負担割合を増加させることはできません。

× テキスト▶②社会保険科目P223～224

本問の場合、厚生労働大臣は、納入の告知をした保険料額が当該納付義務者が納付すべき保険料額を超えていることを知ったとき、又は納付した保険料額が当該納付義務者が納付すべき保険料額を超えていることを知ったときは、その超えている部分に関する納入の告知又は納付を、その納入の告知又は納付の日の翌日から「**６か月**」以内の期日に納付されるべき保険料について納期を繰り上げてしたものとみなすことができます（法83条２項）。

131

［R2問3-ア］

厚生年金保険の保険料は、被保険者の資格を取得した月についてはその期間が１日でもあれば徴収されるが、資格を喪失した月については徴収されない。よって月末日で退職したときは退職した日が属する月の保険料は徴収されない。

132

［H25問7-D］

厚生労働大臣は、第１号厚生年金被保険者に係る保険料について、納付義務者から、預金又は貯金の払出しとその払い出した金銭による保険料の納付をその預金口座又は貯金口座のある金融機関に委託して行うことを希望する旨の申出があった場合には、その納付が確実と認められ、かつ、その申出を承認することが保険料の徴収上有利と認められるときに限り、その申出を承認することができる。

133

［H25問7-E］

事業主は、第１号厚生年金被保険者に対して通貨をもって報酬を支払う場合においては、厚生労働大臣に申出を行い、その承認を得て、当該被保険者の負担すべき前月の標準報酬月額に係る保険料（当該被保険者がその事業所又は船舶に使用されなくなった場合においては、前月及びその月の標準報酬月額に係る保険料）を報酬から控除することができる。

134

［H24問4-E］

第１号厚生年金被保険者に係る厚生年金保険の保険料は、月末に被保険者の資格を取得した月は当該月の保険料が徴収されるが、月の末日付けで退職したときは、退職した日が属する月分の保険料は徴収されない。

×

テキスト▶②社会保険科目P222

保険料は、被保険者期間の計算の基礎となる各月につき、徴収するものとされており、原則として、被保険者の資格を取得した月からその資格を喪失した月の前月までが被保険者期間に算入されます（法81条２項、法19条）。したがって、被保険者の資格を取得した月については、その期間が１日でもあれば保険料が徴収されますが、月末退職の場合、被保険者の資格を喪失するのは翌月の１日であることから、当該喪失月の前月である退職日が属する月の保険料は徴収されます。

テキスト▶②社会保険科目P224

そのとおり正しい（法83条の２）。

×

テキスト▶②社会保険科目P224

本問のいわゆる源泉控除の実施に関して、厚生労働大臣に対する申出及びその承認は**必要とされていません**（法84条１項）。

×

テキスト▶②社会保険科目P160、222

月の途中で退職した場合、その月は被保険者の資格を喪失した日の属する月となるため、原則として保険料は徴収されませんが、本問のように月の末日付けで退職したときは、資格喪失日は、原則として翌月１日となるため、退職した日が属する月分の保険料は**徴収されます**（法81条２項ほか）。

135 ☑☑☑ 重要度A [H22問3-C]

第1号厚生年金被保険者に係る毎月の保険料は、当月末日までに、納付しなければならない。

136 ☑☑☑ 重要度C [H30問2-エ]

第1号厚生年金被保険者に係る保険料その他厚生年金保険法の規定による徴収金の先取特権の順位は、国税及び地方税に次ぐものとされている。

137 ☑☑☑  重要度B [H30問3-エ]

厚生年金保険法第86条の規定によると、厚生労働大臣は、保険料の納付義務者が保険料を滞納したため期限を指定して督促したにもかかわらずその期限までに保険料を納付しないときは、納付義務者の居住地若しくはその者の財産所在地の市町村（特別区を含むものとし、地方自治法第252条の19第1項の指定都市にあっては、区又は総合区とする。以下同じ。）に対して、その処分を請求することができ、当該処分の請求を受けた市町村が市町村税の例によってこれを処分したときは、厚生労働大臣は、徴収金の100分の4に相当する額を当該市町村に交付しなければならないとされている。

138 ☑☑☑  重要度B [H27問6-B]

第1号厚生年金被保険者の使用される民間の船舶について船舶所有者の変更があった場合には、厚生年金保険法第85条の規定に基づいて保険料を納期前にすべて徴収することができる。

×

テキスト▶②社会保険科目P223

本問の毎月の保険料は、「**翌月末日**」までに、納付しなければなりません（法83条１項）。

○

テキスト▶②社会保険科目P227

そのとおり正しい（法88条）。

テキスト▶②社会保険科目P226

そのとおり正しい（法86条５項・６項）。

○

テキスト▶②社会保険科目P225

そのとおり正しい（法85条）。

139 ☑☑☑ 重要度 B [H25問4-C]

第１号厚生年金被保険者に係る保険料その他厚生年金保険法の規定による徴収金（以下「保険料等」という。）の督促及び滞納処分に関し、保険料等の督促状により指定する期限は、督促状を発する日から起算して10日以上を経過した日でなければならない。ただし、保険料の繰上徴収が認められる要件に該当する場合は、この限りでない。

テキスト▶②社会保険科目P226

そのとおり正しい（法86条４項）。

140 ☑☑☑ 重要度 B [H29問2-C]

第1号厚生年金被保険者に係る厚生労働大臣による保険料の滞納処分に不服がある者は社会保険審査官に対して、また、第1号厚生年金被保険者に係る脱退一時金に関する処分に不服がある者は社会保険審査会に対して、それぞれ審査請求をすることができる。

141 ☑☑☑ 重要度 A [H22問4-E]

厚生労働大臣による保険料の賦課もしくは徴収に関する処分の取消しの訴えは、当該処分についての審査請求に対する社会保険審査会の裁決を経る前でも、提起することができる。

142 ☑☑☑ 重要度 B [H29問2-A]

第1号厚生年金被保険者を使用する事業主が、正当な理由がなく厚生年金保険法第27条の規定に違反して、厚生労働大臣に対し、当該被保険者に係る報酬月額及び賞与額に関する事項を届け出なければならないにもかかわらず、これを届け出なかったときは、6か月以下の懲役又は50万円以下の罰金に処する旨の罰則が定められている。

143 ☑☑☑ 重要度 A [H29問5-A]

障害手当金の給付を受ける権利は、その支給すべき事由が生じた日から2年を経過したときは、時効によって消滅する。

×

テキスト▶②社会保険科目P229

第１号厚生年金被保険者に係る厚生労働大臣による保険料の滞納処分に不服がある者は、「**社会保険審査会**」に対して審査請求をすることができます（法91条１項、法附則29条６項）。

テキスト▶②社会保険科目P228～229

そのとおり正しい（法91条の３ほか）。

椛島のワンポイント

出題当時は誤りの問題でしたが、その後の改正により、本問の処分の取消しの訴えは、当該処分についての審査請求に対する**社会保険審査会の裁決を経ることなく**、提起することができることとされています。

テキスト▶②社会保険科目P230

そのとおり正しい（法102条）。

椛島のワンポイント

第１号厚生年金被保険者を使用する事業主が、正当な理由がなく任意適用の取消の認可、任意単独被保険者の資格の得喪の認可、被保険者の資格の得喪の確認又は標準報酬の決定若しくは改定について、被保険者又は被保険者であった者に通知をしないときについても、**６か月以下の懲役又は50万円以下の罰金に処する旨の罰則**が定められています。

テキスト▶②社会保険科目P230

障害手当金の給付を受ける権利は、その支給すべき事由が生じた日から「**５年**」を経過したときは、時効によって消滅します（法92条１項）。

144 ☑☑☑  [H23問6-A]

保険料を徴収する権利は、これを行使することができる時から２年を経過したとき、時効により消滅する。

テキスト▶②社会保険科目P230

そのとおり正しい（法92条１項）。

椛島のワンポイント

保険料その他厚生年金保険法の規定による徴収金の納入の告知又は督促は、**時効の更新**の効力を有するとされています（同条４項）。

第9編

労務管理その他の労働に関する一般常識

項　目	問題番号
労働条件の確保及び向上等に関する法令	問題 1 ～問題 20
雇用安定及び就職促進に関する法令	問題 21 ～問題 34
その他の労働関係諸法令	問題 35 ～問題 51
労務管理及び労働経済	問題 52 ～問題 56

1 労働条件の確保及び向上等に関する法令

1 ☑☑☑ 重要度 C [R元問3-A]

労働契約法第4条第1項は、「使用者は、労働者に提示する労働条件及び労働契約の内容について、労働者の理解を深めるようにする」ことを規定しているが、これは労働契約の締結の場面及び変更する場面のことをいうものであり、労働契約の締結前において使用者が提示した労働条件について説明等をする場面は含まれない。

2 ☑☑☑ 重要度 C [R3問3-B]

使用者が就業規則の変更により労働条件を変更する場合について定めた労働契約法第10条本文にいう「労働者の受ける不利益の程度、労働条件の変更の必要性、変更後の就業規則の内容の相当性、労働組合等との交渉の状況その他の就業規則の変更に係る事情」のうち、「労働組合等」には、労働者の過半数で組織する労働組合その他の多数労働組合や事業場の過半数を代表する労働者だけでなく、少数労働組合が含まれるが、労働者で構成されその意思を代表する親睦団体は含まれない。

3 ☑☑☑ 重要度 B [R元問3-C]

労働契約法第15条の「懲戒」とは、労働基準法第89条第9号の「制裁」と同義であり、同条により、当該事業場に懲戒の定めがある場合には、その種類及び程度について就業規則に記載することが義務付けられている。

4 ☑☑☑ 重要度 A [H30問3-イ]

使用者は、労働契約に特段の根拠規定がなくとも、労働契約上の付随的義務として当然に、安全配慮義務を負う。

×

テキスト▶③一般常識科目P10

労働契約法4条1項は、「労働契約の締結前において使用者が提示した労働条件について**説明等をする場面**や、労働契約が**締結**又は**変更されて継続**している間の各場面」が**広く**「**含まれる**」ものであることとされています（労働契約法4条1項、平24.8.10基発0810第2号）。

×

テキスト▶該当ページなし

本問の「労働組合等」には、労働者で構成されその意思を代表する親睦団体等労働者の意思を代表するものが広く含まれます（労働契約法10条、平24.8.10基発0810第2号）。その他の記述は正しい。

○

テキスト▶③一般常識科目P13

そのとおり正しい（平24.8.10基発0810第2号）。

○

テキスト▶③一般常識科目P9

そのとおり正しい（労働契約法5条、平24.8.10基発0810第2号）。なお、使用者は、本問の安全配慮義務として、**労働者の心身の健康**についてもその義務を負います（平24.8.10基発0810第2号）。

5

[R3問3-C]

労働契約法第13条は、就業規則で定める労働条件が法令又は労働協約に反している場合には、その反する部分の労働条件は当該法令又は労働協約の適用を受ける労働者との間の労働契約の内容とはならないことを規定しているが、ここでいう「法令」とは、強行法規としての性質を有する法律、政令及び省令をいい、罰則を伴う法令であるか否かは問わず、労働基準法以外の法令も含まれる。

6

[H30問3-オ]

労働契約法第18条第１項の「同一の使用者」は、労働契約を締結する法律上の主体が同一であることをいうものであり、したがって、事業場単位ではなく、労働契約締結の法律上の主体が法人であれば法人単位で、個人事業主であれば当該個人事業主単位で判断される。

7

[H29問1-A]

労働契約法第２条第２項の「使用者」とは、「労働者」と相対する労働契約の締結当事者であり、「その使用する労働者に対して賃金を支払う者」をいうが、これは、労働基準法第10条の「使用者」と同義である。

○

テキスト▶③一般常識科目P11

そのとおり正しい（労働契約法13条、平24.8.10基発0810第２号）。なお、本問の「労働協約」とは、労働組合法14条にいう「労働組合と使用者又はその団体との間の労働条件その他に関する」合意で、「書面に作成し、両当事者が署名し、又は記名押印したもの」をいいます。

○

テキスト▶③一般常識科目P14

そのとおり正しい（労働契約法18条１項、平24.8.10基0810第２号）。

ワンポイント

使用者が、就業実態が変わらないにもかかわらず、本問の規定に基づき有期労働契約を締結している労働者が無期労働契約への転換を申し込むことができる権利（**無期転換申込権**）**の発生を免れる意図をもって**、派遣形態や請負形態を偽装して、労働契約の当事者を形式的に他の使用者に**切り替えた場合**は、法を潜脱するものとして、同一の使用者との間で締結された２以上の有期労働契約の契約期間を通算した期間（**通算契約期間**）**の計算上において、「同一の使用者」との労働契約が継続していると解されます**（平24.8.10基0810第２号）。

×

テキスト▶③一般常識科目P8

労働契約法２条２項の「**使用者**」とは、「**労働者**」と相対する労働契約の当事者であり、「**その使用する労働者に対して賃金を支払う者**」をいい、個人企業の場合はその企業主個人を、会社その他の法人組織の場合はその法人そのものをいうものです（労働契約法２条２項、労働基準法10条、平24.8.10基発0810第２号）。これは、**労働基準法10条の「事業主」**に相当するものであり、同条の「**使用者**」**より狭い概念**です。

8 ☑☑☑ 重要度A [H28問1-イ]

労働契約は、労働者が使用者に使用されて労働し、使用者がこれに対して賃金を支払うことについて、労働者及び使用者が必ず書面を交付して合意しなければ、有効に成立しない。

9 ☑☑☑ 重要度B [H28問1-ウ]

いわゆる在籍出向においては、就業規則に業務上の必要によって社外勤務をさせることがある旨の規定があり、さらに、労働協約に社外勤務の定義、出向期間、出向中の社員の地位、賃金、退職金その他の労働条件や処遇等に関して出向労働者の利益に配慮した詳細な規定が設けられているという事情の下であっても、使用者は、当該労働者の個別的同意を得ることなしに出向命令を発令することができないとするのが、最高裁判所の判例である。

10 ☑☑☑ 重要度C [R3問3-E]

有期労働契約の更新等を定めた労働契約法第19条の「更新の申込み」及び「締結の申込み」は、要式行為ではなく、使用者による雇止めの意思表示に対して、労働者による何らかの反対の意思表示が使用者に伝わるものでもよい。

11 ☑☑☑ 重要度B [H28問1-エ]

使用者は、期間の定めのある労働契約について、やむを得ない事由がある場合でなければ、その契約期間が満了するまでの間において、労働者を解雇することができないが、「やむを得ない事由」があると認められる場合は、解雇権濫用法理における「客観的に合理的な理由を欠き、社会通念上相当であると認められない場合」以外の場合よりも狭いと解される。

テキスト▶③一般常識科目P7

労働契約は、労働契約の締結当事者である労働者及び使用者の「**合意のみにより成立する**」ものであり、労働契約の成立の要件としては、契約内容について「**書面を交付することまでは求められない**」ものです（労働契約法６条、平24.8.10基発0810第２号）。

×

テキスト▶③一般常識科目P14

本問の事情の下においては、使用者は、当該労働者の**個別的同意を得ることなしに**出向命令を発令することが「**できる**」とするのが、最高裁判所の判例です（最高裁第二小法廷判決　平15.4.18　新日本製鐵事件）。

○

テキスト▶該当ページなし

そのとおり正しい（平24.8.10基発0810第２号）。なお、雇止めの効力について紛争となった場合における法19条の「更新の申込み」又は「締結の申込み」をしたことの主張・立証については、労働者が雇止めに異議があることが、例えば、訴訟の提起、紛争調整機関への申立て、団体交渉等によって使用者に直接又は間接に伝えられたことを概括的に主張立証すればよいと解されます。

○

テキスト▶③一般常識科目P13

そのとおり正しい（労働契約法17条、平24.8.10基発0810第２号）。

12 ☑☑☑ 重要度A [H26問1-B]

就業規則で定める基準と異なる労働条件を定める労働契約は、その部分については無効となり、無効となった部分は、就業規則で定める基準によるとされている。

13 ☑☑☑ 重要度B [H26問1-D]

労働契約法第３条第１項において、「労働契約は、労働者及び使用者が対等の立場における合意に基づいて締結し、又は変更すべきものとする。」と規定されている。

14 ☑☑☑ 重要度A [H26問2-C]

男女雇用機会均等法第７条（性別以外の事由を要件とする措置）には、労働者の募集又は採用に関する措置であって、労働者の身長、体重又は体力に関する事由を要件とするものが含まれる。

15 ☑☑☑ 重要度B [R3問4-オ]

女性労働者につき労働基準法第65条第３項に基づく妊娠中の軽易な業務への転換を契機として降格させる事業主の措置は、原則として男女雇用機会均等法第９条第３項の禁止する取扱いに当たるが、当該労働者につき自由な意思に基づいて降格を承諾したものと認めるに足りる合理的な理由が客観的に存在するとき、又は事業主において当該労働者につき降格の措置を執ることなく軽易な業務への転換をさせることに円滑な業務運営や人員の適正配置の確保などの業務上の必要性から支障がある場合であって、上記措置につき男女雇用機会均等法第９条第３項の趣旨及び目的に実質的に反しないものと認められる特段の事情が存在するときは、同項の禁止する取扱いに当たらないとするのが、最高裁判所の判例である。

×

テキスト▶③一般常識科目P11

就業規則で定める「**基準に達しない**」労働条件を定める労働契約は、**その部分については**、**無効**とします。この場合において、無効となった部分は、**就業規則で定める基準によります**（労働契約法12条）。したがって、就業規則で定める基準よりも「**有利**」**な労働条件を定める労働契約の部分は無効とされません。**

○

テキスト▶③一般常識科目P8

そのとおり正しい（労働契約法３条１項）。

○

テキスト▶③一般常識科目P19

そのとおり正しい（男女雇用機会均等法７条、同法施行規則２条１号）。

○

テキスト▶③一般常識科目P21

そのとおり正しい（最高裁第一小法廷判決 平26.10.23 広島中央保健生活協同組合事件）。なお、事業主は、その雇用する女性労働者が妊娠したこと、出産したこと、労働基準法65条１項の規定による産前休業を請求し、又は同項若しくは同条２項の規定による産前産後休業をしたことその他の妊娠又は出産に関する事由であって厚生労働省令で定めるものを理由として、当該女性労働者に対して解雇その他不利益な取扱いをしてはなりません（男女雇用機会均等法９条３項）。

16

重要度 B [H29問2-エ]

育児介護休業法は、労働者は、対象家族１人につき、１回に限り、連続したひとまとまりの期間で最長93日まで、介護休業を取得することができると定めている。

17

重要度 A [H29問2-ア]

最低賃金法第３条は、最低賃金額は、時間又は日によって定めるものとしている。

18

重要度 B [椛島オリジナル]

事業主は、その雇用する短時間・有期雇用労働者の基本給や賞与といった待遇については、通常の労働者と異なるものとしてはならない。

19

重要度 B [R4問4-E]

賞与であって、会社の業績等への労働者の貢献に応じて支給するものについて、通常の労働者と同一の貢献である短時間・有期雇用労働者には、貢献に応じた部分につき、通常の労働者と同一の賞与を支給しなければならず、貢献に一定の相違がある場合においては、その相違に応じた賞与を支給しなければならない。

×

テキスト▶③一般常識科目P29

介護休業は、対象家族につき1回に限り、**連続したひとまとまりの期間で取得することは必要とされていません**（育児介護休業法11条2項）。3回まで分割して取得することができます。

×

テキスト▶③一般常識科目P31

最低賃金法3条は、最低賃金額は、「**時間**」によって定めるものとされており、日によって定めるものとはされていません（最低賃金法3条）。

×

テキスト▶③一般常識科目P17

その雇用する短時間・有期雇用労働者の基本給、賞与その他の待遇のそれぞれについて、パートタイム・有期雇用労働法では、当該待遇に対応する通常の労働者の待遇との間において、「**職務の内容及び配置の変更の範囲その他の事情のうち、当該待遇の性質及び当該待遇を行う目的に照らして適切と認められるものを考慮して、不合理と認められる相違を設けてはならない**」といっています。つまり、合理性のある相違について否定しているものではありません（パートタイム・有期雇用労働法8条）。

○

テキスト▶③一般常識科目P16

そのとおり正しい(パートタイム有期雇用法8条)。不合理な待遇差別は違法です。

20   〔椛島オリジナル〕

常時雇用する労働者の数が300人を超える事業主は、女性活躍推進法における一般事業主行動計画を定め、厚生労働大臣に届け出なければならない。

×

テキスト ▶ ③一般常識科目P23～24

女性活躍推進法における一般事業主行動計画の策定と届出が義務付けられているのは、常時雇用する労働者の数が「**100人**」**を超える**事業主です（女性活躍推進法８条）。

② 雇用安定及び就職促進に関する法令

21

☑☑☑ 重要度 B [H26問2-A]

労働施策総合推進法は、労働者の募集、採用、昇進または職種の変更に当たって年齢制限をつけることを、原則として禁止している。

22

☑☑☑ 重要度 B [R3問4-ウ改題]

労働施策総合推進法第30条の２第１項の「事業主は、職場において行われる優越的な関係を背景とした言動であって、業務上必要かつ相当な範囲を超えたものによりその雇用する労働者の就業環境が害されることのないよう、当該労働者からの相談に応じ、適切に対応するために必要な体制の整備その他の雇用管理上必要な措置を講じなければならない。」とする規定が、令和２年６月１日に施行された。

23

☑☑☑ 重要度 B [H28問2-D]

労働者派遣法第35条の３は、「派遣元事業主は、派遣先の事業所その他派遣就業の場所における組織単位ごとの業務について、３年を超える期間継続して同一の派遣労働者に係る労働者派遣（第40条の２第１項各号のいずれかに該当するものを除く。）を行ってはならない」と定めている。

24

☑☑☑ 重要度 B [R5問4-E]

厚生労働大臣は、常時雇用する労働者の数が300人以上の事業主からの申請に基づき、当該事業主について、青少年の募集及び採用の方法の改善、職業能力の開発及び向上並びに職場への定着の促進に関する取組に関し、その実施状況が優良なものであることその他の厚生労働省令で定める基準に適合するものである旨の認定を行うことができ、この制度は「ユースエール認定制度」と呼ばれている。

×

テキスト▶③一般常識科目P38～39

労働施策総合推進法９条では、労働者の「**募集及び採用**」については、事業主は、厚生労働省令で定めるところにより、その年齢にかかわりなく均等な機会を与えなければならないと**年齢制限をつけることを原則として禁止**していますが、「**昇進又は職種の変更**」についてはこのような**年齢制限の規定はありません**（労働施策総合推進法９条）。

○

テキスト▶③一般常識科目P40

そのとおり正しい（労働施策総合推進法30条の２第１項、同法令元附則１条・３条ほか）。なお、本問の「優越的な関係を背景とした」言動とは、当該事業主の業務を遂行するに当たって、当該言動を受ける労働者が当該言動の行為者とされる者に対して抵抗又は拒絶することができない蓋然性が高い関係を背景として行われるものをいいます（事業主が職場における優越的な関係を背景とした言動に起因する問題に関して雇用管理上講ずべき措置等についての指針）。

○

テキスト▶③一般常識科目P46

そのとおり正しい（労働者派遣法35条の３）。

×

テキスト▶該当ページなし

300人以上ではなく、「**300人以下**」が正しいです（若者雇用促進法15条、16条）。

25 ☑☑☑ 重要度A [H26問2-B]

高年齢者雇用安定法は、事業主に、定年年齢を定める場合には65歳以上とすることを義務づけている。

26 ☑☑☑ 重要度A [H27問2-C]

障害者雇用促進法は、事業主に一定比率（一般事業主については2.3パーセント。）以上の対象障害者の雇用を義務づけ、それを達成していない常時使用している労働者数が101人以上の事業主から、未達成1人つき月10万円の障害者雇用納付金を徴収することとしている。

27 ☑☑☑ 重要度A [椛島オリジナル]

外国人を雇い入れたときに必要な「外国人雇用状況の届出」に係る期限について、外国人が雇用保険の被保険者である場合には、当該被保険者の資格取得届の提出期限である「翌月10日」を適用する。

28 ☑☑☑ 重要度B [椛島オリジナル]

職業安定法における職業紹介に関して、有料職業紹介事業を行う場合には厚生労働大臣の許可が必要であるが、無料職業紹介事業を行う場合には、厚生労働大臣への届け出だけで足りる。

29 ☑☑☑ 重要度A [椛島オリジナル]

いま、労働者派遣が認められている業務は4つだけである。

×

テキスト▶③一般常識科目P49

事業主がその雇用する労働者の**定年の定め**をする場合には、**原則として「60歳以上」**とすることが義務付けられています（高年齢者雇用安定法８条）。

×

テキスト▶③一般常識科目P53

本問の場合、**未達成１人につき、「月５万円」の障害者雇用納付金**が徴収されます（障害者雇用促進法施行令17条ほか）。

○

テキスト▶③一般常識科目P40

そのとおり正しい（労働施策総合推進法28条１項、則12条）。

×

テキスト▶③一般常識科目P44

無料の職業紹介事業を行おうとする者についても、**原則として、厚生労働大臣の許可が必要**です（職業安定法33条１項）。

×

テキスト▶③一般常識科目P43～44

「派遣が禁止」されている業務が４つです。具体的には、**港湾運送**業務、**建設**業務、**警備**業務及び**一定の医療関係**業務です（労働者派遣法４条１項・３項、令２条、則１条）。

30

重要度 A [椛島オリジナル]

定年の定めをしている事業主が、その雇用する高年齢者の65歳までの安定した雇用を確保するための「高年齢者雇用確保措置」が高年齢者雇用安定法に規定されているが、これは事業主の努力義務ではなく、義務規定である。

31

重要度 B [R3問4-イ]

定年（65歳以上70歳未満のものに限る。）の定めをしている事業主又は継続雇用制度（その雇用する高年齢者が希望するときは、当該高年齢者をその定年後も引き続いて雇用する制度をいう。ただし、高年齢者を70歳以上まで引き続いて雇用する制度を除く。）を導入している事業主は、その雇用する高年齢者（高年齢者雇用安定法第９条第２項の契約に基づき、当該事業主と当該契約を締結した特殊関係事業主に現に雇用されている者を含み、厚生労働省令で定める者を除く。）について、「当該定年の引上げ」「65歳以上継続雇用制度の導入」「当該定年の定めの廃止」の措置を講ずることにより、65歳から70歳までの安定した雇用を確保しなければならない。

32

重要度 B [椛島オリジナル]

事業主は、労働者の募集及び採用について、障害者に対して、障害者でない者と均等な機会を与えなければならない。また、事業主は、賃金の決定、教育訓練の実施、福利厚生施設の利用その他の待遇について、労働者が障害者であることを理由として、障害者でない者と不当な差別的取扱いをしてはならない。

テキスト ▶ ③一般常識科目P49

そのとおり正しい（高年齢者雇用安定法９条）。

テキスト ▶ ③一般常識科目P50

本問の措置（高年齢者就業確保措置）は、事業主の「努力義務」です。その他の記述は正しい（高年齢者雇用安定法10条の２第１項）。

テキスト ▶ ③一般常識科目P51

そのとおり正しい（障害者雇用促進法34条、35条）。

33  [R2問3-C]

障害者雇用促進法では、事業主の雇用する障害者雇用率の算定対象となる障害者（以下「対象障害者」という。）である労働者の数の算定に当たって、対象障害者である労働者の１週間の所定労働時間にかかわりなく、対象障害者は１人として換算するものとされている。

34   [椛島オリジナル]

職業能力開発促進法によると、「キャリアコンサルティング」とは、労働者の「職業の選択」又は「職業能力の開発及び向上」に関する相談に応じ、助言及び指導を行うことをいうとされており、労働者が自ら完結すべき「職業生活設計」に対する助言や指導は、その定義の中に含まれていない。

テキスト ▶ ③一般常識科目P52

対象障害者の雇用数の算定に当たって、1週間の所定労働時間が、当該事業主の事業所に雇用する通常の労働者の1週間の所定労働時間に比し短く、かつ、20時間以上30時間未満である常時雇用する短時間労働者については、その1人をもって0.5人として換算するものとされています（障害者雇用促進法43条3項、同法施行規則6条）。

×

テキスト ▶ ③一般常識科目P54

キャリアコンサルティングとは、労働者の**職業の選択**、「**職業生活設計**」又は**職業能力の開発及び向上**に関する相談に応じ、**助言及び指導**を行うことをいいます（職業能力開発促進法2条5項）。

3 その他の労働関係諸法令

35 ☑☑☑ 重要度 B [R2問4-A]

労働組合が、使用者から最小限の広さの事務所の供与を受けていても、労働組合法上の労働組合の要件に該当するとともに、使用者の支配介入として禁止される行為には該当しない。

36 ☑☑☑ 重要度 A [H28問2-C]

同一企業内に複数の労働組合が併存する場合には、使用者は団体交渉の場面に限らず、すべての場面で各組合に対し中立的態度を保持しなければならないとするのが、最高裁判所の判例である。

37 ☑☑☑ 重要度 B [H25問2-B]

プロ野球選手、プロサッカー選手等のスポーツ選手は、労働組合法上の労働者に当たらないため、これらのスポーツ選手が労働組合を作っても、団体交渉を行う権利は認められない。

38 ☑☑☑ 重要度 B [H24問2-A]

労働組合に対する使用者の言論が不当労働行為に該当するかどうかは、言論の内容、発表の手段、方法、発表の時期、発表者の地位、身分、言論発表の与える影響などを総合して判断し、当該言論が組合員に対し威嚇的効果を与え、組合の組織、運営に影響を及ぼすような場に対し威嚇的効果を与え、組合の組織、運営に影響を及ぼすような場合は支配介入となるとするのが、最高裁判所の判例である。

39 ☑☑☑ 重要度 A [H23問5-A]

労働組合法における「労働者」とは、職業の種類を問わず、賃金、給料その他これに準ずる収入によって生活する者をいう。

〇

テキスト▶該当ページなし

そのとおり正しい（労働組合法２条２号、７条３号）。なお、本問の「最小限の広さの事務所の供与」とは、社会通念上必要最小限の広さと考えられる事務所の供与のことをいい、当該事務所に社会通念上当然含まれると考えられる備品を必ずしも除外するものではありません（昭33.6.9労発87号）。

〇

テキスト▶③一般常識科目P61

そのとおり正しい（最高裁第三小法廷判決　昭60.4.23　日産自動車事件）。

×

テキスト▶③一般常識科目P59

プロスポーツ選手は、**労働組合法上の労働者に該当します**。したがって、労働組合を作ることができ、**団体交渉を行う権利があります**（労働組合法２条、３条）。

〇

テキスト▶③一般常識科目P62

そのとおり正しい（最高裁第二小法廷判決　昭57.9.10　プリマハム事件）。

〇

テキスト▶③一般常識科目P58

そのとおり正しい（労働組合法３条）。

40

☑☑☑ 重要度 A [H23問5-C]

使用者は、その雇用する労働者が加入している労働組合であっても、当該企業の外部を拠点に組織されている労働組合(いわゆる地域合同労組など)とは、団体交渉を行う義務を負うことはない。

41

☑☑☑ 重要度 A [H23問5-E]

労働協約は、それを締結した労働組合の組合員の労働契約を規律するものであり、当該労働組合に加入していない労働者の労働契約を規律する効力をもつことはあり得ない。

42

☑☑☑ 重要度 B [H29問2-イ]

個別労働関係紛争解決促進法第5条第1項は、都道府県労働局長は、同項に掲げる個別労働関係紛争について、当事者の双方又は一方からあっせんの申請があった場合において、その紛争の解決のために必要があると認めるときは、紛争調整委員会にあっせんを行わせるものとすると定めている。

43

☑☑☑ 重要度 A [R2問5-ア]

社会保険労務士が、個別労働関係紛争に関する民間紛争解決手続（裁判外紛争解決手続の利用の促進に関する法律（平成16年法律第151号）第2条第1号に規定する民間紛争解決手続をいう。）であって、個別労働関係紛争の民間紛争解決手続の業務を公正かつ適確に行うことができると認められる団体として厚生労働大臣が指定するものが行うものについて、単独で紛争の当事者を代理する場合、紛争の目的の価額の上限は60万円とされている。

×

テキスト▶③一般常識科目P61

使用者は、その雇用する労働者が加入している労働組合であれば、いわゆる地域合同労組など**企業の外部を拠点に組織されている労働組合との団体交渉にも応ずる義務があり、これを正当な理由がなくて拒否すれば、不当労働行為**となります（労働組合法７条）。

×

テキスト▶③一般常識科目P63

労働協約は、それを締結した労働組合の組合員の労働契約を規律するものですが、労働組合法17条（一般的拘束力）の規定により、一の工場事業場に常時使用される同種の労働者の**４分の３以上の数の労働者が一の労働協約の適用を受けるに至ったとき**は、当該工場事業場に使用される**他の同種の労働者に関しても、当該労働協約が適用される**ため、当該労働組合に加入していない労働者の労働契約を規律する効力をもつこともあります（労働組合法17条）。

○

テキスト▶③一般常識科目P66

そのとおり正しい（個別労働関係紛争解決促進法５条１項）。

ワンポイント

事業主は、労働者が本問のあっせんの申請をしたことを理由として、当該労働者に対して解雇その他不利益な取扱いをしてはなりません（同条２項）。

×

テキスト▶③一般常識科目P67

本問の紛争の目的の価額の上限は「120万円」とされています（社会保険労務士法２条１項１号の６）。

44

☑☑☑ 重要度 A [R元問5-C]

社会保険労務士は、事業における労務管理その他の労働に関する事項及び労働社会保険諸法令に基づく社会保険に関する事項について、裁判所において、補佐人として、弁護士である訴訟代理人に代わって出頭し、陳述をすることができる。

45

☑☑☑ 重要度 AA [R3問5-B]

社会保険労務士は、事業における労務管理その他の労働に関する事項及び労働社会保険諸法令に基づく社会保険に関する事項について、裁判所において、補佐人として、弁護士である訴訟代理人とともに出頭し、陳述及び尋問をすることができる。

46

☑☑☑ 重要度 B [H30問5-A]

社会保険労務士法第14条の３に規定する社会保険労務士名簿は、都道府県の区域に設立されている社会保険労務士会ごとに備えなければならず、その名簿の登録は、都道府県の区域に設立されている社会保険労務士会ごとに行う。

47

☑☑☑ 重要度 A [R5問5-B]

他人の求めに応じ報酬を得て、社会保険労務士法第２条に規定する事務を業として行う社会保険労務士は、その業務に関する帳簿を備え、これに事件の名称（必要な場合においては事件の概要）、依頼を受けた年月日、受けた報酬の額、依頼者の住所及び氏名又は名称を記載し、当該帳簿をその関係書類とともに、帳簿閉鎖の時から１年間保存しなければならない。

48

☑☑☑ 重要度 B [H29問3-D]

社会保険労務士法人が行う紛争解決手続代理業務は、社員のうちに特定社会保険労務士がある社会保険労務士法人に限り、行うことができる。

×

テキスト▶③一般常識科目P67〜68

社会保険労務士は、本問の事項について、裁判所において、**補佐人**として、**「弁護士である訴訟代理人とともに」出頭し、陳述をすることができます**（社会保険労務士法２条の２第１項）。

×

テキスト▶③一般常識科目P67〜68

本問の場合、社会保険労務士は、裁判所において、補佐人として、弁護士である訴訟代理人とともに出頭し、陳述をすることができるが、尋問をすることはできません（社会保険労務士法２条の２第１項）。

×

テキスト▶③一般常識科目P68

社会保険労務士**名簿は、全国社会保険労務士会連合会に備える**ものとされており、当該名簿の**登録は、全国社会保険労務士会連合会が行います**（社会保険労務士法14条の３）。

×

テキスト▶③一般常識科目P70

他人の求めに応じ報酬を得て、社会保険労務士法第２条に規定する事務を業として行う社会保険労務士（＝開業社労士）は、設問の帳簿をその関係書類とともに、帳簿閉鎖の時から**２年間**保存しなければなりません。（社会保険労務士法19条２項）。

○

テキスト▶③一般常識科目P67

そのとおり正しい（社会保険労務士法25条の９第２項）。

49

重要度 B　[H28問3-C]

社会保険労務士法第25条の2第2項では、厚生労働大臣は、開業社会保険労務士が、相当の注意を怠り、労働社会保険諸法令に違反する行為について指示をし、相談に応じたときは、当該社会保険労務士の失格処分をすることができるとされている。

50

重要度 A　[H28問3-D]

社会保険労務士法人の設立には2人以上の社員が必要である。

51

重要度 C　[R5問5-D]

社会保険労務士法人の社員が自己又は第三者のためにその社会保険労務士法人の業務の範囲に属する業務を行ったときは、当該業務によって当該社員又は第三者が得た利益の額は、社会保険労務士法人に生じた損害の額と推定する。

×

テキスト▶③一般常識科目P71

本問の場合、厚生労働大臣は、当該社会保険労務士に対し、「**戒告又は１年以内の開業社会保険労務士の業務の停止**」**の処分**をすることができます（社会保険労務士法25条の２第２項）。

×

テキスト▶③一般常識科目P71

社員が１人の場合でも、社会保険労務士法人の**設立は可能**です（社会保険労務士法25条の６）。

テキスト▶該当ページなし

そのとおり正しい（法25条の18第２項）。

≪参考≫社会保険労務士法人の社員は、自己若しくは第三者のためにその社会保険労務士法人の業務の範囲に属する業務を行ったり、又は他の社会保険労務士法人の社員となったりしてはいけません（同条第１項）。

52 ☑☑☑ 重要度 B [椛島オリジナル]

日本的な雇用慣行として挙げられるのは、①終身雇用制、②年功賃金制及び③産業別労働組合である。

53 ☑☑☑ 重要度 B [椛島オリジナル]

職能資格制度は、人事考課により従業員を職務遂行能力に応じて格付けし、その決定された職務遂行能力に相応する職務に従業員を配置し、給与、昇進、教育訓練等の労務管理を行う制度である。

54 ☑☑☑ 重要度 C [椛島オリジナル]

労働者各人の個別賃金を決定する仕組みである「賃金体系」に関して、「仕事給」とは、労働者の従事する仕事の種類・内容・成果等によって決定される賃金であり、基本給に属するものである。

55 ☑☑☑ 重要度 B [椛島オリジナル]

完全失業者は、非労働力人口に属する概念である。

56 ☑☑☑ 重要度 B [椛島オリジナル]

年齢階級別の女性の労働力人口比率には、出産、育児期に低下し、育児終了後に高まる傾向がみられ、いわゆるN字型カーブを描くという特徴がみられるものの、近年では女性の労働力率の上昇に伴い、その曲線がN字から台形に近づきつつあるといわれている。

×

テキスト▶③一般常識科目P74

3つ目が誤り。産業別労働組合ではなく、「**企業別労働組合**」です。

テキスト▶③一般常識科目P75

そのとおり正しい。

ワンポイント

職務等級制度とは、会社における職務を分析しその評価を行って職務を序列化し、その職務に適正な人材を配置し、給与、昇進、教育訓練等の労務管理を行う制度です。

テキスト▶③一般常識科目P77

そのとおり正しい。

ワンポイント

仕事給の一例として、職務給や職能給などがこれにあたります。

テキスト▶③一般常識科目P78

完全失業者は、「**労働力人口**」に属する概念です。労働力人口とは、**15歳以上人口のうち就業者と完全失業者を合わせたもの**をいいます。

テキスト▶③一般常識科目P79

N字ではなく、「**M字**」が正しい。

第10編

社会保険に関する一般常識

項　目	問題番号
社会保険法令（国民健康保険法）	問題 1 ～問題 11
社会保険法令（高齢者医療の確保に関する法律）	問題 12～問題 21
社会保険法令（介護保険法）	問題 22～問題 32
社会保険法令（船員保険法）	問題 33～問題 37
社会保険法令（児童手当法）	問題 38～問題 43
社会保険法令（確定給付企業年金法）	問題 44～問題 51
社会保険法令（確定拠出年金法）	問題 52～問題 58
社会保険審査官・審査会法	問題 59～問題 61
社会保障制度	問題 62～問題 70

1-1 社会保険法令（国民健康保険法）

1 ☑☑☑ 重要度B [R3問9-A]

国民健康保険法第１条では、「この法律は、被保険者の疾病、負傷、出産又は死亡に関して必要な保険給付を行い、もって社会保障及び国民保健の向上に寄与することを目的とする。」と規定している。

2 ☑☑☑ 重要度C [R3問7-B]

生活保護法による保護を受けている世帯に属する者は、都道府県が当該都道府県内の市町村（特別区を含む。）とともに行う国民健康保険の被保険者となる。

3 ☑☑☑ 重要度B [H28問6-ア]

国民健康保険法では、国民健康保険組合を設立しようとするときは、主たる事務所の所在地の都道府県知事の認可を受けなければならないことを規定している。

4 ☑☑☑ 重要度B [R4問8-A]

国民健康保険組合を設立しようとするときは、主たる事務所の所在地の都道府県知事の認可を受けなければならない。当該認可の申請は10人以上の発起人が規約を作成し、組合員となるべき者100人以上の同意を得て行うものとされている。

5 ☑☑☑ 重要度A [R元問6-A]

市町村（特別区を含む。）及び国民健康保険組合は、世帯主又は組合員がその世帯に属する被保険者に係る被保険者資格証明書の交付を受けている場合において、当該被保険者が保険医療機関又は指定訪問看護事業者について療養を受けたときは、当該世帯主又は組合員に対し、その療養に要した費用について、療養費を支給する。

×

テキスト▶③一般常識科目P86

国民健康保険法１条では、「この法律は、『国民健康保険事業の健全な運営を確保し』、もって社会保障及び国民保健の向上に寄与することを目的とする」と規定しています（国民健康保険法１条）。

×

テキスト▶③一般常識科目P88

生活保護法による保護を受けている世帯（その保護を停止されている世帯を除く）に属する者は、都道府県等が行う国民健康保険の被保険者となりません（国民健康保険法６条９号）。

○

テキスト▶③一般常識科目P86

そのとおり正しい（国民健康保険法17条１項）。

×

テキスト▶③一般常識科目P87

本問の認可の申請は、「15人」以上の発起人が規約を作成し、組合員となるべき者「300人」以上の同意を得て行うものとされています（国民健康保険法17条２項）。

×

テキスト▶③一般常識科目P90

本問の場合、世帯主又は組合員に対し、その療養に要した費用について、「**特別療養費**」が支給されます（国民健康保険法54条の３第１項）。

6 ☑☑☑ 重要度 B [R元問6-B]

市町村（特別区を含む。）及び国民健康保険組合は、被保険者の出産及び死亡に関しては、条例又は規約の定めるところにより、出産育児一時金の支給又は葬祭費の支給若しくは葬祭の給付を行うものとする。ただし、特別の理由があるときは、その全部又は一部を行わないことができる。

7 ☑☑☑ 重要度 A [H22問6-A]

国民健康保険法に関し、被保険者が闘争、泥酔または著しい不行跡によって疾病にかかり、または負傷したときは、当該疾病または負傷に係る療養の給付等は、その全部または一部を行わないことができる。

8 ☑☑☑ 重要度 B [R3問7-C]

市町村及び国民健康保険組合は、被保険者又は被保険者であった者が、正当な理由なしに療養に関する指示に従わないときは、療養の給付等の一部を行わないことができる。

9 ☑☑☑ 重要度 B [R2問10-B]

国民健康保険の保険給付を受けることができる世帯主であって、市町村から被保険者資格証明書の交付を受けている者が、国民健康保険料を滞納しており、当該保険料の納期限から１年６か月が経過するまでの間に当該保険料を納付しないことにより、当該保険給付の全部又は一部の支払いを一時差し止めされている。当該世帯主が、この場合においても、なお滞納している保険料を納付しないときは、市町村は、あらかじめ、当該世帯主に通知して、当該一時差し止めに係る保険給付の額から当該世帯主が滞納している保険料額を控除することができる。

テキスト▶③一般常識科目P90

そのとおり正しい（国民健康保険法58条１項）。本問の保険給付は、いわゆる**法定任意給付**です。

○

テキスト▶③一般常識科目P91

そのとおり正しい（国民健康保険法61条）。

○

テキスト▶③一般常識科目P91

そのとおり正しい（国民健康保険法62条）。なお、被保険者が闘争、泥酔又は著しい不行跡によって疾病にかかり、又は負傷したときは、当該疾病又は負傷に係る療養の給付等は、その全部又は一部を行わないことができます（同法61条）。

○

テキスト▶③一般常識科目P91

そのとおり正しい（国民健康保険法63条の２第３項）。なお、市町村及び国民健康保険組合は、被保険者若しくは被保険者であった者又は保険給付を受ける者が、正当な理由なしに、法66条に規定する強制診断等に係る命令に従わず、又は答弁若しくは受診を拒んだときは、療養の給付等の全部又は一部を行わないことができます（同法63条）。

10 ☑☑☑ 重要度 B [H27問6-A]

国民健康保険法では、国は、都道府県等が行う国民健康保険の財政の安定化を図るため、政令で定めるところにより、都道府県に対し、当該都道府県内の市町村による療養の給付等に要する費用並びに当該都道府県による前期高齢者納付金及び後期高齢者支援金並びに介護納付金の納付に要する費用について、一定の額の合算額の100分の32を負担することを規定している。

11 ☑☑☑ 重要度 B [R元問6-E]

保険給付に関する処分（被保険者証の交付の請求又は返還に関する処分を含む。）又は保険料その他国民健康保険法の規定による徴収金（同法附則第10条第１項に規定する療養給付費等拠出金及び事務費拠出金を除く。）に関する処分に不服がある者は、国民健康保険審査会に審査請求をすることができる。

テキスト▶③一般常識科目P93

そのとおり正しい（国民健康保険法70条１項）。

○

テキスト▶③一般常識科目P94

そのとおり正しい（国民健康保険法91条１項、同法附則10条１項、19条、高齢者医療確保法154条）。

12 ☑☑☑ 重要度 B [R3問9-C]

高齢者医療確保法第１条では、「この法律は、国民の高齢期における適切な医療の確保を図るため、医療費の適正化を推進するための計画の作成及び保険者による健康診査等の実施に関する措置を講ずるとともに、高齢者の医療について、国民の共同連帯の理念等に基づき、前期高齢者に係る保険者間の費用負担の調整、後期高齢者に対する適切な医療の給付等を行うために必要な制度を設け、もつて国民保健の向上及び高齢者の福祉の増進を図ることを目的とする。」と規定している。

13 ☑☑☑ 重要度 C [H24問10-A]

高齢者の医療の確保に関する法律に関し、国は、この法律の趣旨を尊重し、住民の高齢期における医療に要する費用の適正化を図るための取組及び高齢者医療制度の運営が適切かつ円滑に行われるよう所要の施策を実施しなければならない。

14 ☑☑☑ 重要度 B [H30問7-A]

都道府県は、医療費適正化基本方針に即して、５年ごとに、５年を１期として、当該都道府県における医療費適正化を推進するための計画（都道府県医療費適正化計画）を定めるものとする。

15 ☑☑☑ 重要度 B [H29問8-B]

高齢者の医療の確保に関する法律に関し、保険者（国民健康保険法の定めるところにより都道府県が当該都道府県内の市町村とともに行う国民健康保険にあっては、市町村）は、特定健康診査等基本指針に即して、６年ごとに、６年を１期として、特定健康診査等の実施に関する計画を定めるものとされている。

テキスト▶③一般常識科目P95

そのとおり正しい（高齢者医療確保法１条）。なお、国は、国民の高齢期における医療に要する費用の適正化を図るための取組が円滑に実施され、高齢者医療制度（前期高齢者に係る保険者間の費用負担の調整及び後期高齢者医療制度をいう）の運営が健全に行われるよう必要な各般の措置を講ずるとともに、高齢者医療確保法１条に規定する目的の達成に資するため、医療、公衆衛生、社会福祉その他の関連施策を積極的に推進しなければなりません（同法３条）。

×

テキスト▶③一般常識科目P97

本問の記述は、国ではなく「**地方公共団体**」の責務に関するものです（高齢者医療確保法４条）。

×

テキスト▶③一般常識科目P97

都道府県は、医療費適正化基本方針に即して、「**６年ごとに６年を１期として**」、当該都道府県における医療費適正化を推進するための計画（都道府県医療費適正化計画）を定めるものとされています（高齢者医療確保法９条１項）。

○

テキスト▶③一般常識科目P97

そのとおり正しい（高齢者医療確保法19条１項）。

16　☑☑☑　重要度 A　[H29問8-B]

高齢者の医療の確保に関する法律に関し、後期高齢者医療広域連合は、後期高齢者医療の事務（保険料の徴収の事務及び被保険者の便益の増進に寄与するものとして政令で定める事務を除く。）を処理するため、都道府県の区域ごとに当該区域内のすべての市町村が加入して設けられる。

17　☑☑☑　重要度 B　[R4問7-B]

高齢者医療確保法の被保険者は、厚生労働省令で定めるところにより、当該被保険者の資格の取得及び喪失に関する事項その他必要な事項を広域連合に届け出なければならないが、当該被保険者の属する世帯の世帯主は、当該被保険者に代わって届出をすることができない。

18　☑☑☑　重要度 B　[H25問9-C]

高齢者の医療の確保に関する法律に関し、保険料の滞納により後期高齢者医療広域連合から被保険者証の返還を求められた被保険者が被保険者証を返還したときは、後期高齢者医療広域連合は、当該被保険者に対し、被保険者資格証明書を交付する。

19　☑☑☑　重要度 A　[H23問9-E]

高齢者の医療の確保に関する法律では、後期高齢者医療広域連合が行う後期高齢者医療の被保険者は、①後期高齢者医療広域連合の区域内に住所を有する75歳以上の者、②後期高齢者医療広域連合の区域内に住所を有する65歳以上75歳未満の者であって、厚生労働省令で定めるところにより、政令で定める程度の障害の状態にある旨の当該後期高齢者医療広域連合の認定を受けたもの、と規定している。

○

テキスト▶③一般常識科目P100

そのとおり正しい（高齢者医療確保法48条）。

×

テキスト▶③一般常識科目P100

被保険者の属する世帯の世帯主は、その世帯に属する被保険者に代わって、届出をすることが「できます」（高齢者医療確保法54条１項・２項、則10条）。

○

テキスト▶③一般常識科目P101

そのとおり正しい（高齢者医療確保法54条７項）。

○

テキスト▶③一般常識科目P100

そのとおり正しい（高齢者医療確保法50条）。

20 ☑☑☑ 重要度 B [H25問9-D]

高齢者の医療の確保に関する法律に関し、後期高齢者医療給付に関する処分（被保険者証の交付の請求又は返還に関する処分を含む。）に不服がある者は、社会保険審査会に審査請求をすることができる。

21 ☑☑☑ 重要度 B [H25問9-E]

高齢者の医療の確保に関する法律に関し、保険料の還付を受ける権利は、これを行使することができる時から２年を経過したときは、時効によって消滅する。

テキスト▶③一般常識科目P104

後期高齢者医療給付に関する処分（被保険者証の交付の請求又は返還に関する処分を含む）に不服がある者は、「**後期高齢者医療審査会**」に審査請求をすることができます（高齢者医療確保法128条）。

○

テキスト▶③一般常識科目P104

そのとおり正しい（高齢者医療確保法160条）。

22 ☑☑☑ 重要度 B [R3問9-E]

介護保険法第１条では、「この法律は、加齢に伴って生ずる心身の変化に起因する疾病等により要介護状態となり、入浴、排せつ、食事等の介護、機能訓練並びに看護及び療養上の管理その他の医療を要する者等について、これらの者が尊厳を保持し、その有する能力に応じ自立した日常生活を営むことができるよう、必要な保健医療サービス及び福祉サービスに係る給付を行うため、国民の共同連帯の理念に基づき介護保険制度を設け、その行う保険給付等に関して必要な事項を定め、もって国民の保健医療の向上及び福祉の増進を図ることを目的とする。」と規定している。

23 ☑☑☑ 重要度 B [H27問7-A]

市町村又は特別区は、介護保険事業の運営が健全かつ円滑に行われるよう保健医療サービス及び福祉サービスを提供する体制の確保に関する施策その他の必要な各般の措置を講じなければならない。

24 ☑☑☑ 重要度 A [H23問9-C]

介護保険法では、第２号被保険者とは、市町村（特別区を含む。）の区域内に住所を有する20歳以上65歳未満の医療保険加入者をいう、と規定している。

25 ☑☑☑ 重要度 C [R3問8-B]

介護認定審査会は、市町村（特別区を含む。）に置かれ、介護認定審査会の委員は、介護保険法第７条第５項に規定する介護支援専門員から任命される。

26 ☑☑☑ 重要度 A [R元問7-A]

要介護認定は、その申請のあった日にさかのぼってその効力を生ずる。

テキスト▶③一般常識科目P105

そのとおり正しい（介護保険法１条）。なお、市町村及び特別区は、介護保険法の定めるところにより、介護保険を行うものとします（同法３条１項）。

×

テキスト▶③一般常識科目P105

「国」は、介護保険事業の運営が健全かつ円滑に行われるよう保健医療サービス及び福祉サービスを提供する体制の確保に関する施策その他の必要な各般の措置を講じなければなりません（介護保険法５条１項）。

×

テキスト▶③一般常識科目P107

介護保険法では、第２号被保険者とは、市町村（特別区を含む）の区域内に住所を有する「**40歳以上**」65歳未満の医療保険加入者をいう、と規定しています（介護保険法９条）。

×

テキスト▶該当ページなし

介護認定審査会は、市町村（特別区を含む）に置かれ、その委員は、「要介護者等の保健、医療又は福祉に関する学識経験を有する者のうちから」、市町村長（特別区にあっては、区長）が任命します（介護保険法14条、15条２項）。

○

テキスト▶③一般常識科目P108

そのとおり正しい（介護保険法27条８項）。

27 ☑☑☑ 重要度 B [H26問8-B]

介護保険法に関し、指定居宅介護支援事業者の指定は、３年ごとに更新を受けなければ、その期間の経過によって効力を失う。

28 ☑☑☑ 重要度 B [H26問8-C]

介護保険法に関し、介護老人保健施設を開設しようとする者は、厚生労働省令で定めるところにより、都道府県知事の許可を受けなければならない。

29 ☑☑☑ 重要度 A [H27問7-C]

市町村又は特別区は、政令で定めるところにより、その一般会計において、介護給付及び予防給付に要する費用の額の100分の25に相当する額を負担する。

30 ☑☑☑ 重要度 B [R3問8-C]

配偶者（婚姻の届出をしていないが、事実上婚姻関係と同様の事情にある者を含む。）の一方は、市町村（特別区を含む。）が第１号被保険者である他方の保険料を普通徴収の方法によって徴収しようとする場合において、当該保険料を連帯して納付する義務を負うものではない。

31 ☑☑☑ 重要度 A [R5問8-D]

保険給付に関する処分（被保険者証の交付の請求に関する処分及び要介護認定又は要支援認定に関する処分を含む。）に不服がある者は、介護保険審査会に審査請求をすることができる。介護保険審査会の決定に不服がある者は、社会保険審査会に対して再審査請求をすることができる。

×

テキスト▶③一般常識科目P110

指定居宅介護支援事業者の指定は、「**6年**」ごとに更新を受けなければ、その期間の経過によって効力を失います（介護保険法79条の2第1項）。

○

テキスト▶③一般常識科目P110

そのとおり正しい（介護保険法94条1項）。

×

テキスト▶③一般常識科目P111

市町村又は特別区は、政令で定めるところにより、その一般会計において、介護給付及び予防給付に要する費用の額の「**100分の12.5**」に相当する額を負担します（介護保険法124条1項）。

×

テキスト▶該当ページなし

配偶者（婚姻の届出をしていないが、事実上婚姻関係と同様の事情にある者を含む）の一方は、市町村（特別区を含む）が第1号被保険者たる他方の保険料を普通徴収の方法によって徴収しようとする場合において、当該保険料を連帯して納付する義務を負います（介護保険法132条3項）。

×

テキスト▶③一般常識科目P112

設問の後段のくだり（社会保険審査会）は存在しません（介護保険法183条）。

櫻島のワンポイント

介護保険の不服申立ては、イコール「介護保険審査会に審査請求」することを意味します。なお、その後であれば取消訴訟を起こすことも可能です。

32 ☑☑☑ 重要度 B [R3問8-D]

介護保険審査会は、各都道府県に置かれ、保険給付に関する処分に対する審査請求は、当該処分をした市町村（特別区を含む。）をその区域に含む都道府県の介護保険審査会に対してしなければならない。

テキスト▶③一般常識科目P112

そのとおり正しい（介護保険法183条１項、法184条ほか）。なお、介護保険審査会の委員は、都道府県知事が任命します（同法185条２項）。

33 ☑☑☑ 重要度 B [H30問6-B]

船員保険法では、船員保険は、健康保険法による全国健康保険協会が管掌し、船員保険事業に関して船舶所有者及び被保険者（その意見を代表する者を含む。）の意見を聴き、当該事業の円滑な運営を図るため、全国健康保険協会に船員保険協議会を置くと規定している。

34 ☑☑☑ 重要度 B [R2問7-D]

船員保険法において、被保険者又は被保険者であった者が被保険者の資格を喪失する前に発した職務外の事由による疾病又は負傷及びこれにより発した疾病につき療養のため職務に服することができないときは、その職務に服することができなくなった日から起算して3日を経過した日から職務に服することができない期間、傷病手当金を支給する。

35 ☑☑☑ 重要度 B [R2問7-A]

船員保険法において、被保険者が職務上の事由により行方不明となったときは、その期間、被扶養者に対し、行方不明手当金を支給する。ただし、行方不明の期間が1か月未満であるときは、この限りでない。

36 ☑☑☑ 重要度 B [R5問7-D]

船員保険法にかかる行方不明手当金の支給を受ける期間は、被保険者が行方不明となった日の翌日から起算して2か月を限度とする。

37 ☑☑☑ 重要度 B [H23問6-E]

船員保険に関し、被保険者の資格、標準報酬又は保険給付に関する処分に不服がある者は、社会保険審査官に対し審査請求をし、その決定に不服がある者は、社会保険審査会に対して再審査請求をすることができる。

テキスト▶③一般常識科目P114

そのとおり正しい（船員保険法４条１項、６条１項）。

テキスト▶③一般常識科目P115

船員保険法における傷病手当金は、待期期間が必要とされません（船員保険法69条１項）。したがって、職務に服することができなくなった日の第１日目から傷病手当金が支給されます。

テキスト▶③一般常識科目P115

そのとおり正しい（船員保険法93条）。なお、行方不明手当金の額は、１日につき、被保険者が行方不明となった当時の標準報酬月額に相当する金額とします（同法94条）。

テキスト▶③一般常識科目P115

行方不明手当金の支給期間の限度は**３か月**です（船員保険法95条）。

テキスト▶③一般常識科目P116

そのとおり正しい（船員保険法138条１項）。

澤島のワンポイント

保険料等の賦課若しくは徴収の処分又は滞納処分に不服がある者は、社会保険審査会に対して審査請求をすることができます（船員保険法139条）。

38

☑☑☑ 重要度 A [H25問10-ア]

「児童」とは、18歳に達する日以後の最初の３月31日までの間にある者であって、日本国内に住所を有するもの又は留学その他の厚生労働省令で定める理由により日本国内に住所を有しないものをいう。

39

☑☑☑ 重要度 B [H25問10-ウ]

児童手当の支給は、受給資格者が児童手当法第７条の規定による認定の請求をした日の属する月の翌月から始め、児童手当を支給すべき事由が消滅した日の属する月で終わる。ただし、受給資格者が住所を変更した場合又は災害その他やむを得ない理由により認定の請求をすることができなかった場合はこの限りではない。

40

☑☑☑ 重要度 B [R2問8-B]

児童手当は、毎年１月、５月及び９月の３期に、それぞれの前月までの分を支払う。ただし、前支払期月に支払うべきであった児童手当又は支給すべき事由が消滅した場合におけるその期の児童手当は、その支払期月でない月であっても、支払うものとする。

41

☑☑☑ 重要度 C [R2問8-C]

児童手当の支給を受けている者につき、児童手当の額が増額することとなるに至った場合における児童手当の額の改定は、その者がその改定後の額につき認定の請求をした日の属する月の翌月から行う。

テキスト▶③一般常識科目P117

そのとおり正しい（児童手当法３条１項）。

テキスト▶③一般常識科目P118

そのとおり正しい（児童手当法８条２項・３項）。

椛島のワンポイント

児童手当は、原則として、毎年２月、４月、６月、８月、10月及び12月の６期に、それぞれの前月までの分を支払うこととされています。

テキスト▶③一般常識科目P118

児童手当は、毎年２月、４月、６月、８月、10月及び12月の６期に、それぞれの前月までの分を支払うものとされています（児童手当法８条４項）。本問後段の記述は正しい。

テキスト▶該当ページなし

そのとおり正しい（児童手当法９条１項）。なお、児童手当の支給を受けている者が住所を変更した場合又は災害その他やむを得ない理由により、本問の改定の請求をすることができなかった場合において、住所を変更した後又はやむを得ない理由がやんだ後15日以内にその請求をしたときは、児童手当の額の改定は、本問の規定にかかわらず、児童手当の支給を受けている者が住所を変更した日又はやむを得ない理由により当該改定の請求をすることができなくなった日の属する月の翌月から行います（同条２項）。

42 ☑☑☑ 重要度 B [R2問8-D]

児童手当の一般受給資格者が死亡した場合において、その死亡した者に支払うべき児童手当（その者が監護していた中学校修了前の児童であった者に係る部分に限る。）で、まだその者に支払っていなかったものがあるときは、当該中学校修了前の児童であった者にその未支払の児童手当を支払うことができる。

43 ☑☑☑ 重要度 B [R4問10-A]

児童手当の支給を受ける権利は、譲り渡し、担保に供し、又は差し押えることができない。

テキスト▶該当ページなし

そのとおり正しい（児童手当法12条１項）。児童手当を支給すべきでないにもかかわらず、児童手当の支給としての支払が行われたときは、その支払われた児童手当は、その後に支払うべき児童手当の内払とみなすことができます（同法13条）。

テキスト▶該当ページなし

そのとおり正しい（児童手当法15条）。児童手当法はいわゆる社会保険制度ではないですが、同様の通則規定（例えば本問の受給権保護規定など）が存在します。

44 ☑☑☑ 重要度 C [R2問6-A]

加入者である期間を計算する場合には、月によるものとし、加入者の資格を取得した月から加入者の資格を喪失した月までをこれに算入する。ただし、規約で別段の定めをした場合にあっては、この限りでない。

45 ☑☑☑ 重要度 B [H26問9-A]

事業主（基金を設立して実施する確定給付企業年金を実施する場合にあっては、基金。以下「事業主等」という。）は老齢給付金と脱退一時金の給付を行うが、規約で定めるところにより、これらの給付に加え、障害給付金と遺族給付金の給付を行うことができる。

46 ☑☑☑ 重要度 B [R4問6-B]

確定給付企業年金法において、事業主（企業年金基金を設立して実施する確定給付企業年金を実施する場合にあっては、当該基金）は、障害給付金の給付を行わなければならない。

47 ☑☑☑ 重要度 A [H26問9-C]

年金給付の支給期間及び支払期月は、政令で定める基準に従い規約で定めるところによる。ただし、終身又は５年以上にわたり、毎年１回以上定期的に支給するものでなければならない。

48 ☑☑☑ 重要度 B [R2問6-C]

年金給付の支給期間及び支払期月は、政令で定める基準に従い規約で定めるところによる。ただし、終身又は10年以上にわたり、毎年１回以上定期的に支給するものでなければならない。

×

テキスト▶③一般常識科目P121

加入者である期間を計算する場合には、月によるものとし、加入者の資格を取得した月から加入者の資格を喪失した月の「前月」までをこれに算入します（確定給付企業年金法28条１項)。本問ただし書の記述は正しい。

テキスト▶③一般常識科目P122

そのとおり正しい（確定給付企業年金法29条)。

×

テキスト▶③一般常識科目P122

障害給付金は「任意給付」です（確定給付企業年金法29条２項)。よって、語尾が義務表現になっているのが誤りです。

○

テキスト▶③一般常識科目P122

そのとおり正しい（確定給付企業年金法33条)。

×

テキスト▶③一般常識科目P122

年金給付の支給期間及び支払期月は、政令で定める基準に従い規約で定めるところによります（確定給付企業年金法33条)。ただし、終身又は「５年以上」にわたり、毎年１回以上定期的に支給するものでなければなりません。

49 ☑☑☑ 重要度 B [H26問9-D]

確定給付企業年金について、老齢給付金は、年金として支給することとされており、その全部又は一部を一時金として支給することを規約で定めることはできない。

50 ☑☑☑ 重要度 B [R2問6-E]

老齢給付金の受給権は、老齢給付金の受給権者が死亡したとき又は老齢給付金の支給期間が終了したときにのみ、消滅する。

51 ☑☑☑ 重要度 B [R2問6-B]

加入者は、政令で定める基準に従い規約で定めるところにより、事業主が拠出すべき掛金の全部を負担することができる。

×

テキスト▶③一般常識科目P123

老齢給付金は、原則として、年金として支給することとされていますが、その**全部又は一部を一時金**として支給することを**規約で定めることもできます**（確定給付企業年金法38条）。

×

テキスト▶③一般常識科目P123

本問のほかに、「老齢給付金の全部を一時金として支給されたとき」にも、当該老齢給付金の受給権は消滅します（確定給付企業年金法40条）。

×

テキスト▶③一般常識科目P124

加入者は、政令で定める基準に従い規約で定めるところにより、事業主が拠出すべき掛金の「一部」を負担することができます（確定給付企業年金法55条２項）。

52 ☑☑☑ 重要度 A [H27問8-A]

確定拠出年金法に関し、「個人型年金」とは、国民年金基金連合会が、確定拠出年金法第３章の規定に基づいて実施する年金制度をいう。

53 ☑☑☑ 重要度 B [R3問6-A]

企業型年金加入者の資格を取得した月にその資格を喪失した者は、その資格を取得した月のみ、企業型年金加入者となる。

54 ☑☑☑ 重要度 B [H27問8-D]

企業型年金加入者の拠出限度額について、個人型年金同時加入制限者で他制度加入者でないものの場合、月額55,000円である。

55 ☑☑☑ 重要度 B [R3問6-B]

企業型年金において、事業主は、政令で定めるところにより、年１回以上、定期的に掛金を拠出する。

56 ☑☑☑ 重要度 A [H25問8-C]

確定拠出年金法に関し、企業型年金加入者は、自ら掛金を拠出することはできない。

テキスト▶③一般常識科目P125

そのとおり正しい（確定拠出年金法２条３項）。

テキスト▶該当ページなし

企業型年金加入者の資格を取得した月にその資格を喪失した者は、その資格を取得した月にさかのぼって、企業型年金加入者でなかったものとみなされます。（確定拠出年金法12条）

テキスト▶該当ページなし

そのとおり正しい（確定拠出年金法施行令11条１号）。

椛島のワンポイント

「個人型年金同時加入制限者」とは、簡単にいうと、「**企業型年金に入っている者で、個人型年金には同時に加入できないもの**」です。

テキスト▶③一般常識科目P128

そのとおり正しい（確定拠出年金法19条１項）。なお、事業主掛金の額は、企業型年金規約で定めるものとされています。ただし、簡易企業型年金に係る事業主掛金の額については、政令で定める基準に従い企業型年金規約で定める額とします（同条２項）。

テキスト▶③一般常識科目P128

企業型年金加入者は、政令で定める基準に従い、企業型年金規約で定めるところにより、**年１回以上、定期的に自ら掛金を拠出**することができます（確定拠出年金法19条３項）。

57 ☑☑☑ 重要度 B [R3問6-C]

企業型年金加入者掛金の額は、企業型年金規約で定めるところにより、企業型年金加入者が決定し、又は変更する。

58 ☑☑☑ 重要度 A [R3問6-D]

国民年金法第７条第１項第３号に規定する第３号被保険者は、厚生労働省令で定めるところにより、国民年金基金連合会に申し出て、個人型年金加入者となることができる。

〇

テキスト▶該当ページなし

そのとおり正しい（確定拠出年金法19条４項）。なお、企業型年金加入者は、政令で定める基準に従い、企業型年金規約で定めるところにより、年１回以上、定期的に自ら掛金を拠出することができます（同条３項）。

〇

テキスト▶③一般常識科目P129

そのとおり正しい（確定拠出年金法62条１項３号）。なお、個人型年金加入者は、確定拠出年金法62条に規定する個人型年金加入者になる旨の申出をした日に個人型年金加入者の資格を取得します（同条３項）。

1−8 社会保険審査官・審査会法

59 ☑☑☑ 重要度C [R2問9-A]

審査請求は、政令の定めるところにより、文書のみならず口頭でもすることができる。

60 ☑☑☑ 重要度C [R2問9-B]

審査請求は、代理人によってすることができる。代理人は、各自、審査請求人のために、当該審査請求に関する一切の行為をすることができる。ただし、審査請求の取下げは、特別の委任を受けた場合に限り、することができる。

61 ☑☑☑ 重要度B [R2問9-E]

健康保険法の被保険者の資格に関する処分に不服がある者が行った審査請求に対する社会保険審査官の決定に不服がある場合の、社会保険審査会に対する再審査請求は、社会保険審査官の決定書の謄本が送付された日の翌日から起算して２か月を経過したときは、することができない。ただし、正当な事由によりこの期間内に再審査請求をすることができなかったことを疎明したときは、この限りでない。

○

テキスト▶③一般常識科目P131

そのとおり正しい（社会保険審査官及び社会保険審査会法5条1項）。審査請求が管轄違であるときは、社会保険審査官は、事件を管轄社会保険審査官に移送し、且つ、その旨を審査請求人に通知しなければなりません（同法8条1項）。

○

テキスト▶③一般常識科目P131

そのとおり正しい（社会保険審査官及び社会保険審査会法5条の2）。なお、審査請求が不適法であって補正することができないものであるときは、社会保険審査官は、決定をもって、これを却下しなければなりません（同法6条）。

○

テキスト▶③一般常識科目P132

そのとおり正しい（社会保険審査官及び社会保険審査会法32条1項・3項）。なお、再審査請求は、政令で定めるところにより、文書又は口頭ですることができます（同法32条4項）。

② 社会保障制度

62  

[H26問10-D]

老人保健法が全面改正された「高齢者の医療の確保に関する法律」に基づき、後期高齢者医療制度が平成10年４月から実施された。本制度は、現役世代と高齢者の費用負担のルールを明確化するとともに、都道府県単位で全ての市町村が加入する後期高齢者医療広域連合を運営主体とすることにより、運営責任の明確化及び財政の安定化を図り、75歳以上の者等を対象とする、独立した医療制度として創設された。

63  

[H22問7-A]

船員保険法は、大正14年に制定され、翌年から施行された。同法に基づく船員保険制度は船員のみを対象とし、年金等給付を含む総合保険であるが、健康保険に相当する疾病給付は対象としていなかった。

64  

[H24問8-D]

確定給付企業年金法は、平成15年６月に制定され、同年10月から施行されたが、同法により基金型の企業年金の１タイプが導入された。

65  

[H24問8-C]

確定拠出年金法は、平成13年６月に制定され、同年10月から施行されたが、同法に基づき、個人型年金と企業型年金の２タイプが導入された。

66 

[H24問6-D]

平成20年に導入された高額介護合算療養費等に関し、夫、妻ともに共働きでそれぞれ全国健康保険協会管掌の健康保険の被保険者である場合、高額介護合算療養費の適用を受ける際には、夫、妻が負担した一部負担金等を世帯合算の対象とすることができる。

テキスト▶③一般常識科目P136

後期高齢者医療制度が実施されたのは「**平成20年４月**」からです（高齢者医療確保法附則１条、同法平18附則１条ほか）。

×

テキスト▶③一般常識科目P135

船員保険法は「**昭和14年**」に制定され、翌年から施行されました。また、制度発足時から、年金等給付のほか「**健康保険に相当する疾病給付**」も対象としていました（船員保険法附則１条ほか）。

×

テキスト▶③一般常識科目P136

確定給付企業年金法は、「**平成13年６月に制定**」され、「**平成14年４月**」**から施行**されました（確定給付企業年金法附則１条ほか）。また、「**基金型**」と「**規約型**」の２タイプが導入されました。

○

テキスト▶③一般常識科目P136

そのとおり正しい（確定拠出年金法附則１条ほか）。

×

テキスト▶③一般常識科目P136

高額介護合算療養費の適用において、**夫、妻ともに健康保険の被保険者**である場合は、本問の**世帯合算の対象とはなりません**（健康保険法施行令43条の２ほか）。

67 ☑☑☑ 重要度 C [H29問9-A]

厚生年金保険法の改正により平成26年４月１日以降は、経過措置に該当する場合を除き新たな厚生年金基金の設立は認められないこととされた。

68 ☑☑☑ 重要度 B [R元問10-③]

国民年金第３号被保険者が、個人型確定拠出年金に加入できるようになった。この改正の施行日は、平成29年１月１日である。

69 ☑☑☑ 重要度 C [H26問10-B]

高齢化が進展する中で、老人福祉法が昭和37年に改正され、翌年１月から老人医療費支給制度が実施された。この制度は、70歳以上（寝たきり等の場合は65歳以上）の高齢者に対して、医療保険の自己負担分を、国と地方公共団体の公費を財源として支給するものであった。

70 ☑☑☑ 重要度 B [H26問10-C]

高齢者の医療費の負担の公平化を目指して、老人保健法が昭和47年に制定され、翌年２月から施行された。同法においては、各医療保険制度間の負担の公平を図る観点から老人保健拠出金制度が新たに導入された。また、老人医療費の一定額を患者が自己負担することとなった。

テキスト▶③一般常識科目P136

そのとおり正しい（公的年金制度の健全性及び信頼性の確保のための厚生年金保険法等の一部を改正する法律附則５条ほか）。

テキスト▶③一般常識科目P137

そのとおり正しい（国民年金法平28年法律66号附則１条ほか）。

テキスト▶③一般常識科目P135

老人**福祉**法が「**昭和47年**」に改正され、翌年１月から老人医療費支給制度が実施されました。その他の記述については正しい。

テキスト▶③一般常識科目P136

老人**保健**法は「**昭和57年**」に制定され、翌年２月から施行されました。

櫻島のワンポイント

老人保健法が改正され、平成20年４月より「**高齢者の医療の確保に関する法律**」として施行されています。

東京リーガルマインド

問題集②